Palestiniennes

Revue d'études

Revue trimestrielle publiée par l'Institut des études palestiniennes

Fondé en 1963 à Beyrou[t], l'Institut des études palestiniennes a pour b[ut] de promouvoir une meilleure compréhensi[on] de la cause palestinienne et des droits du peuple palestinien. Privé et indépendant, l'Institut est un organisme arabe de recherches sans but lucratif. Il n'est affilié à aucun gouvernement, groupe ou parti politique. Ses publications sont destinées à informer le public de la question palestinienne et du conflit arabo-israélien ; elles sont le reflet de la libre expression de leurs auteurs et n'engagent pas nécessairement l'Institut.

Edmond Naim
Hisham Nashabi
Edmond Rabbath †

Rédaction
Rédacteur en chef :
Elias Sanbar
Secrétaire de la rédaction :
Jean-Claude Pons
Comité :
Camille Mansour,
Farouk Mardam-Bey

Abonnement :
1 an (quatre livraisons)
44,97 € ou 56 $ US
Etudiants 38,11 € ou 48 $ US
Abonnement de soutien
68,6 € ou 75 $ US
Tous pays : par chèque bancaire en euros, libellé au nom des Éditions de Minuit, 7, rue Bernard-Palissy, 75006 Paris CCP Paris 180-43 T.
Pays arabes : par chèque bancaire en dollars US, libellé au nom de la Revue d'études palestiniennes, à adresser à l'Institut des études palestiniennes, B.P. 11-7164, Beyrouth-Liban.

Diffusion aux libraires
Pour les pays arabes du Moyen-Orient : I.P.S., B.P. 11-7164, Beyrouth-Liban

Pour tous les autres pays :

☆m **Les Editions de Minuit,**
7, rue Bernard-Palissy,
75006 Paris

Photo de couverture DR

Publiée avec le concours de la **Fondation Diana Tamari Sabbagh** & du Centre national des lettres

Conception graphique :
Mohieddine Ellabbad

Amira Hass

La Palestine sous la botte

Amira Hass est la correspondante du journal israélien *Haaretz* dans les territoires occupés. Elle vit à Ramallah. Son livre *Boire la mer à Gaza, Chronique 1993-96,* a été traduit en français (Paris, La Fabrique, 2001).
Traduit de l'anglais par Nathalie Vailhen.

Fin octobre 2000. Un barrage militaire tenu par une poignée de soldats à cran, à la sortie de Bitunia, au sud-est de Ramallah, et une longue file de voitures palestiniennes qui, une à une, ont allumé leurs feux à la nuit tombante. Les conducteurs, qui n'avaient pas encore les nerfs à bout à l'idée d'attendre leur tour pour recevoir l'autorisation de passer, ont sûrement remarqué, ce jour-là, une structure bizarre sur le côté est de la route : dans un vaste terrain militaire, contigu au camp militaire israélien d'Ofer, reposaient innocemment plusieurs rangées d'énormes cubes de béton, les uns sur les autres ou côte à côte. Dans la pénombre, ils ont peut-être aperçu, au-delà du camp et du terrain militaires, une énorme autoroute en fin de construction, destinée à mieux relier Israël proprement dit à ses colonies les plus éloignées à l'est, celles de Maale Adoumim et de la vallée du Jourdain. Un peu plus loin, à moins d'un kilomètre au sud du camp militaire et de cette procession de véhicules, les milliers de joyeux points lumineux de la colonie juive de Givaat Zeev témoignaient haut et fort de l'étendue d'un satellite israélien bien implanté.

Une semaine plus tard, les véhicules palestiniens ne pouvaient plus franchir ce barrage de la périphérie de Bitunia – qui pour des dizaines de villages de la région restait jusque-là le principal accès à Ramallah. De souriants soldats détendus, deux blocs amovibles de plastique et une rangée de pics, amovible elle aussi, permettaient encore le passage des voitures diplomatiques étrangères. Quelques semaines plus tard, cette sortie était complètement bouclée par un monticule de sable et quelques-uns de ces fameux blocs innocents de béton. La nouvelle autoroute était terminée ; une nouvelle bretelle permettait aux véhicules israéliens d'accéder au camp militaire d'Ofer. Parallèlement, les petites routes transversales qui reliaient, récemment encore, les villages à Ramallah avaient aussi été coupées à la circulation.

Depuis le déclenchement de la seconde Intifada en octobre 2000, des villes et des villages de Cisjordanie et de la bande de Gaza ont ainsi été isolés hermétiquement, progressivement, soigneusement, méticuleusement et de manière très pensée. Dans bien des cas, quelques blocs de béton suffisent à empêcher les véhicules d'entrer et de sortir d'un village ou d'une région. Ailleurs, il aura fallu un fossé profond ou un talus de sable et de pierres pour garantir le maximum d'obstacles à la liberté de mouvement des Palestiniens. Les principales entrées des localités palestiniennes sont maintenant sous le contrôle de monstres énormes : des chars et des véhicules blindés, des postes de tirs où sont planqués des soldats, le canon de leur arme braqué sur les piétons. Le paysage de la Cisjordanie est aujourd'hui quadrillé de probablement plusieurs centaines de ces barrages hermétiques aux alentours de chaque agglomération palestinienne, grande ou petite. Comme la circulation est interdite aux Palestiniens sur les routes principales et secondaires, des grappes de taxis jaunes s'agglutinent aux alentours des barrages ; des troupeaux de piétons montent et descendent ces collines de sable, passent les fossés, contournent les blocs de béton – échappant aux tirs des soldats qui tentent de temps à autre de les empêcher de se rendre à leur travail, d'aller à l'école, à la clinique, à l'université, de voir de la famille ou d'aller au marché… Les gens changent de moyen de transport, collectif, à chacun de ces barrages – qui sont devenus, à la fois, le terminus d'un tronçon et la station de départ d'une autre route tout aussi « hétérodoxe », tortueuse, terreuse et caillouteuse. Entre le terminus d'un tronçon et le début d'un autre, l'embouteillage est tel que les passagers sont obligés de marcher plusieurs centaines de mètres en plein soleil, dans la poussière ou sous la pluie battante, dans la boue. Un trajet de, disons, vingt-cinq minutes, en temps normal, est devenu une épreuve de deux à trois heures. Plus la localité est proche d'une colonie israélienne et plus elle se retrouve enfermée sur elle-même.

Le dispositif, mis en place depuis un an, n'est pas nouveau. La bande de Gaza en fait l'expérience depuis 1991 – date à laquelle elle s'est vue pareillement confinée et coupée du reste du pays et du monde : les quelque 1,1 million d'habitants de la bande de Gaza sont encagés dans une langue de terre de 360 km² depuis dix ans, frappés de l'interdiction d'en sortir librement et fréquemment. Et donc, ce qui se passe aujourd'hui dans l'ensemble des territoires occupés est une « émulation », une multiplication de ce que les habitants de la bande de Gaza connaissent déjà depuis des années. Du point de vue israélien, cette politique dite de « bouclage » ne revêt qu'un changement d'ordre quantitatif, et non qualitatif.

La sous-estimation du bouclage

Cependant, ce bouclage qui apparaît clairement aujourd'hui et qui, depuis quelques années, suscite une relative inquiétude et une certaine réprobation (sans qu'on y mette fin pour autant), celle-là même qui a pris racine dans la bande de Gaza donc, a été complètement négligée et sous-estimée par toutes les parties concernées : les élites palestiniennes, l'intelligentsia, les partis politiques, l'Autorité palestinienne, les partisans de la paix israéliens, les groupes pro-palestiniens à l'étranger, les militants palestiniens de la diaspora… Tout au plus a-t-on entendu, de temps à autre, faire référence à ses répercussions économiques – quand cette politique de bouclage imposait bien plus que strangulation et paralysie économiques.

La longévité et la persistance de cette politique israélienne de bouclage posent deux questions essentielles : dans quelle mesure les responsables politiques israéliens au pouvoir dans les années 80 ont-ils prémédité, prévu et programmé cette politique ; et pourquoi la politique de bouclage a-t-elle suscité si peu – si toutefois elle en a jamais suscité – de résistance ?

Parler de résistance à la domination et aux moyens que cette domination met en œuvre est un sujet de débat épineux. En attirant l'attention sur « l'assujetti », on prend toujours le risque de décharger le pouvoir de ses responsabilités et d'estomper sa culpabilité d'exploiteur et d'oppresseur. D'un autre côté, n'importe quel pouvoir (et avec lui ses protagonistes) n'a intérêt à changer l'état des choses, tant que la résistance ne l'y contraint pas. C'est le dominé qui initie les changements. Ces derniers temps, le processus de changement se résume à un dialogue féroce, souvent violent et frustrant, entre la créativité, la force acquise dans un mouvement d'espoir du dominé – de l'opprimé – et les ressources matérielles, les réserves de ruses et les éventuelles faiblesses encourageantes du dominant – de l'oppresseur.

Le « bouclage » (« *seger* » en hébreu, « *ighlaq* » en arabe), tel qu'il s'est développé durant ces dix dernières années dans les territoires occupés palestiniens, signifie pour tout habitant de ces territoires la privation de ses droits de libre circulation. Concrètement, c'est un système de laisser-passer qu'Israël a introduit, début 1991, pendant la guerre du Golfe, et n'a cessé d'affiner depuis. A l'intérieur d'un même territoire, les Palestiniens ont besoin de permis spéciaux pour se déplacer quand les citoyens israéliens peuvent circuler librement.

A la veille de la guerre du Golfe, un décret militaire israélien en a annulé un autre (remontant au début des années 70 en Cisjordanie, et au milieu des années 80 dans la bande de Gaza) qui accordait à tout habitant installé en Palestine un « permis général d'entrée » en Israël. Bien que ce décret soit entré plus tard en vigueur dans la bande de Gaza, en pratique et de facto, ses habitants jouissaient d'une égale liberté de circulation. En somme, dans « le pays » qui s'étendait du Jourdain à la mer Méditerranée, les Palestiniens et les Israéliens avaient le droit à la même liberté de mouvement sur le même territoire. Cette liberté de mouvement n'a pas été accordée au nom de l'égalité. Tandis que les Juifs ont eu le droit de s'installer dans les territoires occupés de 1967, les Palestiniens ne pouvaient pas en faire autant. C'était là une des mesures tacticiennes de Moshé Dayan que

de chercher à intégrer à Israël, économiquement, les territoires occupés ; il y voyait un moyen de modérer les aspirations nationalistes et de saper à la longue toute possibilité de créer un Etat indépendant palestinien. Cela étant, cette liberté de mouvement a énormément compté pour chaque individu – d'un point de vue économique comme d'un point de vue social. Et, rétrospectivement, elle s'est révélée extrêmement précieuse pour les trois communautés palestiniennes séparées vivant en Cisjordanie, dans la bande de Gaza ou en Israël proprement dit ; elles ont ainsi pu ré-établir des contacts directs faciles et reconsolider leur identité nationale et culturelle (malgré les différences). Naturellement, cette règle de la libre circulation a eu ses exceptions : suivant les époques et selon des procédures bureaucratiques différentes, les suspects se sont vus interdits de circuler librement. Même chose pour les criminels de droit commun, à moins qu'ils ne deviennent des collaborateurs. Mais ces cas restaient des exceptions au regard d'une loi – que les autorités israéliennes respectaient – qui accordait à tous les Palestiniens le droit de circuler librement. Même pendant les attaques palestiniennes visant des civils israéliens en Israël, personne ne songea à demander de fermer les entrées d'Israël. Les « exceptions » ne se sont multipliées qu'avec le déclenchement de la première Intifada et l'introduction de la carte magnétique dans la bande de Gaza : une seconde carte d'identité qui a permis d'intensifier les contrôles des résidents palestiniens et de leur extorquer officiellement encore de l'argent – cette carte, renouvelable tous les ans, n'était délivrée qu'aux Palestiniens « kosher », porteur d'aucune menace pour la sécurité du pays ; et en Cisjordanie une carte verte (par opposition à la « carte orange kosher »), délivrée aux « cas suspects » (ex-prisonniers ou militants). Cette carte verte signifiait qu'ils n'avaient pas le droit de passer la « ligne verte ». Tous les autres, c'est-à-dire encore la majorité, pouvaient continuer de jouir de leur droit de libre circulation dans l'ensemble du pays – tout comme les Israéliens.

En 1991, on inversa la vapeur. Dorénavant, ce droit allait être retiré à *tous* les Palestiniens, hormis à ceux qui entraient dans certaines catégories – tels que les ouvriers, les commerçants, les malades, les collaborateurs et les personnalités palestiniennes importantes. Et c'est la règle qui prévaut depuis, bien que les pratiques aient changé, aient été modifiées, se soient assouplies puis rigidifiées avec le temps.

Les laissez-passer

C'est Israël qui dicte les règles, les besoins ; qui définit les catégories de chanceux qui pourront obtenir les laissez-passer, leur nombre et leur nature. La restriction s'est d'abord appliquée essentiellement à l'entrée en Israël – les déplacements entre la Cisjordanie et la bande de Gaza étant davantage tolérés. Puis les voyages entre les deux sont devenus de plus en plus difficiles, jusqu'à atteindre des sommets aujourd'hui (avec la seconde Intifada) où les Palestiniens n'ont plus le droit, et sont littéralement empêchés, de quitter leur village ou leur ville pour aller dans la localité voisine.

De 1991 à mars 1993, les prescriptions sont restées vagues. On pouvait encore, assez facilement, circuler et même entrer ou sortir discrètement de la bande de Gaza. On n'a compris la sévérité des nouvelles mesures qu'après que la police israélienne eut commencé à rechercher et pourchasser sans relâche les « agents infiltrés », les eut emprisonnés, et que les tribunaux militaires les eurent condamnés à de lourdes amendes. En mars 1993, une autre « nouveauté » est introduite : Jérusalem-Est est ré-annexée de manière plus marquée qu'en 1967 : elle est incluse de facto dans les territoires israéliens fermés aux Palestiniens. Le capital culturel, religieux, institutionnel, économique et commercial palestinien a été encerclé depuis par des mesures et des règlements bureaucratiques encore plus nombreux qui ont interdit, régulé et espacé son accès aux Palestiniens – d'abord

les hommes de moins de 40 ans ont eu besoin d'un permis, puis les femmes aussi, et enfin tout le monde quel que soit l'âge. Les deux premières années de bouclage ont décimé le nombre de travailleurs palestiniens en Israël, portant une série de coups économiques en chaîne aux ménages et à la communauté tout entière. Les séjours en Israël, les visites, les courses et toutes les autres activités humaines normales de ce genre sont devenues impossibles.

Depuis l'instauration de l'Autorité palestinienne, un appareil bureaucratico-militaire s'est développé et affiné, en collaboration étroite avec l'administration israélienne du Shin Bet. Les employés palestiniens, en bons intermédiaires, transmettent les autorisations à leurs frères palestiniens ou leur délivre les réponses négatives – parfois implorant la clémence, parfois se faisant inaccessibles, probablement embarrassés par leur propre impuissance.

Le système des laissez-passer a transformé un droit universel de base en un privilège, un avantage particulier, une faveur accordée à une minorité, à des individus. Mais plutôt qu'un privilège, c'est davantage des bribes de privilège que l'on octroie au plus petit nombre : quelques laissez-passer autorisant à dormir une nuit en Israël, d'autres exigeant le retour avant la tombée de la nuit, certains donnant à leur bénéficiaire le droit d'utiliser une voiture de tourisme, de laisser leur véhicule sur un parking à l'extérieur de la bande de Gaza, d'autres encore autorisant à utiliser une voiture de tourisme depuis le domicile. Parfois mille commerçants obtiennent ainsi un laissez-passer valable pour un secteur et durant un mois ; parfois trois cents, seulement. Certains peuvent se rendre en Israël et en Cisjordanie, d'autres uniquement en Cisjordanie ; certains ont des permis d'un mois, d'autres de deux jours. La main qui donne est la même que celle qui confisque. Et toute une société est ainsi stratifiée et fragmentée suivant des degrés d'accessibilité ou d'inaccessibilité au « privilège de circuler librement ». La consolidation du système de laissez-passer israélien s'est faite pendant la décennie du « processus de paix » et coïncide avec les discussions pour la paix, qui ont démarré avec la Conférence de Madrid et se sont poursuivies avec les négociations et les accords d'Oslo.

Une double fragmentation

Ce sous-cloisonnement social, induit par la limitation de circuler librement, s'est donc associé à la vieille fragmentation territoriale menée par Israël depuis 1967, c'est-à-dire à l'implantation des colonies juives comme autant d'enclaves et de satellites israéliens dans les territoires occupés. Le processus de fragmentation territoriale s'est intensifié pendant la « décennie de la paix » – avec la construction d'un énorme réseau, toujours plus grand, de routes de contournement dans les territoires occupés – reliant les colonies juives entre elles et à Israël proprement dit ; contournant les localités palestiniennes, coupant les villages palestiniens les uns des autres, les coupant des villes, de leurs champs et de leurs vergers. Ce processus s'est accompagné d'un nombre incalculable d'expropriations de terres agricoles et de terrains à bâtir pour les Palestiniens. Pendant ces années-là, le nombre de colons a considérablement augmenté et de nombreuses colonies ont étendu leur superficie.

Naturellement, l'intensification des implantations de colonies n'a pas été avalisée par les accords d'Oslo. Les Palestiniens l'ont, d'ailleurs, toujours interprétée comme contraire à la fameuse clause qui interdisait tout changement dans le statu quo. Israël a continué à construire. Et pourtant l'extension du réseau des routes de contournement a reçu l'aval de Yasser Arafat, a-t-on appris du Fath. Les responsables de l'Autorité palestinienne passent outre les réclamations populaires et soutiennent que le futur Etat bénéficiera, un jour, de ces routes. Cela dit, une autre forme de fragmentation a été bi-latéralement consacrée par les accords de Taba, complétés en septembre 1995 et enfin signés à Washington. Il s'agit du découpage de la

Cisjordanie en trois zones. A : sous le contrôle civil et de sécurité (limitée) des Palestiniens. B : sous contrôle mixte, les Palestiniens responsables civils, les Israéliens responsables de la sécurité. C : sous contrôle exclusif militaire, policier et administratif israélien. La prétendue logique de la chose voulait qu'en contrepartie d'une sécurité accrue et de preuves de calme (lutte antiterroriste et prévention contre la violence envers les Israéliens), davantage de territoires soient reclassés et transférés sous contrôle sécuritaire et administratif « exclusif » de l'Autorité palestinienne.

La Cisjordanie (et avant elle, la bande de Gaza) est devenue une effroyable mosaïque de territoires, classées d'après la nature de leur contrôle de sécurité. La zone A qui incluait, au départ, toutes les grandes villes, aurait dû – comme l'ont promis les responsables de l'Autorité palestinienne – s'étoffer et couvrir « l'essentiel » de la Cisjordanie, à l'exception des zones bâties des colonies et des installations militaires (comme le stipulait vaguement les accords). A certaines époques, le chiffre de 97 % fut avancé ; à d'autres, moins. Les zones A et B abritaient certainement la grande majorité de la population palestinienne – dispensant ainsi Israël de ses responsabilités légales de puissance occupante pour ce qui est de maintenir et sauvegarder le bien-être des populations occupées. Or, en septembre 2000, la zone C (les terres potentiellement cultivables et exploitables) représentait 60 % de la Cisjordanie ; la zone A, 18 % ; et la zone B, le reste, tandis que plus de 20 % de l'étroite bande de gaza était réservé à l'armée israélienne et aux colons.

A bien y regarder, la particularité révélatrice de ce découpage en zones n'est pas sa délimitation du contrôle de sécurité (que l'Autorité palestinienne a fièrement présenté comme une réussite), mais sa délimitation du contrôle civil. La deuxième Intifada montre, chaque jour, à quel point la zone A ne présente en rien les qualités d'un pare-chocs contre les attaques et les intrusions israéliennes. En revanche, le fait que l'essentiel de la population palestinienne vive sous la responsabilité civile et administrative de l'Autorité palestinienne dans les enclaves A et B séparées l'une de l'autre par un océan de terres en zone C, de blocs de béton et de chars permet à l'Etat hébreu d'écarter du revers de la main toute obligation envers la population civile. Les sinistres répercussions (pas seulement économiques) de cette forme de fragmentation liée à la limitation de circulation ne préoccupent nullement Israël.

Avant la deuxième Intifada, la double fragmentation (territoriale et limitation de circuler) a d'abord durement affecté les relations entre la bande de Gaza et la Cisjordanie. En Cisjordanie, les deux fragmentations coïncidaient, douloureusement, surtout dans les secteurs voisins des colonies : les gens avaient besoin de toutes sortes de permis et d'autorisations spéciales pour se rendre dans leurs champs ou leurs vergers. Progressivement, ils ont été de plus en plus dissuadés de continuer : un chien menaçant, un impitoyable agent de sécurité de la colonie, un chemin agricole bloquée, une plantation d'oliviers brûlée. Mais avec le déclenchement de l'actuel soulèvement, la simplicité du découpage en zones (cumulé avec le réseau de routes qui contournent les localités palestiniennes) est apparue dans toute sa splendeur. Deux ou trois blocs de béton, un fossé profond et quelques pierres autour avec un Israélien, armé, posté à distance suffisaient à paralyser des centaines de villages et une demi-douzaine de grosses villes, à affaiblir une économie entière et perturber toute la vie sociale.

Aujourd'hui, il faut des permis spéciaux pour entrer dans certaines villes déclarées « très fermées » – « couronnées » est l'euphémisme israélien. Les médecins, les commerçants, les malades peuvent obtenir ces permis. Pas les autres. Jusqu'ici, la position officielle et individuelle palestinienne est de rejeter le principe du permis et, en cas d'urgence, de tenter d'accéder sans autorisation aux villes « très fermées » en passant par les routes boueuses et accidentées, par les champs et les vergers – courant ainsi toujours le risque de se faire repérer et tirer dessus « en qualité de suspect ».

Même quand une ville palestinienne n'est pas interdite d'accès, le trajet pour y parvenir est devenu une véritable odyssée – puisque les principaux axes sont fermés à la circulation des Palestiniens. Pour eux, les colonies, et les routes qui y mènent, ont toujours matérialisé le vol de leurs terres. Mais on accorde trop peu d'attention, voire aucune, à un des autres gros vols israéliens de ses dix dernières années surtout : je veux parler de celui du temps, une conséquence, un effet secondaire indésirable de la politique de bouclage. La double fragmentation – territoriale et limitation de circulation – implique deux genres de vols : celui de la terre et celui du temps.

Avec la politique de bouclage « normale », introduite en 1991 et qui affectait surtout les habitants de la bande de Gaza, déjà le vol de temps était manifeste. L'obtention (jamais assurée) d'un laissez-passer se traduisait par d'énormes pertes de temps. Du temps perdu entre le dépôt des demandes les plus élémentaires (pour aller étudier dans une université cisjordanienne, rendre visite à de la famille, chercher un nouvel emploi, suivre un cours, voir un dermatologue, etc.) et l'obtention d'une réponse. Du temps perdu à faire la queue dans les bureaux de l'Autorité palestinienne qui délivrait, ou pas, la réponse israélienne. Du temps perdu à remplir des formulaires et à rassembler les documents à fournir. Du temps passé à téléphoner deux fois par jour pour savoir si l'autorisation était enfin arrivée, pour chercher à savoir quelle personnalité, assez influente pour toucher le cœur des Israéliens, on allait pouvoir approcher.

Un vol de plus : celui du temps

Le temps est un des principaux moyens de production dans la vie de tout homme. Dans son travail et ses loisirs, dans ses jeux et sa vie de famille, dans ses études et dans l'oisiveté. Pour l'individu comme pour la communauté, c'est une composante de base de sa capacité à se développer, prospérer, changer, se divertir. En posant de plus en plus d'entrave à la libre circulation durant les dix dernières années du XXᵉ siècle et en ce début du XXIᵉ, Israël a considérablement saboté le libre usage de ce moyen de production.

Dès 1991 et encore plus depuis 1994, tous les Gazaouites – et plus tard, la plupart des Cisjordaniens – ont découvert qu'ils n'avaient plus le droit de faire de projets : impossible de savoir si on allait leur donner l'autorisation d'aller assister à une réunion à Gaza ou en Cisjordanie, d'aller voir un petit-fils qui vient de naître, des amis. Israël contrôle même le droit des Gazaouites de déménager et d'aller s'installer en Cisjordanie, et s'oppose souvent à ce que l'Autorité palestinienne leur délivre de nouveaux papiers d'identité. Les gens ont perdu toute possibilité d'agir spontanément. Et la spontanéité est un droit de l'homme au même titre que le droit de voyager ou de se nourrir. Depuis dix ans déjà, les gens ne peuvent plus décider sur un coup de tête d'aller, disons, voir le soleil se lever sur le désert ou faire un tour à la nouvelle librairie qui vient d'ouvrir à Ramallah. En perdant leur capacité à se projeter ou à exercer leur spontanéité, en étant globalement dépendants de la pitié, des humeurs et du bon vouloir israélien, les gens sont devenus de plus en plus réticents à exercer leur droit de circuler et ont perdu toute envie ou énergie d'essayer de sortir de leur cage. Ils ont dû accepter que leur horizon rétréci dicte et donne la couleur à leur vie quotidienne sociale, spirituelle, économique et culturelle.

Ensemble, le temps et le territoire constituent notre « place » dans le monde : quelque chose dont nous avons besoin comme d'une substance pour des raisons concrètes et dans nos activités ; quelque chose dont nous avons besoin d'un point de vue spirituel. Autrement dit : L'espace, en ce qu'il a de concret et aussi en tant que sensation et composante essentielle du bien-être, a été confisqué aux Palestiniens – aux individus comme à la communauté.

Le degré d'absurdité est atteint depuis octobre 2000 : des étudiants ne peuvent plus aller à l'université, des malades et des femmes enceintes sont retenus aux barrages routiers, des techniciens municipaux ont besoin d'une autorisation israélienne pour réparer une canalisation qui fuit dans les faubourgs de la ville, les bureaux des administrations fonctionnent avec la moitié de leurs effectifs, les camions citernes transportant de l'eau n'ont pas le droit d'entrer dans les villages, le prix des trajets a triplé parce qu'on est obligé de changer de transport collectif tous les 20 km et les gens passent plusieurs heures d'affilée à attendre, retenus à des barrages routiers. Les marchandises mettent moins de temps entre le port d'Ashdod et la Chine qu'entre Ashdod et Naplouse. Outre ces spoliations d'espace et de temps, il y aussi les longs mois de couvre-feu qu'on impose à certains villages et quartiers limitrophes des colonies juives. Un cas notoire : au cœur de la ville d'Hébron, 20 000 Palestiniens sont assignés à résidence depuis le début des soulèvements afin que la sécurité de quelque 500 habitants juifs soit assurée.

Au cours de ces dix dernières années, et assurément depuis le début des soulèvements, les Palestiniens ont trouvé des moyens de défier cette politique de bouclage. Du reste, ils semblent disposer d'une inépuisable endurance pour supporter ces mesures et ils mettent en œuvre un incroyable arsenal d'inventions pour contourner les barrières, les barrages routiers, contrarier les soldats et arriver à se rendre au travail, à l'école ou à rejoindre leur maison ou leur famille.

Dans la bande de Gaza, pendant les « années Oslo », les fausses cartes d'identité étaient couramment fabriquées, les permis de travail achetés, certains se collaient à l'arrière des camionnettes ou se cachaient dans les camions de pommes de terre pour entrer en Israël et chercher du travail ; d'autres allaient au Caire et de là prenaient l'avion pour Amman pour ensuite rejoindre leur université cisjordanienne. Mais c'était avant que les Israéliens ne limitent les entrées des Gazaouites par le pont Allenby, avant qu'ils ne s'aperçoivent que les kamikazes passaient par là eux aussi et qu'ils ne resserrent l'étau. Et quand, pour finir, les gens se sont retrouvés complètement incapables de bouger, ils en sont venus à suivre leurs cours par l'Internet et à davantage développer leur vie familiale et sociale au sein de leur localité. Ici et là, on a vu la tension permanente exploser parfois et s'exprimer par de violents accrochages, mais le plus souvent ce sont les blagues et l'humour noir qui l'emportaient. « Il faut être mourant pour quitter Gaza », entendait-on dire, ou encore : « Je n'essaie même pas d'aller voir ailleurs ce qui s'y passe, j'ai trop peur de comprendre ce qui me manque ici. »

Aujourd'hui, avec l'Intifada, les Gazaouites font des kilomètres à pied le long de la plage – au risque permanent de se faire tirer dessus – parce que la grande route est momentanément coupée aux Palestiniens par l'armée et l'implantation de colonies ; de leur côté, les Cisjordaniens grimpent les montagnes à dos d'âne et empruntent des chemins aussi boueux que cailouteux – au risque de se faire tirer dessus en permanence. Ils marchent dans l'ombre des chars, ces monstres de métal qui braquent leur canon avec arrogance sur les villageois qui reviennent du marché, chargés de paquets. Après Oslo, le bouclage était synonyme d'asphyxie. Avec les soulèvements, le bouclage est aussi devenu synonyme de peur physique et de nécessité de surmonter cette peur.

Un exemple : 19 février 2002, un check-point important au sud de Ramallah fermé hermétiquement – après qu'un activiste palestinien eut tué six soldats israéliens sur un autre barrage routier à l'ouest de Ramallah. Des centaines de gens, près du camp de réfugiés de Kalandia, regardent la voie vide : aucune voiture ni aucun piéton ne passe. Un enfant vient de mourir, touché par une balle d'acier enrobé de caoutchouc. Une femme déterminée, portant un sac, s'approche des soldats armés et cuirassés. Les tirs en l'air ne la découragent pas. Elle continue d'avancer. Une autre série de tirs en l'air rend les gens nerveux. Elle s'arrête une seconde. Puis se remet à marcher et s'approche encore. Elle est maintenant à 50 mètres des soldats, une balle frappe le sol, juste à côté d'elle. Un petit nuage de fumée s'élève. Elle s'arrête – mais sa détermination fait descendre un soldat de sa jeep. Il lui crie quelque chose, elle lui crie une réponse. Il s'approche, elle pose ses sacs par terre et s'avance un peu plus. Ils échangent quelques mots. Et il la laisse passer.

Des millions d'exemples de ce type témoignent de l'ampleur du phénoménal refus de s'incliner. C'est une manifestation renversante du ressort d'un peuple ; et la seule raison qui empêche de parler de « résistance » est qu'elle n'est pas organisée. C'est une décision personnelle et un comportement individuel adoptés par toute une communauté, ça ne fait pas partie d'une stratégie centralisée et intentionnelle visant à défier les ordres et les options des Israéliens pour forcer ceux-ci à en changer. Le caractère collectif de cette attitude individuelle de défi est plus visible aujourd'hui qu'il ne l'était durant les « années Oslo » pour la simple raison que le bouclage est devenu plus visible, plus concret. Le bouclage, ce n'est pas seulement les nébuleux méandres bureaucratiques qui s'opposent à la délivrance d'un laissez-passer. Le bouclage fait maintenant partie de la géographie humaine et physique de chaque Palestinien.

L'absence de stratégie du défi – aujourd'hui comme dans les « années Oslo » – peut être attribuée, du moins partiellement, au manque de tentatives sérieuses et connues (de la part de figures intellectuelles ou politiques palestiniennes) de conceptualiser la politique de bouclage israélienne. Une fois qu'Israël aura décidé de lever un certain nombre de barrages intérieurs (comme le suggèrent certains cercles militaires suite aux attaques meurtrières répétées des activistes palestiniens fin février et à l'importante campagne des réservistes israéliens qui refusent de servir dans les territoires occupés, une campagne qui a permis d'attirer l'attention sur l'inhumanité de ces barrages de contrôle), il est à craindre qu'on ne néglige, une fois de plus, la politique globale de bouclage et de contrôle sur la liberté de circuler des Palestiniens.

La politique de colonisation israélienne n'a échappé à l'attention de personne. A aucun moment. De nombreuses campagnes de protestation se sont d'ailleurs élevées, même pendant les « années Oslo » durant lesquelles les responsables politiques palestiniens ont montré un certain laisser-faire à l'égard des implantations de colonies. La politique de refus de reconnaître aux Palestiniens le droit de résidence à Jérusalem a été détectée relativement tôt, dès 1996 ; elle a été défiée et rejetée par les Palestiniens, les OGN internationales et israéliennes, et enfin partiellement par les responsables palestiniens. La politique de démolition de maisons en Cisjordanie et à Jérusalem s'est aussi heurtée aux campagnes israélo-palestiniennes qui s'y opposaient – s'en trouvant quelque peu réfrénée et plus conciliante (avant le soulèvement).

A la différence de la terre – qui peut être restituée, remplacée ou réhabilitée – le temps est perdu à jamais. Le bénéfice personnel et collectif de disposer d'espace est gommé si l'on n'en jouit pas dans le temps. Comment se fait-il alors qu'on ait accordé si peu d'attention à ce vol majeur ? Comment se fait-il que les ONG et des forces telles que le Fath ne l'aient jamais pointé ?

Radiographie du bouclage

Voici quelques réponses, qui éclairent aussi la nature de cette politique israélienne.

1. Depuis 1991, le bouclage a été présenté, avec succès, comme une mesure de sécurité ad hoc en réponse aux attaques terroristes ou comme une mesure préventive. Chaque resserrement du bouclage a ainsi été présenté, et généralement effectué après une attaque meurtrière ou la (soi-disant ?) mise en évidence de la responsabilité de quelques prétendus terroristes… De sorte qu'en Israël, en Palestine et à l'étranger, l'impression que le bouclage est une mesure temporaire qui sera bientôt levée prévaut. Une telle approche repousse et compromet la possible conceptualisation du bouclage.

La plupart des observateurs oublient que la suppression du « permis d'entrée » en Israël, en janvier 1991, remonte bien avant que quelqu'un ait songé qu'un jour le Hamas mettrait au point sa tactique des attentats-suicides dans les bus et les lieux publics en Israël. On a aussi tendance à oublier que les activistes de l'OLP ont visé des citoyens israéliens et posé des bombes dans les villes israéliennes dès les années 70 et qu'à l'époque personne ne remettait en question le droit pour tout Palestinien, avec sa propre voiture, d'entrer en Israël.

2. Dans les « années Oslo », à l'époque où les ouvriers, les hommes d'affaires et les membres de l'Autorité palestinienne avaient des laissez-passer pour entrer et sortir, on disait couramment : « Le bouclage est levé ». Tout le monde le disait, pas seulement les journalistes et les hommes politiques israéliens, les Palestiniens aussi. Dans ces année-là, le bouclage était considéré comme une mesure économique et sa levée, bien plus encore. Ainsi, dès que la main-d'œuvre recommençait un temps soit peu à circuler et les salaires à tomber, que l'on voyait les gens passer l'énorme barrage de contrôle au nord de Gaza, les artisans étrangers et palestiniens de la « construction de la paix et de l'économie de la paix » exprimaient une certaine satisfaction, voire de la gratitude et de l'optimisme. L'essentiel de ceux qui ne pouvaient pas quitter leur territoire parce qu'ils n'avaient pas de travail ni d'affaires à régler en Israël, ceux-là – certains officiels, journalistes et diplomates qui ont accès aux médias – étaient coincés dans l'angle aveugle des interprètes qui écrivent la version officielle de la réalité.

3. Le bouclage – dans ses moutures pré-Intifada – était une épreuve collective mais différemment traversée par les individus. Demander une autorisation, attendre, ne pas l'obtenir, avoir un permis de deux jours quand on a besoin de suivre une formation de six mois, se sentir étouffer, mourir d'envie d'aller voir la mer, ressentir un immense besoin de revoir les siens, faire une croix sur tout projet de voyage – tout ça, et plus encore, sont des expériences communes, partagées par un peuple entier, mais que chacun a traversé individuellement. L'individu contre la Restriction. L'individu contre l'Occupation,

seul et isolé – comme si c'était une affaire personnelle, un manque de chance personnel. Dans sa forme de système restrictif de laissez-passer, l'occupation avait trois millions de facettes. Les gens ont arrêté de voir la question en terme d'interdiction globale. Ils ont souvent interprété l'impossibilité d'obtenir une autorisation comme un problème fortuit : un employé mal luné, des jours fériés israéliens, de longues files d'attente. Plusieurs fois j'ai entendu des amis dont la demande venait d'être rejetée, sincèrement surpris, réagir : « Mais je n'ai rien fait » (sous-entendu : je ne suis pas engagé dans la lutte armée). Ou : « Mais il y a longtemps que j'ai fait de la prison », reprenant à son compte un vague prétexte donné par un chargé de relations publiques israélien, alors qu'il avait purgé sa peine, que ce n'était pas un fait retenu contre d'autres prévenus et que nous étions en plein « processus de paix » – sensé tirer un trait sur le passé.

4. La restriction étant vécue individuellement, chacun s'est efforcé de s'en arranger à sa manière. Beaucoup ont eu recours au « *wasta* » (piston), et notamment à celui des fonctionnaires haut placés des bureaux de la sécurité palestinienne – tristement réputés pour leurs relations amicales avec leurs homologues israéliens ; d'autres ont bénéficié de l'influence de relations ou d'amis israéliens. Rares sont ceux qui ont eu la chance d'être en contact avec des organisations internationales susceptibles d'intervenir en leur faveur, surtout pour se déplacer à l'étranger. Certains ont su trouver le bon contact qui a pu les aider, moyennant un bakchich (partagé entre Israéliens et Palestiniens). Beaucoup ont réussi à acheter des faux laissez-passer au prix fort. Les infiltrations en provenance de la bande de Gaza ont diminué progressivement avec l'installation des clôtures électroniques tout autour. Les modifications apportées aux cartes d'identité magnétiques ont compliqué la falsification des documents. L'« infiltration » en provenance de la Cisjordanie n'a jamais été vraiment nécessaire : la « frontière » a toujours été grande ouverte. Les même collines, les même champs, il y a même des quartiers qui d'un côté sont cisjordaniens et de l'autre, israéliens – et rien, entre les deux, pour indiquer la différence administrative. Le « seul » risque pour les Cisjordaniens était de se faire épingler, condamner à une lourde amende et maltraiter par les policiers israéliens. Tout ça pour un tout petit salaire puisque les employeurs ont profité de la terrible situation de ces travailleurs « sans papiers ». Et pour finir, plus nombreux encore sont ceux qui ont abandonné tout espoir d'aller au-delà de la limite et de faire plus de 60 km. Ainsi, vu de l'extérieur, le bouclage est-il devenu un phénomène abstrait.

5. Peu à peu, les déplacements pour des causes autres que médicales ou professionnelles (eux-mêmes déjà fortement réduits par des interdictions et dispositifs ad hoc) ont pris des allures de « luxe » pour lesquels il semblait honteux de se battre.

6. Le bouclage (perçu comme une épreuve personnelle) et l'autorisation de circuler (perçue comme un coup de chance personnel) ont rendu l'idée de protestation collective absurde. Chaque « privilégié », dont le gagne-pain et le bien-être de la famille dépendaient d'une telle autorisation, a renoncé à risquer de perdre ses revenus en se joignant à d'autres dans un éventuel mouvement de protestation. Un mouvement organisé de protestation politique ne garantit aucun succès – à la différence d'un bon contact avec un agent de la sécurité.

7. Le bouclage et le refus de s'y soumettre exigent énormément de temps mais aussi d'énergie. Des centaines de milliers de personnes sont engagées depuis dix-huit mois déjà dans la périlleuse entreprise d'atteindre un lieu à temps – dans la boue et sous la pluie, en plein soleil, à monter puis descendre les montagnes, à bout de souffle, les jambes qui n'en peuvent plus, le temps qui passe, le canon du char qui pointe, le bébé qui commence à pleurer, une vieille dame qui a besoin d'aide, la poussière plein les yeux. Que dit ce soldat en hébreu ? Il crie, il fait signe de la main. Quelqu'un a crié ? Oui, c'est le soldat qui crie.

Où se cacher ? Nulle part. C'est ici que quelqu'un s'est fait tuer la semaine dernière ? Ce qui aujourd'hui saute aux yeux – ces centaines de barrages sur les routes cisjordaniennes – était moins perceptible dans les « années Oslo ». Cependant, les faits étaient déjà là : la nécessité d'implorer, l'idée d'être rejeté, la colère, plusieurs démarches auprès du bureau de liaison palestinien où l'on croise des centaines de gens aux histoires incroyables que personne n'écoute, les entrevues avec un responsable israélien qui vous suggère : « Aidez-nous, nous vous aiderons » (sous-entendu : « Devenez un collaborateur »). Dans les bureaux palestiniens, publics comme privés, les plus grands esprits se sont employés, jour et nuit, à trouver des moyens de se procurer une autorisation de circuler librement – non sans puiser dans le potentiel de créativité de chacun, une créativité qui aurait pu se mettre au service d'une conceptualisation et d'un refus des dispositifs retors d'occupation. La créativité individuelle et la créativité des structures ont été grandement atteintes.

8. Dans le courant de l'été 1994, j'ai demandé à un jeune officier de l'armée israélienne comment il se faisait que le « processus de paix » n'apportât aucun changement dans le système des laissez-passer et comment il se faisait qu'en signe de bonne volonté et de début de confiance dans « la marche vers la paix », les femmes et les personnes âgées, disons, n'obtenaient pas un laissez-passer « open » d'un an les autorisant à sortir de la bande de Gaza. Le plus franchement du monde, il m'a répondu : « *Mais elles n'ont aucune raison de sortir.* » Malheureusement, ce raisonnement semble aussi s'être imposé chez les Palestiniens.

Durant les « années Oslo », le bouclage a eu une coloration de classe : l'élite économique, sociale et intellectuelle a toujours réussi à sortir des territoires et à obtenir des autorisations. Cette partie de la population a le plus souvent été épargnée par les sentiments de pression permanente, l'impression d'enfermement et d'étouffement. Le système israélien des laissez-passer était tel que plus on était haut placé dans la hiérarchie sociale, plus on accédait à une part importante du « privilège de circuler ». Les accords d'Oslo le stipulaient clairement en définissant les différentes catégories de VIP : les responsables de l'Autorité palestinienne et de l'OLP se sont ainsi vus accorder le privilège d'entrer et de sortir librement de Cisjordanie et de la bande de Gaza pour se rendre en Egypte et en Jordanie. Comme me l'a expliqué un responsable israélien, ce privilège a vite été étendu, à la demande de l'Autorité palestinienne, au droit d'entrer en Israël et de circuler entre la bande de Gaza et la Cisjordanie. Les VIP étaient répartis en trois catégories de privilèges décroissants. Les VIP-I n'étaient pas fouillés, pouvaient passer en voiture sans arrangements préalables et voyager accompagnés de leur famille et de toute autre escorte. Les VIP-II étaient moins privilégiés et les VIP-III, encore moins. Le désir de se déplacer librement – c'est-à-dire de sortir librement de la bande de Gaza pour aller en Israël et en Cisjordanie, et vice versa – était si grand que même les anciens militants de base, à présent élus représentants au Conseil législatif palestinien, ont accepté d'être classés dans la catégorie VIP-II et n'ont pas éprouvé le besoin de sécuriser leur liberté de mouvement par un procédé moins paternaliste et colonisateur.

Pourtant, mettant en avant des abus, les responsables israéliens ont fait en sorte que ces privilèges s'émoussent peu à peu. Naturellement, les membres du Conseil législatif palestinien (VIP-II) transportaient dans leur véhicule des Gazaouites, étudiants en Cisjordanie. La pratique était courante. Arguant qu'un activiste du Hamas était ainsi passé en fraude, les Israéliens ont brusquement durci leur position. C'était durant l'été 1996, les négociations politiques étaient au point mort. Cela dit, jusqu'à l'actuelle Intifada, les membres de l'Autorité palestinienne, certains responsables de l'OLP et leur entourage ont continué à jouir d'une liberté de circuler quasi « normale ». Plus on était proche d'un responsable de la sécurité palestinienne et plus ont avait de chances de détenir une autorisation « illimitée ».

9. Il ne peut y avoir de mise en place d'un mouvement de protestation sans avant-garde politique et intellectuelle. Une avant-garde peut endosser la responsabilité d'exprimer un besoin commun à l'ensemble d'une communauté. Une avant-garde peut se lancer dans l'interprétation prudente d'une situation. Dans les « années Oslo », pour les raisons que nous venons de mentionner, aucune avant-garde n'a pu s'engager dans une conceptualisation du bouclage ni l'interpréter comme un moyen intelligent de contrôle et une volonté politique ; pas plus qu'estimer le désastreux impact qu'il allait avoir sur le bien-être de toute une population.

a. *L'Autorité palestinienne.* On peut dire qu'en 1994, année du transfert des pouvoirs, la fermeture de la bande de Gaza répondait assez bien aux besoins et aux visions de l'Autorité palestinienne et correspondait à l'expérience de l'OLP de contrôle de la population sur de petites unités de territoire. Politiquement, il est plus facile de modeler et de contrôler une population enfermée sur un petit territoire et surveillée de près. Le bouclage et la perte des emplois en Israël ont rendu une grande partie de la population directement dépendante d'emplois (mal payés) de la « fonction publique », augmentant d'autant la dette personnelle de chacun envers l'Autorité. Le recrutement dans les bureaux de la sécurité (mais aussi dans les administrations civiles) s'est substitué à la mise en place d'un système de couverture sociale, devenant le plus grand projet de création d'emplois. Nombre de ces postes insignifiants n'apportent rien ni d'un point de vue économique ni en matière de compétence. Le bouclage a facilité et accéléré la création des monopoles de l'Autorité palestinienne. Des hommes d'affaires, indépendants de longue date, se sont vus contraints d'abandonner des parts de marché et de rejoindre le monopole créé par les responsables civils et de la sécurité de l'Autorité palestinienne. Grâce au bouclage et à la surveillance des « frontières », l'Autorité a pu ainsi contrôler tous les commerçants et les sanctionner (en cas de non-respect du monopole) en leur supprimant leur autorisation de sortie (il suffisait simplement pour cela de ne pas transmettre leur demande aux Israéliens). Quand les conséquences négatives du bouclage ont commencé à se faire sentir, il était déjà trop tard.

b. *Le Fath.* Ce mouvement dominant, dont les représentants et les activistes sont profondément inscrits dans la communauté palestinienne, a été le premier à compter ouvertement sur les avantages du pouvoir – des avantages étroitement dépendants du paternalisme et du népotisme politique pratiqués par l'Autorité palestinienne certes, mais aussi de la bonne volonté israélienne. L'accès aux principaux « conforts » (et notamment à celui de circuler librement) a anesthésié ce qui lui restait d'esprit de contradiction et d'opposition. Cet état de fait a rapidement isolé les dirigeants locaux de la base et suscité une certaine amertume (vaine), notamment vis-à-vis des « nouveaux arrivants » de l'Autorité débarqués de Tunis et proches du pouvoir. Le malaise, loin de générer le changement, a nourri davantage d'indulgence à l'égard des avantages de la libre circulation : initiatives économiques, soirées récréatives en dehors de la cage, etc.

En 1997, je me souviens avoir demandé à de simples membres du Fath, qui se plaignaient d'être complètement coincés dans la bande Gaza : « *Comment se fait-il que vous ne lanciez pas d'action qui attire l'attention du monde entier sur votre situation ? Pourquoi n'organisez-vous pas une marche de 100 000, 200 000 personnes sur la "frontière" nord de la bande de Gaza pour demander à exercer votre droit de libre circulation ? Laissez marcher en tête les huiles : les bras droits d'Arafat, Muhammad Dahlan, Amin al-Hindi pour vous assurer que personne ne soit tué...* » Ces jeunes m'ont immédiatement répondu : « *Les huiles ne s'y associeront jamais.* »

c. *Les groupes islamistes.* Bien que puissants numériquement, en particulier le Hamas, ils ne pouvaient pas et ne voulaient pas s'engager dans une action qui aurait impliqué la reconnaissance des frontières de 1967. En théorie, qui d'autre que le Hamas aurait pu organiser un rassemblement de centaines de milliers de personnes et une marche sur une implantation israélienne ou un barrage de contrôle ? En 1996, après l'assassinat par Israël de Yihye Ayyash, le responsable de plusieurs attentats meurtriers contre des Israéliens, 100 000 personnes se sont rassemblées, dit-on, pour participer à ses funérailles. Mais tout mouvement de contestation contre les implantations ou le bouclage israéliens aurait indirectement consolidé une situation issue d'Oslo – l'idée d'une entité politique palestinienne confinée à l'intérieur des territoires occupés.

Le Hamas s'est engagé dans des actions de charité et de soutien social, ce qui lui permet, d'un côté, d'étendre son emprise sur la population et, de l'autre, de préparer sa lutte armée. La résistance passive vis-à-vis du pouvoir n'entre pas actuellement dans sa ligne – comme on l'a vu ces derniers jours, en Cisjordanie : rares sont les membres du Hamas qui participent aux manifestations non violentes (en direction de certains barrages israéliens) qu'organisent, de temps à autre, les ONG et les laïcs.

d. *La gauche* (décimée), notamment le Front populaire et démocratique de la Palestine, a consacré ce qu'il lui restait de force et d'énergie à combattre les accords d'Oslo dans leur ensemble et à dénoncer les méthodes et les façons de faire en général de l'Autorité palestinienne. Mais elle n'a pas réussi à aborder les problèmes en détail et à élaborer une stratégie d'opposition. Consciente de ses faiblesses, au sein de la société et vis-à-vis de l'Autorité (dont dépendent les salaires et budgets de nombre de ses sympathisants), très vite la gauche a perdu sa vocation d'engager de nouvelles méthodes d'opposition répondant mieux à la situation. « *Vous avez tous acquis "l'état du bouclage"* », me suis-je souvent plainte auprès de mes amis de gauche. « *Nous sommes dans le coma* », m'a expliqué l'un d'entre eux.

Les partis de gauche ont souffert de leur structure archaïque basée sur la « démocratie centralisée » où la ligne vient le plus souvent de l'étranger ,où la situation est différente. Une

première tentative de campagne de résistance passive contre les implantations dans la bande de Gaza a été étouffée dans l'œuf, interdite par la police palestinienne. Depuis, les partis de gauche se sont concentrés sur des campagnes de pression pour la remise en liberté de détenus et de prisonniers politiques – ce qu'un gouvernement autoritaire naissant peut difficilement saboter. Une partie de la gauche est aussi allée rejoindre les ONG et a laissé tomber l'activité politique directe. Le Parti du peuple (ex-Parti communiste) a longtemps oscillé entre le soutien, la réserve ou l'opposition aux projets et réalisations de la Déclaration de principes. Il s'est engagé – plus que toute autre organisation – dans des actions anti-occupation très concrètes qui réclament une certaine coopération avec les activistes israéliens [du camp de la paix. NDLR]. Ils se consacrent essentiellement aux problèmes d'implantation et de confiscation des terres. Ils ont omis le bouclage, comme tout le monde. Le FPLP, en particulier en Cisjordanie, s'abstient de participer à toute action conjointe avec des Israéliens, qu'il qualifie de « normalisation ».

e. *Le camp de la paix israélien.* Il s'est trompé. En 1991, il a interprété le bouclage comme un retour à la « ligne verte ». Il n'a pas vu que c'était un retour unilatéral – valable seulement pour les Palestiniens, pas pour les Israéliens qui pouvaient continuer à aller s'installer dans les territoires occupés. Mais le camp de la paix a soutenu cette fausse « réflexion » jusque tard dans les « années Oslo ».

Sous le charme des espoirs de négociations ouvertes, la grande majorité des partisans israéliens de la paix a cru, dès le début des négociations d'Oslo, que désormais la route était dégagée et qu'on n'avait plus besoin d'eux. « Laissons les dirigeants marcher vers la nécessité historique, un Etat palestinien. » Le camp de la paix a préféré ne pas relever des « vétilles » telles que l'extrême restriction de circuler imposée aux Palestiniens, les méthodes coercitives de l'Autorité palestinienne destinées à étouffer toute critique, l'expansion des colonies, la construction d'énormes routes contournant les localités palestiniennes, l'éclatement des territoires palestiniens en petites enclaves. Tout cela a été perçu comme temporaire, accidentel ou amendable. Pourquoi le camp de la paix aurait-il dû se montrer plus royaliste que le roi si l'Autorité palestinienne ne bloquait pas les négociations même quand les colonies continuaient à progresser et le bouclage à étouffer son peuple ?

Les dirigeants du camp de la paix n'ont cessé de rencontrer les hauts responsables de l'Autorité palestinienne et les dirigeants de la sécurité – jamais ils ne se sont plaints du bouclage. « Comment se fait-il que vous n'ayez jamais soulevé le problème au Parlement ? » ai-je demandé en 1995 à un membre du Parti communiste israélien. « Nous l'avons fait, m'a-t-il répondu, mais Yitzhak Rabin nous a dit que si Arafat ne soulevait pas le problème, il n'y avait, à son sens, aucune raison de changer quoi que ce soit. » Depuis l'arrivée de l'Autorité palestinienne au pouvoir, je me suis donnée la peine de demander à des hommes tels que Yossi Beilin ou Yossi Sarid si, au cours de réunions, les dirigeants palestiniens et Arafat n'avaient jamais dénoncé le problème du bouclage et l'effet de strangulation. « Au contraire », m'a-t-on répondu. Et ils m'ont tous fait remarquer les « gens heureux qui allaient à la plage ». En partie à cause de la nature équivoque du bouclage, même les militants du camp de la paix qui n'ont pas été piégés par la berceuse de la « douce dynamique de deux Etats » d'Oslo n'ont pas été capables d'aborder ce problème : en 1997, un groupe d'intellectuels et d'universitaires a mené une campagne, relativement couronnée de succès, contre la « détention administrative ». Un procès et la sympathie de la presse ont vite permis de délégitimer une telle pratique. Quand j'ai posé la question des trois autres millions de « détenus administratifs », les militants israéliens et palestiniens m'ont regardée avec insistance avant d'admettre, non sans exaspération, que c'est trop compliqué. Impossible. Difficile. Aucune chance.

9. Le bouclage et l'état de siège, en ces temps de soulèvement, ne sont plus des abstractions. Mais les tentatives de s'y opposer passivement se sont révélées très risquées, mortelles même : l'armée israélienne a bien fait comprendre qu'elle ne tolérerait aucune manifestation aux alentours de ses chars, de ses véhicules blindés et de ses positions. Les soldats tirent, visent, blessent et parfois abattent. Ils visent et tirent même sur les militants étrangers solidaires qui de temps en temps visitent les territoires occupés et protestent contre l'état de siège.

La révolte a trop rapidement laissé la place aux hommes armés, aux machos excités qui tirent des balles en l'air au côté des manifestants non armés. L'occasion pour les Israéliens de « riposter », de tuer et de blesser des centaines de gens, depuis les tout premiers jours du soulèvement. Les embuscades sur les routes des territoires occupés et les attaques terroristes qui s'en prennent aux civils israéliens ont débouché, entre autres, sur le resserrement du dispositif de bouclage aux jonctions entre « le territoire israélien » et le territoire palestinien tel que le définit les accords de Taba.

Il n'y a pas d'Intifada au vrai sens du terme : la population civile ne participe pas massivement aux actions anti-occupation et à la résistance. Il y a, pourtant, un climat d'Intifada, un effet de « ressort » qui s'exprime aujourd'hui dans un comportement général face à l'état de siège – des méthodes individuelles pour le circonvenir concrètement et mentalement, et le supporter sans abdiquer. L'Intifada est donc le « ressort » de 3 millions de personnes qui réagissent à la répression israélienne d'une Intifada non existante. Tout comme dans les « années Oslo », 3 millions d'individus puisent dans leurs ressources personnelles pour défier l'occupant et faire face aux privations et aux épreuves qu'impose l'état de siège. Ce qui leur manque, c'est une force d'avant-garde centrale qui travaille consciemment à transformer un comportement individuel en stratégie collective de résistance.

Seraient-ce les effets néfastes du système des laissez-passer qui ont amené, à la fin des années

80, les responsables israéliens à adopter leur politique de bouclage ? J'en doute. A en juger par sa progression décousue, qui a certes débouché sur une réalité géographique et bureaucratique incontournable, j'aurais tendance à penser que le concept et les détails du système, avec ses « avantages » colonialistes, ne se sont développés que peu à peu dans l'esprit des dirigeants israéliens. Le manque d'attention internationale, israélienne et palestinienne a permis aux architectes des politiques israéliennes de domination de continuer à appliquer leur système et à le perfectionner.

Pourtant, à la veille de la conférence de Madrid et au début des négociations d'Oslo, cet instrument de gouvernement d'apartheid, même dans sa version embryonnaire, éclaire certains fondements des visées et des projets israéliens. Limiter l'entrée des Palestiniens en Israël proprement dit a alors été interprété comme une réponse aux inquiétudes grandissantes des Israéliens de voir « l'Intifada se déverser sur Israël ». La première Intifada n'était pas terminée à l'époque – et les Israéliens ont craint que leur refus d'accéder aux demandes nationalistes des Palestiniens ne génère une frustration suffisamment puissante pour leur faire franchir la « ligne verte » et venir « infecter » les minorités arabes en Israël. Un nombre limité d'attentats mortels ici et là contre des Israéliens – à une tout autre échelle que celle qu'on allait connaître plus tard – a renforcé cette crainte. Cependant, aucune pression politique et morale populaire n'a pesé sur le gouvernement pour régler le problème de fond et considérer sérieusement la requête palestinienne. L'homme de la rue israélien s'est plutôt contenté de réaffirmer qu'il « ne voulait pas des Arabes chez lui ». Et ce qui est certain, c'est qu'aucune décision gouvernementale n'a été prise pour aborder cette question d'un point de vue politique.

Un afflux d'immigrés venus d'ex-Union soviétique a, par ailleurs, suscité des remous : l'opinion publique israélienne s'est inquiétée des chances d'insertion professionnelle des nouveaux arrivants et il est apparu logique qu'ils soient embauchés à des postes jusque-là occupés par des Palestiniens. Durant les trois années de la précédente Intifada – avec ses longs couvre-feux – les employeurs israéliens avaient appris, et notamment dans l'industrie, à remplacer leurs employés palestiniens par de la main-d'œuvre étrangère (Ariel Sharon, alors ministre du Logement, a encouragé son « importation »). De sorte que le bouclage aurait d'abord été perçu comme une mesure préventive pour contenir une éventuelle escalade des soulèvements palestiniens – mais pourvu que le bouclage soit possible du point de vue du marché du travail.

Avant les « années Oslo », Israël ne pouvait pas (comme il le fait aujourd'hui) négliger ou ignorer ses obligations de force occupante envers la population occupée. Il ne pouvait pas avoir recours aux méthodes employées au Liban pour « éradiquer la terreur » comme il le fait en ce moment même – 7 mars 2002 – dans les territoires occupés en bombardant les camps de réfugiés, multipliant les frappes aériennes et les attaques de ses blindés au sol, visant des civils pour attraper ou abattre des miliciens armés ou des activistes suicidaires potentiels, détruisant au bulldozer des centaines de maisons, défonçant de vastes étendues de terres agraires. Sa volonté de « contenir » le mécontentement grandissant ne pouvait pas encore, à l'époque, outrepasser les interdits posés par certaines conventions internationales. En outre, le contrôle militaire direct israélien sur des secteurs habités par des Palestiniens a naturellement limité l'accès des Palestiniens aux armes, aux munitions et freiné la prolifération des bombes et des roquettes de fabrication artisanale (ce qui n'était pas le cas avant l'instauration de l'Autorité nationale palestinienne). C'est d'ailleurs devenu un bon argument pour justifier aujourd'hui l'offensive contre toute la population tout entière et présenter la situation comme un état de guerre symétrique entre deux entités politiques – avec d'un côté l'Autorité palestinienne (l'agresseur) et de l'autre, Israël qui est obligé de se défendre.

Que le bouclage n'ait pas été desserré, au début des négociations de Madrid et d'Oslo, indique peut-être qu'il a très vite été perçu en Israël comme un bon instrument économique utilisable à des fins politiques. Affaiblir celui avec qui ont est sensé négocier procède d'une tactique logique. Dans les « années Oslo », en particulier sous Rabin et Pérès, le bouclage comme levier de pression économique sur l'Autorité palestinienne, a été utilisé de manière flagrante. « Vous arrêtez celui-ci ou celui-là et nous vous délivrons cinq mille permis de travail supplémentaires » faisait partie – c'était monnaie courante – de ces accords passés sous silence et qui ne figurent dans aucune procédure de négociations. Ou bien encore : « Vous vous conduisez comme il faut, vous acceptez notre échéancier (lent) et, en contre-partie, nous autorisons l'accroissement de vos exportations de légumes et nous vous laissons prendre livraison au plus vite de vos machines d'équipement lourd, commandées à l'étranger, qui passent par nos ports. »

Durant les premières années d'occupation, « l'ouverture des frontières » était perçue comme un instrument économique positif visant à contrôler et à ajuster les activités nationalistes palestiniennes. Croire que le bien-être économique personnel neutralise les aspirations nationalistes est une conviction typiquement colonialiste. Quand cela n'a pas marché, on a introduit un instrument économique négatif : le bouclage. Les conséquences sur l'économie des ménages ont été dévastatrices car, depuis 1967, Israël n'a permis le développement d'aucune infrastructure économique, ni dans la bande de Gaza ni en Cisjordanie. A l'inverse, on a assisté à ce que Sara Roy appelle le « dé-développement » de l'économie palestinienne. Si seulement le bouclage n'avait été un instrument qu'en période de négociations !

En 1991, sur fond de changement de la situation internationale et avec la fin du système bipolaire, Israël ne pouvait plus continuer son occupation directe sans être inquiété. Rétrospectivement, il apparaît évident que les responsables militaires et politiques ont cherché une forme élégante d'occupation. Après tout, l'occupation n'est pas nécessairement

synonyme d'une présence militaire étrangère dans chaque ville, chaque village. L'occupation, c'est la capacité d'une puissance militaire étrangère à dicter et à limiter le champ de développement et le futur d'une communauté qui ne vote pas.

Progressivement, le but politique du bouclage est devenu – ou a été plus clairement perçu comme – le cloisonnement (sous un seul toit politique). Les espoirs de paix que la communauté internationale et les Palestiniens ont placés dans le processus d'Oslo leur ont brouillé la vue sur ce qui se passait réellement sur le terrain. Les effets secondaires indésirables du bouclage (décrits ci-dessus), les handicaps et les vacillements des structures politiques palestiniennes ont paralysé toute leur capacité à conceptualiser et combattre cet instrument de contrôle.

L'accélération des implantations de colonies dans les « années Oslo » n'est pas une erreur innocente, comme Yossi Beilin (un des architectes des accords d'Oslo) veut aujourd'hui nous l'expliquer. Elle consolide la création d'« un Etat dans un pays ». Les colonies lointaines de la vallée du Jourdain, le long de la « ligne verte » et limitrophes de villes et de camps de réfugiés palestiniens importants, ont étendu, de fait, l'Etat d'Israël et sa souveraineté sur tout le pays (du Jourdain à la mer). Les infrastructures israéliennes, les lois israéliennes, les impôts et les exonérations d'impôts israéliens, l'eau israélienne, les réseaux électriques et de téléphone israéliens, les subventions, les administrations et les écoles israéliennes. Dans ces extensions de l'Etat hébreu, les délégués israéliens bénéficient du libre accès à la terre, à l'eau et à l'espace.

A l'intérieur d'un réseau colossal de belles routes de contournement, un second « Etat » a le droit d'exister dans une série d'enclaves coupées les unes des autres, et éclaté dans une chaîne de mini-entités. Dans cet Etat, vit un autre peuple : il est régi par d'autres lois (une combinaison de décrets militaires israéliens et d'arrêtés dictés par la loi palestinienne elle-même sous le coup de la loi de l'arbitraire) et il demeure privé de l'accès élémentaire à la terre, l'eau et l'espace – par conséquent, un peuple dont on a réduit les possibilités de développement personnel et collectif.

Les dirigeants palestiniens, sous le charme des mauvais calculs de la politique israélienne et des avantages qu'ils pouvaient en tirer, n'ont pas contesté la création de l'Etat unique ; pas plus qu'ils ne se sont opposés au cloisonnement de la population (par le bouclage) en engageant une stratégie bien établie de résistance passive qui aurait attiré l'attention du reste du monde sur les conséquences du bouclage et du développement des colonies.

Dans les « années Oslo », le bouclage a cassé les relations entre la bande de Gaza et la Cisjordanie – créant, de fait, un mini-Etat gazaouite. En 1995, le gouvernement travailliste s'est figuré qu'Arafat finirait par accepter ce mini-Etat et serait d'accord pour repousser indéfiniment la création d'un Etat palestinien à la fois dans la bande de Gaza et en Cisjordanie. Mais là, l'Autorité palestinienne a tenu bon. En tant qu'instrument, le bouclage n'est pas parvenu à son but politique ultime : la légitimation palestinienne du cloisonnement de sa population.

A la date du 7 mars 2002, le bouclage a atteint des sommets : suite à une nouvelle attaque contre un barrage routier tuant sept soldats et trois colons, et suite à de nouveaux attentats-suicides en Israël, les Palestiniens n'ont plus du tout le droit de circuler en Cisjordanie. Trois millions de personnes sont détenues dans leur ville et leur village hermétiquement fermés. Pendant ce temps, tous les camps de réfugiés subissent de violentes attaques militaires.

Il semblerait qu'Israël ait espéré, pendant les « années Oslo » que la levée du bouclage et la suppression de ses effets secondaires indésirables finiraient par inciter les Palestiniens à adhérer à son projet de statut final. Le fiasco de Camp David a montré que les Israéliens s'étaient trompés. L'actuel resserrement du bouclage a été imposé dans l'intention de contenir les soulèvements palestiniens. Au lieu de cela, ils se sont transformés en une guerre impitoyable entre l'une des plus puissantes armées du monde et une armée de volontaires suicidaires. Le bouclage et l'état de siège constituent à eux deux un instrument auquel il est difficile de s'opposer, le bouclage et l'état de siège versent aujourd'hui de l'huile sur le feu. Les Palestiniens ont de plus en plus recours aux actions meurtrières individuelles et aux attaques-suicides, soutenues par la grande majorité de la population palestinienne, amère et encagée.

—A. H.

Richard Falk

Le droit de résister

Richard Falk est professeur en droit international et Practice Emeritus de l'université de Princeton. Il est notamment l'auteur de deux ouvrages parus en 2001, *Human Rights Horizons* et *Human Global Governance*.
Richard Falk remercie Asli Bali pour son efficace assistance dans la préparation d'une étude intitulée « Legal Memorandum : The Legal/Political Context of the Second Intifada and the Question of a Palestinian Right of Reistance » (janvier-février 2001).
Ce texte est paru en anglais dans le *Journal of Palestine Studies*, n° 122, hiver 2002.
Traduction : Jean-Claude Pons.

« *Des accusations portées par une société bien établie à propos de la manière dont un peuple sous oppression désobéit aux règles pour obtenir ses droits n'a pas grande crédibilité.* »
Shlomo Ben-Ami, ancien ministre des Finances israélien[1]

L'inculpation d'Azmi Bishara, membre de la Knesset, pour des déclarations en faveur des activités de résistance des Palestiniens, soulève la question de savoir si ceux-ci jouissent d'un droit de résistance selon la loi internationale, étant donné le caractère de la politique d'occupation israélienne. L'existence d'un tel droit n'a pas reçu l'attention qu'il mérite. S'étend-il à l'usage de la force et, si oui, dans quelles limites ? Cet article affirme qu'un tel droit est limité et considère que sa pertinence dans le cas d'Azmi Bishara devrait conduire à l'abandon des charges qui ont été relevées contre lui.

La levée de l'immunité parlementaire, sans précédent, le 7 novembre 2001, d'Azmi Bishara, membre de la Knesset, a ouvert la voie à son inculpation sous l'accusation d'avoir violé l'ordonnance de 1948 sur la Prévention du terrorisme et l'arrêté n° 5 sur les Dispositions d'urgence (« Quitter le pays », 1948). Le fondement de ces allégations est que, en deux occasions, il avait tenu des discours où il se déclarait en faveur de la résistance palestinienne en Palestine occupée et de l'expulsion des forces israéliennes du sud du Liban [2]. Bishara a été également accusé de violer l'arrêté n° 5 en arrangeant la visite de vieilles personnes palestiniennes à leurs parents dans les camps de réfugiés en Syrie.

De telles accusations, et qui entraînent de telles conséquences, soulèvent les très

---

1. Cité dans un article d'Akiva Eldar, *Haaretz*, 28 novembre 2000.
2. Les deux discours de Bishara ont eu lieu à Umm al-Fahm le 5 juin 2000 (publié par *Fasl al-Maqal* le 10 juin 2000), et à Qardaha, en Syrie, le 10 juin 2001, lors d'une cérémonie commémorant le premier anniversaire de la mort du président Hafez al-Assad.

importantes questions concernant la libre parole des citoyens palestiniens d'Israël, et particulièrement de ceux qui ont choisi de participer aux institutions gouvernementales israéliennes. Car lever l'immunité parlementaire de Bishara en raison de son activité publique et ouvrir ainsi la voie à des poursuites judiciaires, c'est envoyer un message comminatoire à propos de la libre expression et du débat démocratique aux membres de la communauté des Palestiniens d'Israël et suggérer qu'une double norme discriminatoire s'applique aux membres de la Knesset. Les extrémistes israéliens ne sont jamais traité de cette manière, même quand leurs propos sur l'expulsion, la réoccupation et les opérations militaires massives encouragent des attitudes qui violent de façon flagrante la loi internationale et les plus élémentaires droits de l'homme.

Pour établir si les charges retenues contre Bishara ont une base légale valide, il est pertinent de chercher à savoir si les Palestiniens, au regard de la loi internationale, peuvent jouir d'un droit de résistance et, si c'est le cas, dans quelles limites ils peuvent l'exercer. Si un tel droit existe légalement et moralement, alors il semble déraisonnable et même abusif d'accuser Bishara de le revendiquer. Même si la résistance palestinienne était légalement incertaine, son approbation publique par un dirigeant politique ne devrait pas constituer une base appropriée pour des poursuites judiciaires.

La question des droits légitimes des Palestiniens à résister dans la phase actuelle a tendance à être évitée dans la plupart des rencontres israélo-palestiniennes. Les médias se focalisent presque exclusivement sur la violence, et spécialement sur la violence palestinienne, sans prendre en compte les très problématiques relations qui se sont développées depuis des années entre l'Etat occupant et le peuple occupé. A la base se pose la question du droit d'un peuple – qui vit depuis des décennies dans de telles conditions d'oppression – d'agir dans l'opposition. Aussi importante que la question du droit est celle de savoir si celui-ci s'étend à l'usage de la force et, si oui, dans quelles limites. A l'arrière plan de

telles préoccupations est la nécessité de distinguer entre ce qui, dans cet usage, est permis et ce qui ne l'est pas, et plus spécialement de définir le vocable « terrorisme » dans ses rapports avec l'oppression et la résistance.

« Terrorisme » est un terme très contesté, utilisé tantôt pour condamner tantôt pour valider (en tant que contre-terrorisme) l'usage de la force par des opposants politiques. Le langage public de la violence telle qu'elle s'exprime dans le conflit israélo-palestinien reflète l'asymétrie géopolitique et diplomatique qui existe entre, d'un côté, un Etat appuyé par des alliés puissants, et de l'autre, un peuple sans pouvoir ès qualité. Les médias, notamment aux Etats-Unis, façonnent la perception qu'on peut avoir en ces matières par un insidieux et constant respect pour les pouvoirs en place et, de ce fait, déforment l'analyse des revendications des uns et des autres au détriment de celles des Palestiniens. Bien sûr, la rhétorique anti-israélienne qui fleurit dans le monde arabe les déforme d'une autre manière. Elle enflamme l'opinion publique, la pousse à exprimer sa frustration et son hostilité, et contribue ainsi au développement de l'extrémisme politique et religieux, lequel se dresse devant les gouvernements modérés et totalement impuissants du monde arabe comme un moyen d'obtenir justice pour les Palestiniens (ou pour d'autres). Cette impuissance à obtenir un règlement satisfaisant du conflit, règlement qui conférerait aux Palestiniens le droit à l'autodétermination, rend également crédibles les accusations selon lesquelles les Etats-Unis sont les principaux responsables de cet état de fait, eux qui, en coulisse, utilisent leur poids diplomatique au profit d'Israël et qui lui prêtent main forte avec tous les moyens de leur puissance. Une telle attitude partisane a facilement permis de faire des Etats-Unis – qui professent pourtant qu'ils sont d'« honnêtes courtiers » – les ennemis du monde islamique.

Cet article va essayer de se tenir éloigné des polémiques qui si souvent dominent les discussions au sujet des droits palestiniens et de la sécurité israélienne. Dans cet esprit, un effort sera fait pour traiter le terrorisme d'une manière aussi objective que possible. Le terrorisme est ici défini comme toute violence politique dirigée contre des civils avec l'intention de provoquer la peur aussi bien que de causer des souffrances physiques. Le point sur lequel il faut insister est que le terrorisme ainsi compris s'applique au type de violence, et surtout aux cibles que vise celle-ci ; mais pas à l'identité de l'acteur en tant qu'il n'a pas d'Etat. Les Etats peuvent s'impliquer dans le terrorisme aussi bien en finançant les terroristes qu'en les abritant. Les punitions collectives infligées à un peuple soumis aux contraintes d'une occupation militaire dont les objectifs de conquête territoriale sont patents est aussi clairement une forme de terrorisme que les attentats-suicides qui ont lieu là où se trouvent de nombreux civils innocents.

Explorer un sujet aussi fondamental et aussi controversé, c'est mener une enquête complexe. Il est nécessaire de fournir quelques données sur l'arrière-plan et le contexte de manière à faire une première évaluation et pour savoir si le recours des Palestiniens à la force est raisonnable étant donné les circonstances générales. Au-delà, l'estimation de la force spécifique dont les Palestiniens ont besoin doit être considérée dans les perspectives morale, légale et politique, en interaction avec la tactique d'occupation des Israéliens et de l'usage qu'ils font eux-mêmes de la force. Notons que cette enquête approfondie se situe sur un autre plan que celui du cas Azmi Bishara qui, fondamentalement, relève de la simple question de savoir si le soutien ou l'encouragement à la résistance palestinienne est ou n'est pas un crime. On peut penser que les sociétés authentiquement démocratiques, fussent-elles sous la pression d'une lutte armée, devrait permettre à l'opposition de s'exprimer, surtout quand la loi internationale semble favorable à ceux qui affirment leur droit à résister. On pourrait le penser bien davantage si Bishara était considéré comme un représentant élu de la communauté palestinienne d'Israël et si ses paroles étaient jugées comme elles le méritent.

Six hypothèses

L'histoire de la lutte des Palestiniens pour l'autodétermination est extrêmement complexe et donne lieu à nombre d'interprétations qui ne relèvent pas directement de cette enquête. Je vais présenter une perspective de la situation générale des Palestiniens telle qu'elle se présente aujourd'hui en posant six hypothèses ayant trait aux faits et à la loi. Ces hypothèses, qui évitent d'aborder les responsabilités historiques qui sous-tendent le conflit, se limitent aux dynamiques à l'œuvre dans l'occupation et la résistance. Je ne chercherai pas non plus à définir les contours d'une solution qui satisferait au droit d'autodétermination pour les Palestiniens, donnerait à ceux-ci et aux Israéliens un statut égal, assurerait leur sécurité respective et mettrait fin à toute résistance [3]. Finalement, l'adhésion à une résistance légitime dans les conditions prévalant actuellement n'est pas sans se référer aux limites de l'usage de la force, spécialement l'interdiction de la violence politique qui vise la société civile, et elle est donc correctement qualifiée de « terrorisme ». Mais une telle interdiction s'applique aussi à l'Etat, qui est légalement et moralement obligé de renoncer à la violence dirigée contre des civils innocents ou contre l'ensemble de la population occupée. Cette violence étatique doit aussi être comprise et considérée comme une forme de « terrorisme ». Le respect des limites du recours à la violence doit être évalué sur une base équilibrée, libre de ce parti pris trop répandu où la violence exercée contre les civils palestiniens et leurs souffrances sont exprimées en un langage aussi neutre que des statistiques. Par contre, les médias rendent compte des morts et blessés du côté israélien à l'aide d'un langage très émotionnel renforcé par des images de cadavres et de mutilations, avec un souci d'individualiser la tragédie.

---

3. Il serait bien sûr impossible d'empêcher la résistance d'éventuels extrémistes palestiniens qui n'accepteraient pas un compromis et continueraient à préférer une solution maximaliste.

Mon analyse procède de l'hypothèse selon laquelle les Palestiniens de Cisjordanie et de la bande de Gaza ont continuellement vécu sous occupation depuis 1967 et que cette réalité n'a pas été fondamentalement modifiée par les effets du retrait partiel de l'armée israélienne suite aux accords d'Oslo [4]. Les modalités de l'occupation ont changé avec le temps, mais non la réalité brute du contrôle exercé par Israël sur la Cisjordanie et la bande de Gaza, y compris le total contrôle de la circulation des personnes et des biens à partir ou en direction des territoires occupés. Fait partie de cette réalité l'insistance des Israéliens à tenir pour automatiquement responsable l'Autorité palestinienne (AP) de tout acte terroriste contre Israël et à y répondre par des ripostes ciblées contre le personnel et les biens de l'AP.

Une seconde hypothèse est que l'administration de la Cisjordanie et de la bande de Gaza est assujettie à des règles contenues dans la 4e Convention de Genève sur la protection des populations civiles (1949) aussi bien qu'à certains paragraphes du Protocole 1 de la Convention de Genève concernant la protection des victimes de conflits internationaux armés (1977), qui peut être considéré comme un élément de la loi internationale. Israël a contesté cette hypothèse, affirmant que la Cisjordanie et la bande de Gaza sont des « territoires contestés » et qu'ils ne relèvent donc pas des lois humanitaires internationales [5]. Les Nations unies ont très largement approuvé l'idée selon laquelle l'occupation par Israël des territoires palestiniens entre dans le cadre des Conventions de Genève. Cette position de l'ONU est également celle d'un grand nombre

d'experts en loi internationale. Jusqu'à la présidence de William Clinton, même le gouvernement américain jugeait que la loi humanitaire internationale s'appliquait à l'occupation israélienne.

Une troisième hypothèse sous-tendant la présente analyse est que l'occupation israélienne s'est rendue responsable, depuis 1967, de violations systématiques et délibérées des droits fondamentaux du peuple palestinien tels qu'ils sont définis par la loi humanitaire internationale. Ces violations ont entraîné une série de pratiques : transfert de populations et annexion de terres, démolitions de maisons, assassinats politiques et punitions extrajudiciaires, torture, et une grande variété de sanctions collectives, dont une sévère restriction de la liberté de mouvement qui est une entrave à la vie quotidienne des Palestiniens. La raison pour laquelle l'applicabilité des Conventions de Genève est une affaire de la plus haute importance est que Israël s'est rendu coupable de violations répétées de leurs plus élémentaires dispositions, violations qui impliquent directement l'exercice du droit des Palestiniens à l'autodétermination.

Une quatrième hypothèse est que la communauté internationale, par la voie des Nations unies, a affirmé les droits des Palestiniens au regard de la loi internationale, et cela en rapport avec les sujets clés en litige : l'égalité des deux peuples et leur droit d'établir deux Etats respectifs sur le territoire de l'ex-mandat britannique (résolution 181 de l'Assemblée générale des Nations unies, 29 novembre 1947) ; les droits au retour et à compensation des réfugiés palestiniens (résolution 194 de l'Assemblée générale des Nations unies, 11 décembre 1948) ; retrait d'Israël des territoires occupés par la force suite à la guerre de 1967 (résolutions 242 et 338 du Conseil de sécurité des Nations unies, 1967 et 1973) ; le droit des Palestiniens à l'autodétermination comme indispensable à toute solution (résolution 34/70 de l'Assemblée générale des Nations unies, 6 décembre 1973) ; la validité inconditionnelle de la 4e Convention de Genève, de même que

4. Pour une analyse politique et juridique des conséquences des accords d'Oslo sur la Cisjordanie et la bande de Gaza, et sur le droit des Palestiniens, voir Stephen Bowen (ed.), *Human Rights, Self-Determination and Political Change in the Occupied Palestinian Territories*, La Haye, Kluwer Law International, 1997.
5. Richard Falk et Burns H. Weston, « The Relevance of International Law to Palestinian Rights in the West Bank and Gaza : In Legal Defense of the Intifada », *Harvard Journal of International Law* 32, n° 1, 1991, p. 129-157 ; « The Israeli-Occupied Territories, International Law and the Boundaries of Scholarly Discourse », *Harvard Journal of International Law* 33, n° 1, 1992, p. 191-204.

la réaffirmation de la loi internationale par l'ONU que l'acquisition de territoires par la force ou l'invasion est inadmissible (résolutions du Conseil de sécurité 476, 480 et 1322, respectivement datées des 30 juin 1980, 12 novembre 1980 et 7 octobre 1980). La loi internationale est indiscutablement du côté des principales revendications palestiniennes, et un processus de paix qui tiendrait compte de ces revendications serait bien différent de l'espèce de marchandage, s'appuyant sur la realpolik, qu'a été essentiellement Oslo. Un processus de paix qui obéirait aux impératifs d'honnêteté de la loi internationale créerait une image de « paix juste », plus favorable aux Palestiniens que l'acceptation réaliste de ce qui est acceptable pour la plus forte des parties ; de plus, prendre en compte les faits sur le terrain – bien qu'ils n'aient pas été conformes à la loi – est une base nécessaire pour des négociations.

Une cinquième hypothèse est qu'Israël, depuis cinq décennies, a constamment, et de façon flagrante, défié la volonté L'ONU à propos des droits des Palestiniens. Celle-ci n'a jamais été capable de leur offrir sa protection, ni d'engager une action qui assurerait la réalisation de leurs droits. Les efforts déployés en 1999 et 2001 pour imposer aux parties qu'elles appliquent les Conventions de Genève n'ont abouti à rien en raison de l'opposition des Etats-Unis et d'Israël[6]. Les Palestiniens n'ont aucun recours contre les nombreuses exactions dont ils ont été et sont victimes, et même les modestes efforts déployés par une écrasante majorité des membres du Conseil de sécurité pour établir la simple présence d'observateurs en Cisjordanie et dans la bande de Gaza afin qu'ils puissent rendre compte des violents incidents qui s'y produisent, ont été opiniâtrement bloqués par les refus israéliens et les vétos américains.

Une sixième hypothèse est que la réponse d'Israël à la résistance palestinienne a elle-même été l'occasion de violations supplémentaires de la loi internationale, aggravant celles d'une occupation qui dure depuis plus de trente ans et a sans cesse occasionné des faits sur le terrain (colonies, annexions, routes stratégiques). Ces faits ont diminué le patrimoine des Palestiniens qui définit l'étendue de leur droit à l'autodétermination[7]. La sauvagerie de la réponse israélienne à la résistance palestinienne a été particulièrement forte durant la période de la seconde Intifada, du 28 septembre jusqu'à ce jour. Durant la période du mandat d'Ariel Sharon, commencé en février 2001, les provocations israéliennes en direction des Palestiniens ont été des circonstances aggravantes[8].

Ces six hypothèses constituent le point de départ d'une exploration de la résistance palestinienne selon des perspectives légale, morale et politique, toutes pertinentes pour une estimation de ce que les Palestiniens ont entrepris afin de faire reconnaître leurs droits. Cette enquête est semée d'embûches, les difficultés tenant au caractère unique du contentieux israélo-palestinien : période anormalement longue de l'occupation militaire, refus de l'occupant d'accepter les contraintes de la loi humanitaire internationale, représentation insuffisante des Palestiniens – ils n'ont pas d'Etat – dans les arènes où se fait la politique intergouvernementale, incapacité des Nations unies de faire respecter leurs décisions et leur autorité. Egalement pertinente est la graduelle transformation du conflit, sous le gouvernement Sharon, en une guerre très

---

6. Voir le dossier de presse du Conseil mondial des Eglises (WCC) décrivant l'effort pour amener les parties à respecter les Conventions de Genève dans les territoires occupés : « WCC Calls on Israel to Observe Its Responsabilities under the Fourth Geneva Convention », dossier de presse du WCC, PR-01-34, 14 septembre 2001.

7. Ces violations de la loi humanitaire internationale et des droits de l'homme sont détaillées dans le rapport de la Commission d'enquête des droits de l'homme publié par la commission des droits de l'homme de l'ONU. Ce rapport s'intitule « Question of the Violation of Human Rights in the Occupied Arab Territories, including Palestine », E/CN.4/2001/121, 16 mars 2001. Voir aussi Richard Falk, « International Law and the al-Aqsa Intifada », *Middle East Report* 30, n°4, hiver 2000, p. 16-18.
8. Pour d'importantes indications sur cette politique du gouvernement Sharon, voir Hanane Ashraoui, « Challenging Questions », 11 décembre 2001, disponible à l'adresse Internet Al-Awda-News@yahoogroups.com.

inégale contre une société palestinienne essentiellement sans défense. Le caractère détestable de cette réalité en Palestine est encore accentué par la manière dont Israël, pour justifier son recours à la guerre, assimile celle-ci à celle que mènent les Etats-Unis contre le terrorisme après les attentats contre le World Trade Center et le Pentagone. Dans ces circonstances, un cadre doit être proposé qui prenne en compte les plaintes palestiniennes et israéliennes, et qui établisse des normes de comportement partagées.

Le bien-fondé de la loi internationale

Depuis que, après la guerre de 1967, les territoires palestiniens, y compris Jérusalem-Est, sont sous occupation israélienne, les Nations unies ont constamment affirmé que ces territoires sont régis par la loi humanitaire internationale, et spécifiquement par le paragraphe III des règlements de La Haye de 1907 relatifs à « *l'autorité militaire sur le territoire d'un Etat hostile* », 4e Convention, et notamment le Protocole I en tant qu'il est inclus dans la loi coutumière internationale[9]. Israël a dénié ses obligations légales sur le terrain au motif que le territoire est « contesté » et non « occupé », et qu'il ne relève donc pas techniquement de la Convention de Genève. Comme il a été dit plus haut, une telle position a été condamnée à maintes reprises et à une large majorité par les Nations unies[10].

L'essentiel de ce que la loi humanitaire internationale exige d'Israël est de respecter les droits de l'homme en ce qui concerne la population civile de Palestine, et de cesser les actions qui pourraient modifier le statut légal, la physionomie, la structure institutionnelle et la composition démographique du peuple et du territoire sous occupation[11]. Il est vrai que la 4e Convention de Genève permet à Israël d'agir pour assurer sa sécurité et de soumettre à contraintes la population occupée quand cela s'avère « *absolument nécessaire* » (article 53) ou au motif de « *raisons militaires impératives* » (article 49) et de « *besoins militaires impératifs* » (article 55). La réalité de la résistance palestinienne, y compris le recours à la force sous différentes formes, a fait de l'interprétation de ce qui est raisonnable un sujet de controverses.

Ce qui est clair et ne fait aucun doute dans la 4e Convention de Genève est le devoir fondamental de ne pas modifier le caractère du territoire occupé. L'établissement et l'expansion de près de 200 colonies armées, protégées par les militaires israéliens, ont créé des « faits sur le terrain » qui contreviennent au devoir de l'occupant, ainsi qu'il est spécifié dans l'article 49(6) de la 4e Convention de Genève. Ces colonies ont modifié le caractère démographique des territoires occupés aussi bien que les propriétés foncières, notamment à Jérusalem-Est dont les frontières métropolitaines ont été rectifiées. Parce que les colonies ont besoin d'être protégées, des terres supplémentaires ont été réquisitionnées et des « routes de contournement » supposées sûres et directement reliées à Israël ont été construites à grands frais pour l'usage exclusif des colons israéliens. L'empiétement sur les droits palestiniens, abusif à l'extrême, est une source de frictions, de conflits et de ressentiment.

Une telle attitude viole le droit international d'une autre manière. Elle touche le plus fondamental des droits du peuple palestinien, celui à l'autodétermination. Ainsi que cela a été révélé durant le processus d'Oslo, dans les années 1990, Israël, alors qu'il négociait avec l'OLP, représentant du peuple palestinien, a poursuivi son programme de construction d'implantations, doublant ainsi la population des colons et créant de nombreuses nouvelles

9. Pour une interprétation israélienne de cette situation légale voir Uri Shoham, « Note : The Principle of Legality and the Israeli Military Government in the Territories », *Military Law Review* 153, 1996, p. 245-273.
10. Pour une complète recension des décisions de l'ONU au sujet de l'applicabilté de la 4e Convention, voir Asli Bali, « Legal Memorandum : The Legal/Political Context of the Second Intifada and the Question of a Palestinian Right of Resistance », préparé pour l'auteur (Falk) en janvier-février 2001.

11. Voir notamment les résolutions 465 et 466 (1979-1980) du Conseil de sécurité.

colonies entre 1993 et 2000. Le caractère définitif de ces colonies affecte les négociations sur la Cisjordanie et Jérusalem-Est en affaiblissant la portée de l'autodétermination des Palestiniens, en violant les droits fondamentaux en rapport avec leur souveraineté sur une terre déjà réduite à 22 % du territoire de la Palestine mandataire qui faisait seul l'objet des négociations en vue de la création d'un Etat palestinien. On doit bien comprendre ceci : Israël et les Etats-Unis attendaient des Palestiniens qu'ils fassent des compromis sur ces 22 %, qu'ils en fassent sur les importantes constructions dans les colonies, qu'ils en fassent sur les modifications de Jérusalem, qu'ils en fassent sur les droits des réfugiés palestiniens vivant en exil ou dans des camps. A aucun moment il n'a été question de discuter des 78 % de territoire israélien.

La résistance palestinienne

Dans l'évaluation du recours des Palestiniens à la résistance, l'arrière-plan que constitue le refus israélien de tenir compte de la volonté de la communauté internationale de voir respecté le retrait israélien ou maintenu le statu quo en Palestine occupée, est décisif. Une telle conclusion est largement renforcée par la « confiance » que font les Israéliens aux punitions collectives – également et explicitement interdites par la loi humanitaire internationale – telles que les démolitions de maisons, les couvre-feu et bouclages, les interférences dans les activités économiques des Palestiniens (recherche d'un emploi, éducation et, plus généralement, bien-être). Il est utile d'avoir à l'esprit que, presque toujours, la loi internationale doit être interprétée dans des situations inédites bien qu'entrant dans le cadre de la politique entendue dans un sens global. Ce qui distingue l'occupation de la Palestine est la combinaison entre un territoire acquis par la force, au mépris de la loi internationale moderne, et l'ampleur avec laquelle le peuple palestinien est victime d'un processus de colonisation dans un contexte général de décolonisation. Ces données doivent être

présentes à l'esprit quand on veut évaluer l'interaction entre les considérations sécuritaires de l'occupant et la résistance à la fois spontanée et organisée d'un peuple qui vise à l'exercice de ses droits longtemps déniés[12].

Les frustrations liées à ces conditions ont fait irruption durant la première Intifada qui débuta en 1987. Elle se caractérisa par des manifestations au cours desquelles furent lancées des pierres et par le refus des Palestiniens de coopérer avec les autorités administratives israéliennes. Les forces de sécurité palestiniennes, conformément aux accords d'Oslo, ne disposaient que d'armes légères pour contrôler les zones urbaines en territoires occupés. Les frustrations liées au processus d'Oslo puis de Camp David II, et la visite provocante, en septembre 2000, d'Ariel Sharon au Haram al-Sharif, ont conduit directement à la seconde Intifada. Les tireurs d'élite israéliens ont tout de suite infligé de graves dommages aux manifestants palestiniens qui, au début, étaient composés essentiellement de jeunes non armés, lançant symboliquement des pierres contre la police et les soldats israéliens à l'abri de positions fortifiées. Israël a déployé des forces excessives durant les deux Intifadas, ce qui a ouvert un cycle de violences relancé par les Israéliens à chaque stade, causant aux Palestiniens des dommages disproportionnés[13]. Je précise qu'une telle estimation n'est pas destinée à minimiser la tragédie qu'est la mort d'Israéliens innocents, tués délibérément par des terroristes palestiniens.

La loi internationale demeure silencieuse sur les droits à résister d'un peuple placé sous une

---

12. Pour des précisions sur la loi internationale et son application dans divers cas de bélligérence, voir Myres S. McDougal et Florentino P. Feliciano, Law and Minimum World Public Order : The Legal Regulation of International Coercion, New Haven, Yale University Press, 1961, p. 732-832, et plus spécialement p. 739-744. Pour une compréhension générale de la loi internationale en tant que processus de négociations entre parties adverses qui doivent être évaluées dans le contexte des enjeux de la politique globale, voir Rosalyn Higgins, Problems and Process : International Law and How We Use It, New York, Oxford University Press, 1994, p. 1-16 et 238-253.
13. Voir Commission d'enquête sur les droits de l'homme, « Question on the Violation of Human Rights », note 5, p. 14-17.

occupation qui viole leurs droits les plus fondamentaux[14]. De tels droits semblent découler directement de l'appui général dont bénéficie la dynamique de la décolonisation et de la relative légitimité, pour un peuple colonisé, de vouloir se lancer dans la lutte, y compris la lutte armée[15]. Sans entrer dans les détails, le point le plus significatif est que la Déclaration historique de l'Assemblée générale de l'ONU sur « Accorder l'indépendance aux colonies et aux peuples » (1960), établit quatre importantes propositions. Premièrement, l'usage de la force pour dénier l'autodétermination est interdite par la loi internationale. Deuxièmement, et inversement, *« la résistance par la force au déni de l'autodétermination par la force – en imposant ou en maintenant une domination étrangère ou coloniale – est légitime selon la Déclaration »*. Troisièmement, des actions pour réaliser l'autodétermination sont valides au regard de la loi internationale, y compris le droit de recevoir des appuis de la part d'acteurs extérieurs. Finalement, des gouvernements minoritaires peuvent considérer de tels mouvements comme légitimes sans empiéter sur les droits de l'Etat exerçant son contrôle sur le territoire et ses habitants[16]. Ces dispositions de la loi internationale peuvent être étendues à la lutte des Palestiniens, selon l'opinion générale des experts internationaux, et cela a été soutenu en de nombreuses occasions par l'Assemblée générale des Nations unies[17].

Le droit des Palestiniens à la résistance est lié aux droits historiques du peuple palestinien à l'autodétermination. Ce droit depuis

longtemps dénié doit être pris en compte pour évaluer le recours à la force. Et les lois de la guerre s'appliquent aux modes de résistance que les Palestiniens ont adoptés. La loi internationale ne fournit pas directement d'indications sur ce point, à l'exception de l'interdiction de la violence aveugle, interdiction déjà contenue dans la loi coutumière, et des attaques contre la société civile, qui relèvent formellement du « terrorisme » et dont le caractère est criminel. Il n'existe pas de circonstances atténuantes qui peuvent légalement justifier la violation du principe de cette limitation. Dans une déclaration faite lors d'une rencontre entre les ministres des Affaires étrangères de l'Organisation de la Conférence islamique, le Hamas avait recherché l'approbation des attentats-suicides dirigés contre des cibles israéliennes, parce que *« les Palestiniens n'avaient d'autre choix que de combattre l'occupation »* et étaient censés ne pas avoir d'autres moyens[18]. Un tel dilemme semble effectivement exister mais il ne justifie pas l'usage de la violence contre des civils israéliens. Pour éviter l'accusation de terrorisme, les Palestiniens doivent trouver des manières de résister qui n'impliquent pas cette violence. Une telle tâche est sans doute difficile étant donné la dureté de l'occupation. Seule l'ingéniosité des Palestiniens pourra leur permettre de la mener à bien.

Toute forme de résistance non violente est indiscutablement permise, y compris le refus d'obéir aux règlements de la puissance occupante. Le problème réside dans le recours à la force. L'exercice d'une violence symbolique et fruste (jets de pierres), particulièrement quand elle est dirigée contre les militaires ou les colonies illégales, semble clairement pouvoir être acceptable étant donné les conditions actuelles de l'occupation. Des formes plus dures de violence contre le personnel militaire et des responsables de l'administration sont davantage problématiques, comme si la

14. Sur l'applicabilité du droit à l'autodétermination pour les Palestiniens, voir Catriona J. Drew, « Self-Determination, Population Transfer and the Middle East Peace Process », in Bowen, *Human Rights, Self-Determination and Political Change*, p. 119-168.
15. Voir l'essai de Georges Abo-Saab, « Wars of National Liberation and the Laws of War », *International Law : A Contemporary Perspective*, éditeurs R. Falk, Friedrich Kratochwil et Saul H. Mendlovitz, Boulder, CO, Westview, 1985, p. 410-436.
16. *Ibid.*, p. 416.
17. Voir C. J. Drew, op. cit., note 10 ; pour l'appui de l'Assemblée générale, voir résolutions 2728 (1971), 2672 C (1970), 2787 (1971) et 3098 D (1971). L'OLP a plus tard été reconnu comme le représentant légitime du peuple palestinien (résolution 3210, 1974).

18. Voir Neil MacFarquar, « Hamas Seeks Muslim Support for Suicide Raids », *New York Times*, 11 décembre 2001.

violence dans l'intention de blesser et de tuer dans les colonies – qui sont pourtant illégales et armées – ne pouvait être décemment considérée comme des actions militaires. Même dans ces circonstances, il est difficile de juger l'appui à la résistance palestinienne – pour autant qu'elle se démarque de l'appui aux attentats-suicides dirigés contre des civils – aussi bien que d'autres formes de violence dirigées délibérément contre des personnes innocentes et des cibles non militaires.

La pertinence de la morale internationale

La loi internationale a toujours entretenu une relation étroite avec la morale internationale. L'effort pour interdire le recours à la force dans des situations autres que celle de l'autodéfense et de promouvoir les droits de l'homme au plan international atteste un changement dans la morale dominante. Un tel effort exprime la répulsion des sociétés face aux dévastations et à la cruauté de la guerre, qui ont culminé lors de Deuxième Guerre mondiale, et va avec le mouvement d'émancipation des peuples contre les diverses formes d'oppression, mouvement qui s'accentuera après 1945 avec la lutte contre les régimes coloniaux. Les revendications du peuple palestinien, rejetées par un pays, Israël, qui a des ambitions coloniales, doivent être interprétées dans ce contexte historique global. Ainsi comprises, l'appui à un droit de résistance suppose une analyse objective et un impératif moral.

La seule question morale à considérer est l'étendue de ce droit et sa relation avec les restrictions sur l'usage de la force. Le meilleur cadre moral pour définir les limites de l'usage de la force est celui fourni par une juste doctrine de guerre en tant qu'elle est adaptée aux circonstances spécifiques d'une occupation illégitime. Ainsi comprise, la juste cause des Palestiniens a été continuellement confirmée durant les années par des déclarations *ad hoc* en provenance des Nations unies, Israël refusant d'en tenir compte en dépit du fait qu'il doit sa propre souveraineté en tant qu'Etat à cette

même instance internationale. Le débat se polarise aujourd'hui sur les moyens d'une lutte armée, et comment de telles considérations peuvent affecter les droits respectifs des Palestiniens et des Israéliens. De justes moyens restreignent l'usage de la force par les deux parties de sorte à minimiser leurs effets destructeurs, et confine cet usage à des cibles militaires et sécuritaires. Le terrorisme est inconditionnellement interdit aux uns et aux autres. Il faut observer que, dans le cours d'une guerre, les fins ont souvent justifié les moyens, ainsi que la Seconde Guerre mondiale l'a montré, où la juste cause des Alliés et leur victoire militaire ont fait taire les critiques concernant l'emploi de moyens discutables, notamment les bombardements stratégiques.

L'usage, par les Palestiniens, de moyens discutables dans les circonstances de l'occupation israélienne doit être compris sous cet éclairage. Il ne s'agit pas d'excuser qui ou quoi que ce soit mais de reconnaître que, dans un contexte extrême, la recherche de méthodes de lutte efficace tend à supplanter les restrictions qu'imposent les critères de guerre juste. Une évaluation de la lutte des Palestiniens qui ne serait pas sensible à ces éléments échouerait à rendre compte de leur tragique situation et de la nécessité pour eux, dans cette situation, d'utiliser tous les moyens pour parvenir à l'obtention de leurs droits fondamentaux. Les Etats, habituellement, avancent moins de raisons pour justifier leur violence envers la société civile... Peut-être le cas le plus flagrant dans l'histoire récente est-il ce qui fut officiellement avancé pour justifier l'utilisation de la bombe atomique contre les populations urbaines de Nagasaki et Hiroshima, à la fin de la Seconde Guerre mondiale : sauver des vies américaines...

La moralité de la force utilisée par des acteurs qui se prétendent les représentants de la société civile (ici le Hamas et le Jihad islamique) est toujours suspecte et le pouvoir occupant contre-attaquera massivement par les armes, les accusations et les punitions. Pour valider leur recours à la force, les acteurs non gouvernementaux usent de persuasion pour montrer que des tentatives réelles de paix ont été faites et ne sont raisonnablement pas valables. Un tel raisonnement, dans le cas palestinien, repose sur la conviction que le processus d'Oslo n'est pas une véritable alternative à la lutte armée. Il soulève de nombreuses questions. Qui parle au nom du peuple palestinien ? Qui représente les Palestiniens vivant en exil, hors des territoires palestiniens occupés ? L'Autorité palestinienne a accepté l'approche d'Oslo comme une alternative de paix ; elle est opposée au terrorisme et a arrêté quelques suspects. Que l'éclatement de la seconde Intifada implique le rejet d'Oslo par l'Autorité palestinienne et qu'un tel rejet soit raisonnable étant donné les circonstances, cela participe de l'évaluation morale qui doit être faite. Les différences aiguës de perception en cette matière favorisent une absence de consensus quant à la question de savoir si Oslo a ouvert aux Palestiniens une voie pacifique vers la réalisation de leur droit à l'autodétermination. Mais il est raisonnable de penser qu'une telle opportunité n'a jamais existé pour les Palestiniens [19].

La pertinence du politique et du réalisme politique

Dans les cas où les disparités de puissance sont aussi grandes qu'entre Israéliens et Palestiniens, il faut se poser prudemment la question de savoir quelles tactiques sont appropriées pour la partie cherchant à faire valoir ses droits au regard de la loi internationale. Recourir à la force présente le désavantage de valider l'usage de celle-ci par la partie adverse, considérablement mieux armée, et cela est d'autant plus vrai dans le cas où la partie la plus faible peut être accusée de « terrorisme » alors que la contre-attaque de la partie la plus forte sera vue comme un « renforcement ». De telles disparités de force sont accentuées par la tendance « étatisante » des médias internationaux – une tendance particulièrement

nette en ce qui concerne les relations israélo-palestiniennes –, et tout spécialement les médias des Etats-Unis. La victimisation des Israéliens est individualisée et humanisée, alors que celle des Palestiniens est exprimée sous forme de statistiques abstraites, et très souvent traitée comme une bavure accidentelle de la légitime reprise en mains de la situation par les Israéliens. La violence palestinienne est vue comme une forme extrême de terrorisme, alors que les répliques israéliennes à cette violence, même si elles sont dirigées contre des cibles civiles, ne sont jamais jugées ainsi, fussent-elles, au mieux, qualifiées d'« d'usage excessif de la force ».

Dans le même temps, étant donné la frustration née du retrait israélien très relatif des territoires occupés aussi bien que du non-respect par les Israéliens des décisions de l'ONU, les Palestiniens semblent n'avoir plus le choix qu'entre la résignation et la résistance. Dans les circonstances actuelles, le choix de la résistance apparaît raisonnable. Faire en sorte qu'elle pose un défi au pouvoir occupant semblerait justifier le recours à la violence, si toutefois celle-ci se cantonne à des cibles militaires ou gouvernementales. Mais un tel usage de la force est-il possible dans les circonstances de la domination israélienne ?

Si une telle résistance est inefficace ou ne peut pas être organisée, alors le dilemme est plus sérieux qui n'offre que deux alternatives, terrorisme ou reddition, les deux options apparaissant inacceptables. Il est navrant de placer un peuple dans une telle situation, et il n'est donc pas surprenant qu'une politique désespérée et des attentats-suicides en soient résulté. Cette politique est-elle efficace ? Seule l'histoire pourra éventuellement répondre à cette question. Mais il semble d'ores et déjà évident que les conséquences à court terme seront désastreuses pour le peuple palestinien assiégé, piégé dans la dynamique de l'occupation israélienne désormais liée à la guerre que mènent les Etats-Unis contre le terrorisme international.

Les événements du 11 septembre 2001 ont considérablement compliqué la lutte des Palestiniens et réduit leurs options. Il est

---

19. L'expression la plus forte de cette idée se trouve dans Edward Saïd, *The End of the Peace Process : Oslo and After,* New York, Pantheon, 2000.

remarquable que Yasser Arafat, immédiatement et sans y être poussé, ait condamné les attaques d'al-Qaïda et rejeté tout lien entre celles-ci et la lutte des Palestiniens [20]. On notera aussi qu'Israël a estimé que ses opposants parmi les Palestiniens, y compris Arafat, se situent dans la même perspective terroriste qu'al-Qaïda et que, par conséquent, ils devraient être traités à la manière dont les Etats-Unis ont réagi aux attentats du 11 septembre.

L'administration Bush s'est montrée hésitante. Elle a d'abord soutenu explicitement et pour la première fois la création d'un Etat palestinien viable mais a fait sien l'argument israélien selon lequel la création de cet Etat était précisément le but du terrorisme palestinien ; à ce titre, Israël pouvait, comme les Etats-Unis, utiliser sa puissance militaire contre tous ceux qui offrent un refuge aux terroristes. Petit à petit, cette dernière attitude a prévalu, au point que le gouvernement américain, a été jusqu'à approuver les plus brutales interventions de l'armée israélienne contre la société civile palestinienne. Ces interventions, avec armement hautement sophistiqué, ont causé des ravages dans les territoires occupés, et les punitions collectives qui allaient de pair ont provoqué de grandes souffrances dans l'ensemble de la population. Israël s'est employé à convaincre les Etats-Unis qu'ils devaient inclure le Hamas et le Jihad islamique dans leur guerre totale contre le terrorisme et considérer la tactique israélienne de terreur comme indissociable de l'occupation du territoire palestinien[21].

Dans ces conditions, le sort réservé à Azmi Bishara constitue un test particulièrement important pour juger de la démocratie israélienne. Cette analyse aura confirmé qu'il est entièrement raisonnable pour quelqu'un dans la position d'Azmi Bishara de penser que les Palestiniens sous occupation ont le droit de résister, pourvu qu'ils n'aillent pas jusqu'au terrorisme. L'affaire Bishara ne préjuge pas de l'issue du débat quant à savoir comment devraient être considérées les revendications des Palestiniens concernant leur droit à résister et celles des Israéliens, concernant leur besoin de sécurité. Un tel débat est impossible à conclure en raison de prémisses diamétralement opposées dans chaque camp. Mais les sujets de controverses peuvent être clarifiés, et un certain consensus pourrait être réalisé quant aux limites de l'usage de la force.

On s'accorde à juger le terrorisme palestinien inacceptable mais il n'existe aucune tendance réciproque à considérer, même d'un point de vue conceptuel – ne parlons même pas du point de vue opérationnel – que la violence israélienne et la politique d'occupation sont aussi du terrorisme. Le refus opposé par Israël aux règles de la loi humanitaire internationale est une provocation constante envers le peuple palestinien, ne lui laissant le choix qu'entre la résistance et la reddition – un choix moralement et légalement intenable. Compte tenu de l'arrière-plan colonial du mandat britannique et de la relation fiducière spéciale telle qu'établie entre les peuples et la Société des nations puis les Nations unies, le moins que les Palestiniens peuvent espérer est que leurs droits au regard de la loi humanitaire internationale seront reconnus. Mais des années de déni de ces droits sans que les Nations unies n'interviennent efficacement les ont convaincus que leur seul espoir ne pouvait venir que d'eux-mêmes. Leurs actes de résistance doivent être appréciés dans ce contexte.

—R. F.

---

20. Voir l'opinion de Henry Siegman dans « Here Is the Way to Counter Palestinian Terror », *International Herald Tribune*, 12 décembre 2001. Selon Siegman, il est de la responsabilité d'Arafat d'empêcher les attaques du Hamas et du Jihad islamique dans les territoires sous son contrôle. Mais Siegman critique aussi le gouvernement Sharon pour ses provocations et pour n'avoir rien fait qui puisse permettre l'établissement de l'Etat palestinien.
21. Voir Elaine Sciolino, « U.S. to Use Reward Ads in Hunting Palestinians », *New Yorkk Times,* 13 décembre 2001.

**Michel
Staszewski**

L'Etat juif, de l'utopie au cauchemar

Michel Staszweski est coauteur du *Manifeste pour un juste règlement du conflit israélo-palestinien. Des Juifs de Belgique s'impliquent et s'expliquent.* Le texte de ce manifeste (en français, néerlandais et anglais) ainsi que la liste de ses signataires figurent sur le site http://www.israel-palestine.be.

Le sionisme ou la séparation comme réponse à l'antisémitisme

Dans le dernier quart du XIXe siècle et au début du XXe, les communautés juives d'Europe furent victimes de nombreuses manifestations d'antisémitisme dont les pires furent les pogroms perpétrés dans l'Empire russe, qui coûtèrent la vie à des dizaines de milliers de personnes. Contemporain de ces tragiques événements, Theodor Herzl, journaliste autrichien, fut un témoin privilégié des violences antisémites qui ponctuèrent, en France, l'affaire Dreyfus. Il en conclut que si même le pays de la Déclaration des droits de l'homme et du citoyen de 1789 pouvait être touché à ce point par des manifestations de haine antisémite, il ne restait qu'une seule solution aux juifs pour vivre en paix : la séparation d'avec les non-juifs par le regroupement des juifs dans un Etat qui leur serait propre. Le projet politique sioniste fut donc fondé sur la conviction qu'une cohabitation harmonieuse entre les minorités juives et les populations non juives majoritaires dans les Etats où ils vivaient était décidément impossible.

Jusqu'au lendemain de la Deuxième Guerre mondiale, l'idéologie sioniste resta minoritaire parmi les juifs d'Europe orientale, centrale et occidentale et quasi absente des autres communautés juives dont les membres, il est vrai, vivaient généralement en bonne entente avec leurs voisins non juifs.

Le projet de création d'un Etat juif s'inscrivait dans le grand mouvement nationaliste qui s'était développé de par le monde dès le début du XIXe siècle et qui, au nom du droit des peuples à disposer d'eux-mêmes, visait à permettre à chaque communauté nationale de disposer d'un Etat indépendant. Aux yeux des opinions publiques européennes, cependant, ce principe ne s'appliquait qu'aux peuples « évolués ». Nous étions en effet à l'époque du colonialisme européen triomphant et il allait de soi que ce qui valait pour les peuples « civilisés » ne pouvait valoir pour les peuples « primitifs » ou « sauvages ». Est-ce pour cela que les premiers sionistes considérèrent que la Palestine, pourtant peuplée d'un demi-million d'Arabes, était « une terre sans peuple » ?

De plus en plus de terres de Palestine réservées aux juifs

Pour concrétiser son rêve, le mouvement sioniste mit tous ses efforts dans l'appropriation d'un maximum de terres, achetées à leurs riches propriétaires souvent absents (vivant au Liban, en Syrie ou en Turquie) et livrées, selon les contrats de vente, « libres d'habitants[1] ». Ces terres étaient dès lors repeuplées d'immigrants juifs, de plus en plus nombreux. De 1917 à 1939, cette politique fut incontestablement favorisée par l'autorité mandataire[2] britannique.

A partir de 1920, cette colonisation de peuplement entraîna une série de révoltes de la population arabe de Palestine, évincée de territoires de plus en plus vastes.

Néanmoins, l'arrivée au pouvoir des nazis en Allemagne et la politique de plus en plus férocement antisémite menée à l'encontre des juifs allemands puis autrichiens engendra une accélération du mouvement d'émigration de juifs européens, entre autres vers la Palestine. Après la Deuxième Guerre mondiale, la révélation de la réalité et de l'ampleur du judéocide nazi créa les conditions de l'acceptation par la majorité des Etats européens du principe de la création d'un Etat juif en Palestine. Et ce fut le partage de 1947, décidé par l'Assemblée générale de l'ONU contre l'avis des Etats arabes. Il prévoyait la division de la Palestine en trois entités : un Etat juif constitué de 55 % du territoire et peuplé de 500 000 juifs et de 400 000 Arabes ; un Etat arabe peuplé de 700 000 Arabes et de 10 000 juifs ; la zone de Jérusalem, sous administration de l'ONU, peuplée de 100 000 juifs et de 105 000 Arabes.

Le refus arabe de ce plan engendra la guerre de 1947-1949, guerre qui donna l'occasion au mouvement sioniste d'étendre son contrôle territorial à 78 % de la Palestine mandataire et d'en évincer la plupart des habitants arabes. En 1949, de 700 à 800 000 Arabes palestiniens étaient devenus des réfugiés. 150 000 d'entre eux, demeurés dans l'Etat juif, vécurent sous un régime militaire jusqu'en 1966.

En 1967, la « guerre des six jours » permit à l'armée israélienne de prendre le contrôle du reste de la Palestine[3], autrement dit de Jérusalem-Est, de la Cisjordanie et de la bande de Gaza. Ces événements provoquèrent un nouvel exil de plusieurs centaines de milliers de Palestiniens qui vinrent grossir les rangs des réfugiés, essentiellement en Jordanie. L'occupation des territoires nouvellement conquis commença dès le lendemain de cette conquête par la destruction du pâté de maisons de la vieille ville de Jérusalem qui longeait le mur des Lamentations. Depuis 1967, la colonisation juive de ces territoires est allée sans cesse en s'accélérant, même après la signature des accords d'Oslo en 1993, et quel que fût le gouvernement au pouvoir.

En 1988, soixante-huit ans après la première révolte des Arabes de Palestine contre l'immigration juive et les acquisitions de terres par les juifs, le Conseil national palestinien (parlement en exil) reconnaissait le droit à l'existence de l'Etat juif. En 1993, l'OLP admettait la souveraineté de l'Etat d'Israël dans ses frontières de 1967 (avant la guerre des six-jours) ; elle acceptait donc que le futur Etat

---

1. Depuis un siècle, le Keren Kayemeth Leisraël (Fonds unifié pour Israël), est chargé de récolter des fonds auprès des juifs du monde entier pour l'achat de terres en Palestine, terres ne pouvant être occupées et exploitées que par des juifs. Depuis 1967, le KKL a étendu ses activités aux territoires occupés suite à la Guerre des six-jours (cf. H. Goldman, « Le KKL "trace les frontières d'Israël", in *Points critiques. Le Mensuel,* n° 221, Bruxelles, décembre 2001, p. 19 et 20).
2. En 1922, le Royaume-Uni obtint de la Société des nations un mandat de protectorat sur la Palestine, ancienne province ottomane. En fait l'occupation britannique dura de 1917 à 1948.

---

3. Ainsi que du plateau syrien du Golan et du désert égyptien du Sinaï.

palestinien soit limité à 22 % de la Palestine mandataire, autrement dit à la Cisjordanie et à la bande de Gaza.

Les « concessions généreuses » de Barak

C'est dans ce contexte que le Premier ministre Ehoud Barak voulut inscrire son nom dans l'Histoire comme celui qui aurait mis fin au conflit israélo-arabe, vieux d'un siècle. A Camp David, en juillet 2000, il crut pouvoir faire accepter par Yasser Arafat et son équipe de négociateurs un accord qui prévoyait la création d'un « Etat » palestinien démilitarisé, divisé en quatre entités séparées, dont les frontières seraient contrôlées par Israël et constitué sur moins de 20 % de la Palestine mandataire. Selon ce plan, les principales colonies juives de Cisjordanie devaient être annexées à Israël. A Jérusalem-Est, le mur des Lamentations et plusieurs zones désormais peuplées majoritairement de Juifs devaient rester sous souveraineté israélienne. Il devait en être de même pour le Mont du Temple (l'esplanade des Mosquées) dont les Palestiniens auraient cependant pu obtenir la « garde permanente ». Les négociateurs israéliens refusèrent par ailleurs de reconnaître la moindre responsabilité de leur pays concernant la question des réfugiés. Tout au plus acceptèrent-ils l'idée du rapatriement, étalé sur dix ans, de quelques milliers d'entre eux, « pour raisons humanitaires ».

Les négociateurs palestiniens refusèrent ces « offres généreuses » et le désespoir et la colère s'installèrent auprès des leurs. Quelques semaines plus tard, Ehoud Barak autorisa Ariel Sharon, alors principal leader de l'opposition, à aller « visiter » le Mont du Temple, accompagné d'une très imposante escorte armée. De jeunes Palestiniens manifestèrent leur indignation ; ils se heurtèrent à une répression des plus brutales : en trois jours l'armée israélienne abattit trente personnes et fit 500 blessés. L'« Intifada d'al-Aqsa » avait commencé. Des négociations reprirent cependant à Taba (Egypte) en janvier 2001

entre les représentants israéliens et palestiniens, sous l'égide de l'administration Clinton finissante ; elles laissèrent entrevoir la possibilité de sérieuses avancées mais Ehoud Barak avait perdu sa majorité au parlement israélien et beaucoup de sa légitimité auprès de la majorité de l'opinion publique israélienne, comme allait le démontrer le résultat des élections de février 2001. C'est en effet le « faucon » Ariel Sharon qui fut élu Premier ministre d'Israël par une confortable majorité des électeurs juifs. Et les avancées de Taba restèrent lettre morte.

Le sort actuel des Palestiniens

Dans quelles conditions vivent aujourd'hui (décembre 2001) les Palestiniens ?

Le million de ceux qui sont citoyens israéliens sont les moins mal lotis. Ils continuent cependant à être régulièrement victimes de discriminations. Cela se marque, par exemple, dans la répartition très inégale des fonds publics entre les localités selon qu'il s'agit de communes peuplées de Juifs ou d'Arabes (il n'existe pratiquement pas de villes ou de villages « mixtes ») ou par la non-reconnaissance de l'existence même de cent-cinquante villages et hameaux regroupant environ 75 000 habitants, ce qui a pour conséquence que ces localités sont privées de tout service public (pas de connexion aux réseaux d'électricité, d'eau ou de téléphone ; interdiction d'ouvrir de nouvelles écoles…) ; leurs habitants se voient interdire toute construction de bâtiment ou de voirie[4]. Beaucoup plus insidieuse est la suspicion dont sont systématiquement victimes les Arabes israéliens, ce qui les exclut de quantité d'emplois et en fait les victimes de contrôles policiers systématiques. Les Palestiniens vivant en dehors du territoire de la Palestine mandataire sont actuellement près de trois millions[5]. Leurs conditions de vie sont très variables : si une petite minorité sont devenus

---

4. Cf. H. Wajnblum, « Des villages bien réels mais officiellement inexistants… Les villages arabes israéliens "non reconnus" », in *Points critiques* n° 61, Bruxelles, mai 1998, p. 19-27.

des citoyens à part entière de leur pays d'accueil, la grande majorité d'entre eux restent des réfugiés, même s'ils ne vivent plus tous dans des camps [6]. Et c'est sans doute au Liban que, victimes de multiples mesures de ségrégation, ils vivent le plus mal.

Les Palestiniens des territoires occupés [7] connaissent, quant à eux, depuis 1967, une interminable descente aux enfers. Leurs conditions de vie n'ont cessé de se dégrader, particulièrement, il faut le souligner, depuis l'entrée en application des accords d'Oslo (1994-1995). Les colonies de peuplement juif en Cisjordanie et dans la bande de Gaza sont actuellement plus de 160 et regroupent environ 400 000 habitants [8]. Les zones autonomes palestiniennes qui recouvrent environ les deux tiers de la bande de Gaza et moins de 18 % de la Cisjordanie sont complètement isolées les unes des autres. La circulation entre les différentes localités palestiniennes, déjà extrêmement problématique avant l'embrasement de fin septembre 2000, est devenue presque impossible. Le « bouclage » est tel que de nombreux élèves et étudiants ne peuvent, la plupart du temps, se rendre dans leurs établissements scolaires ni les adultes exercer leurs activités professionnelles. Plusieurs personnes sont mortes faute de soins pour avoir été empêchées de rejoindre un hôpital. Depuis le début de l'actuelle Intifada, plus de 800 Palestiniens des territoires occupés, dont 200 enfants, ont été tués. Les blessés sont plus de 30 000. Plus de 2000 Palestiniens, dont 350 mineurs, sont détenus dans les prisons israéliennes. De nombreux cas de mauvais traitements, voire de torture y sont avérés. Depuis l'arrivée au pouvoir du gouvernement

dirigé par Ariel Sharon, les incursions de l'armée israélienne dans les zones autonomes palestiniennes se multiplient. Plus de 5000 bâtiments ont été détériorés et 800 entièrement détruits du fait de ces opérations militaires. Des milliers d'hectares de terres agricoles ont été ravagés et des dizaines de milliers d'arbres arrachés.

Un gouffre, typique d'une situation coloniale, et qui ne cesse de s'élargir, sépare les conditions de vie des colons israéliens de celles des Palestiniens. Tandis que ces derniers vivent une situation de précarité extrême, les colons, dont la liberté de circulation entre leurs colonies et l'État d'Israël reste entière, s'approprient toujours plus de terres et ont accaparé la plupart des ressources en eau [9].

Une politique illégale et sans issue... mais soutenue par la majorité des citoyens israéliens

En regard du droit international, cette politique fait d'Israël un État hors-la-loi. Elle est en effet contraire aux résolutions de l'Assemblée générale et du Conseil de sécurité de l'ONU et les moyens mis en œuvre pour la mener sont contraires à toutes les conventions sur le droit de la guerre. Elle ne conduira pas à une solution du conflit. Elle engendre une situation économique et financière de plus en plus mauvaise pour l'État israélien lui-même. Et jamais les Israéliens, qui ont tout de même eu plus de 200 morts à déplorer depuis le début de cette Intifada, n'ont vécu autant en état d'insécurité qu'actuellement.

Pourtant, d'après plusieurs sondages réalisés ces derniers temps en Israël, plus des deux tiers de la population israélienne soutient la politique du gouvernement d'Ariel Sharon [10]. Comment expliquer ce paradoxe ?

Le « complexe de Massada »
Beaucoup de gens sous-estiment les effets à long terme que peuvent générer des

5. Chiffres de l'UNRWA. Selon des sources palestiniennes, ils seraient nettement plus nombreux mais une grande partie d'entre eux ne seraient pas recensés comme tels par cet office des Nations unies.
6. L'UNRWA estime que sur les 3 700 000 réfugiés recensés, environ 1 200 000 habitent encore aujourd'hui dans des camps, ce chiffre comprenant les habitants des camps de Cisjordanie et de la bande de Gaza.
7. Les Palestiniens de Cisjordanie, de Jérusalem-Est et de la bande de Gaza sont aujourd'hui 2 700 000 dont 1 400 000 réfugiés. Parmi ces derniers, 600 000 vivent encore actuellement dans des camps.
8. Ce nombre comprend les habitants juifs de Jérusalem-Est, territoire conquis par l'armée israélienne en 1967.

9. Selon la Banque mondiale, 90 % des ressources en eau de la Cisjordanie sont utilisées au profit d'Israël.

persécutions graves visant une communauté humaine tout entière. Le ralliement à l'idéologie sioniste de la majorité des juifs européens au lendemain de la Deuxième Guerre mondiale s'explique avant tout par une vision du monde transformée par l'expérience traumatisante du judéocide. Et ces traumatismes transmettent une partie de leurs effets aux générations suivantes : tout juif dont les parents ou les grands-parents ont vécu la guerre sous le joug nazi est, d'une manière ou d'une autre, psychologiquement « marqué » par cet atavisme. Ce qui explique, au moins en partie, pourquoi la vision sioniste du monde est encore dominante aujourd'hui dans la diaspora européenne ou d'origine européenne. Le « complexe de Massada[11] » ou de la « citadelle assiégée » est caractéristique de cette vision du monde : les juifs ne pourraient compter que sur eux-mêmes pour se défendre contre des populations non juives généralement hostiles. C'est ainsi que l'Etat moderne d'Israël est considéré par de nombreux juifs de la diaspora comme « le dernier refuge », le lieu où l'on pourrait se réfugier « au cas ou... ». D'où l'importance vitale, à leurs yeux, de le préserver en tant qu'Etat juif, ce qui implique que les juifs y restent, à tout prix, majoritaires.

Cela permet de comprendre pourquoi la majorité des Israéliens et un grand nombre de juifs de la diaspora, pourtant partisans inconditionnels du « droit au retour » en Israël pour les juifs du monde entier, s'opposent avec force à la revendication palestinienne du droit au retour des exilés palestiniens victimes des guerres successives ayant opposé juifs et Arabes en Palestine-Israël depuis 1947. Le fait que les représentants palestiniens se déclarent depuis longtemps prêts à négocier la mise en œuvre de ce principe[12] n'y change rien.

En réalité, depuis sa création, Israël est le pays où les juifs sont le moins en sécurité. Ce constat ne semble pas ébranler la conviction qu'il constitue pour eux un refuge. C'est même le contraire qui se produit : plus la politique de l'Etat juif se heurte à la résistance des Palestiniens et à la réprobation de l'opinion publique internationale, plus la majorité de l'opinion publique juive israélienne et diasporique, confortée dans le sentiment que les juifs sont encore et toujours les victimes de l'hostilité des non juifs, se raidit dans une attitude intransigeante. Ce qui favorise le développement, chez les Palestiniens, de sentiments de colère, d'humiliation, voire de haine et de désespoir, ce désespoir qui amène de plus en plus de jeunes Palestiniens, ne trouvant plus de sens à leur vie, à chercher à en donner un à leur mort, en perpétrant des attentats-suicides au cœur d'Israël. Nous sommes là dans un tragique cercle vicieux.

Mais aujourd'hui les descendants des victimes du judéocide nazi sont devenus minoritaires parmi les Juifs israéliens. Il reste donc à expliquer pourquoi le raidissement décrit ci-avant concerne l'écrasante majorité de la population juive d'Israël.

Dans son livre *Le Septième Million*, l'historien israélien Tom Segev nous donne la clé de cette énigme. Il y montre comment, depuis la naissance de l'Etat juif, les dirigeants israéliens ont utilisé la mémoire du judéocide nazi pour façonner une identité collective israélienne[13]. Dès leur plus jeune âge, les enfants israéliens, quelle que soit l'histoire de leurs ancêtres, sont élevés dans le souvenir et le

10. Ce n'est plus vrai aujourd'hui. Alors que la droite la plus extrême a quitté le gouvernement, le gouvernement Sharon est désormais contesté tant sur sa droite que sur sa gauche et ne compterait plus qu'environ 40% de supporters. Cependant, une majorité d'Israéliens continue à s'opposer à la décolonisation des territoires occupés depuis 1967 et à la création d'un Etat palestinien sur les territoires de la Cisjordanie (y compris Jérusalem-Est) et de la bande de Gaza. Sans parler des autres questions pendantes comme celle du sort des exilés. (Note rajoutée en mars 2002.)

11 En 70 après J.-C., après la chute de Jérusalem, un important groupe de révoltés juifs se réfugièrent dans la forteresse de Massada bâtie sur un éperon rocheux dominant la rive ouest de la mer Morte. Après avoir défié les armées romaines durant plus de deux années, sur le point d'être vaincus, les derniers combattants juifs et leurs familles se suicidèrent plutôt que de se rendre.

12. « *Les Palestiniens sont prêts à envisager ce droit au retour de manière flexible et créative dans sa réalisation matérielle. Dans nombre de discussions avec Israël, les problèmes posés par la mise en œuvre du droit au retour, tant en ce qui concerne les réfugiés qu'en ce qui concerne les conséquences pour l'Etat hébreu, ont été identifiés et des solutions détaillées ont été avancées.* » (extrait du Mémorandum de l'équipe palestinienne de négociation à William Clinton, 1er janvier 2001, cité in *Les Cahiers de l'UPJB*, n° 2, Bruxelles, mars 2001, p. 59).

culte du passé tragique des communautés juives européennes. C'est donc l'ensemble de la population juive israélienne qui porte le poids du passé, qui se voit transmettre le traumatisme et ses effets secondaires, à commencer par le « complexe de Massada ».

Séparation unilatérale

A la lumière de ce qui précède, on comprend mieux pourquoi un certain nombre de dirigeants politiques et d'intellectuels israéliens renommés, y compris des membres ou des proches du Parti travailliste, considérant que Juifs et Arabes ne parviendront jamais à s'entendre, défendent aujourd'hui très sérieusement l'idée de la « séparation unilatérale » comme solution au conflit. Il s'agirait concrètement de séparer les Juifs des Arabes par un « rideau de fer » tel que l'Europe l'a connu durant la guerre froide. Dans un article intitulé « Un remède miracle[14] », Uri Avnery, figure marquante du « Bloc de la paix » israélien, a qualifié ce projet de « *nouveau pas dans la marche de la folie* ». Il y démontrait qu'il ne pourrait déboucher que sur une guerre sans fin dans la mesure où l'emplacement de ce « rideau » n'aurait pas fait l'objet d'un accord et que, de toute façon, l'imbrication des populations juives et arabes est tel qu'il faudrait soit construire des « rideaux » un peu partout, le territoire de la Palestine historique étant dès lors transformé en une multitude de ghettos invivables tant du point de vue économique que du point de vue humain, soit procéder à de nouveaux déplacements forcés de populations de manière à obtenir deux entités « homogènes ».

13 « Le Septième Million *traite de la manière dont les amères vicissitudes du passé continuent à modeler la vie d'une nation. Si le Génocide a imposé une identité collective posthume à six millions de victimes, il a aussi façonné l'identité collective de ce nouveau pays, non seulement pour les survivants arrivés après la guerre, mais pour l'ensemble des Israéliens, aujourd'hui comme hier.* » (T. Segev, *Le Septième Million*, Paris, Liana Levi, 1993, p. 19).
14. Cet article, paru en hébreu et en anglais sur le site Internet de Goush Shalom (le « Bloc de la paix ») le 25 août 2001, peut être lu, dans sa traduction française, sur le site www.solidarite-palestine.org

Diabolisation des Palestiniens

La paranoïa collective dont sont victimes la majorité des Israéliens les aveugle : ils ne voient pas que les actes de violence auxquels se livrent les Palestiniens s'expliquent essentiellement par les conditions de plus en plus insupportables dans lesquelles ils vivent, par l'oppression et les humiliations continuelles qu'ils subissent de la part de l'armée israélienne. Pour eux la violence des Palestiniens s'explique par leur antisémitisme[15] qui serait entretenu et renforcé par une éducation à la haine dont ils seraient les victimes depuis des générations. Cette haine antisémite les aurait collectivement déshumanisés. C'est ainsi que beaucoup d'Israéliens croient sincèrement que de nombreux parents palestiniens envoient délibérément leurs enfants risquer leur vie en jetant des pierres sur les soldats israéliens ou les encouragent à devenir des « martyrs ».

Cette vision déshumanisée des Palestiniens touche même les plus hautes sphères du Parti travailliste israélien. C'est ainsi que le 2 août dernier, sur la chaîne de télévision américaine ABC, le journaliste Chris Bury posait la question suivante à Avraham Burg, un des principaux dirigeants de ce parti et président du parlement israélien : « *Israël se vante d'être une nation démocratique fondée sur les règles du droit. Alors comment peut-on justifier des assassinats lorsque les forces de sécurité sont, en l'occurrence, tout à la fois jury, juge et bourreau ?* » Réponse d'Avraham Burg : « *Il ne fait aucun doute que dans le monde occidental et le système de valeurs dans lesquels nous vivons, l'agneau a en général de bonnes chances de se défendre avant que le loup le dévore. Au Proche-Orient les règles sont quelque peu différentes. [...] Nous vivons dans un autre hémisphère, fait d'islamistes fondamentalistes, de bombes humaines, d'un peuple suicidaire, de tueurs, de kidnappeurs, de gens auxquels vous ne voudriez pas marier votre fille. N'essayez pas d'exiger de moi que je me comporte vis-à-vis de mon voisin non humain de la même manière que les*

15. Dont beaucoup de juifs croient qu'il a toujours existé.

Scandinaves se comportent vis-à-vis des Suédois[16]. » Sans commentaire.

L'écrasante responsabilité du monde occidental

Il ne fait aucun doute qu'Israéliens et Palestiniens ne s'en sortiront pas tout seuls. Face au « nain » palestinien, l'Etat d'Israël est un « géant » surarmé, convaincu qu'il est entouré d'ennemis et que son seul salut réside dans un rapport de force militaire à son avantage. A la paranoïa collective de la majorité des Israéliens et des dirigeants qu'ils se sont choisis, répond la folie meurtrière d'une frange, heureusement encore très minoritaire, d'une population palestinienne de plus en plus désespérée.

Les Etats d'Europe occidentale et les Etats-Unis d'Amérique portent, à plus d'un titre, une responsabilité écrasante dans cette interminable descente aux enfers. Sans leur appui résolu, l'injustice qu'a constitué la création, en Palestine, d'un Etat destiné à accueillir les juifs du monde entier aux dépens des populations non juives de ce territoire n'aurait pas été possible. Par leur soutien économique et militaire quasi inconditionnel à l'Etat d'Israël malgré son non-respect systématique des résolutions de l'Assemblée générale et du Conseil de sécurité de l'ONU ainsi que des conventions internationales régissant le droit des populations vivant sous occupation étrangère, ils ont permis qu'une situation d'oppression et de déni du droit international et des droits de l'homme se perpétue et s'aggrave durant plus d'un demi-siècle. Aujourd'hui encore, alors que des victimes tombent quasi tous les jours, ils refusent de répondre positivement à la demande répétée de l'Autorité palestinienne qu'une force d'interposition internationale sous mandat de l'ONU vienne mettre fin au carnage, sous le prétexte que cela ne serait pas réalisable sans un accord des deux parties. La présidence belge de l'Union européenne, incarnée par le Premier ministre Guy Verhofstadt et par le ministre des Affaires étrangères Louis Michel, au lieu de se faire la défenderesse du droit international, a prétendu mener une politique « d'équidistance » entre les deux parties… avec l'insuccès que l'on sait.

Par leur appui presque inconditionnel à la politique de l'Etat d'Israël ou par leur passivité, les Etats occidentaux sont les principaux responsables de la perpétuation de l'impasse tragique dans laquelle se sont engouffrés les dirigeants sionistes, dans laquelle ils ont entraîné la société juive israélienne mais dont la victime principale est le peuple palestinien.

Le rêve sioniste s'est concrétisé en un interminable cauchemar. Les Juifs israéliens, pétris de cette idéologie qui les a conduits à soutenir une politique d'apartheid de la pire espèce, sont en train de « perdre leur âme » dans un conflit sans fin et de plus en plus meurtrier avec leurs voisins palestiniens. La « désionisation » des esprits, absolument nécessaire pour qu'une véritable réconciliation[17] entre Juifs israéliens et Palestiniens, puisse advenir, prendra du temps. Il n'est ni moralement, ni politiquement défendable de subordonner une solution au conflit à l'évolution de cet état d'esprit. La communauté internationale doit intervenir d'urgence, d'abord pour qu'il soit mis fin à la mortelle étreinte dans laquelle sont enlacés les peuples israélien et palestinien, puis pour imposer une paix durable basée sur le respect du droit international et des droits de l'homme.

Mais pour que cela advienne, il est nécessaire que, partout dans le monde, les opinions publiques se mobilisent pour pousser leurs représentants politiques à agir afin qu'entre Méditerranée et Jourdain, le règne de la loi du plus fort cède enfin la place à celui de l'égalité des droits entre les personnes et entre les peuples.

—M. S.
décembre 2001

---

16. Cité in *Ponts critiques. Le Mensuel*, n° 218, Bruxelles, septembre 12001, p. 14.

17. La réconciliation passe par la reconnaissance intégrale de l'égalité fondamentale de l'autre, de son entière humanité.

**Madeleine
Rebérioux**

Trop, c'est trop

Madeleine Rebérioux, historienne, est l'ex-présidente de la Ligue des droits de l'homme

J'ai envie à nouveau de pousser ce cri en ce 10 mars 2002 où j'écris ces lignes pour la *Revue d'études palestiniennes*. Ce cri de colère, ce cri politique au sens le plus beau du terme qui introduisait, qui escortait la pétition lancée le 13 décembre 2001. Eh quoi ! trois mois après ! Nous voici au lendemain de cette journée funeste, au sens que les Grecs, ces hommes de la Méditerranée, attachaient à ce mot, au lendemain de ce 9 mars, ce vendredi noir où quarante-six morts sont tombés là-bas : quarante Palestiniens, six Israéliens. Nous en sommes là trois mois après ce 13 décembre où Ariel Sharon, démocratiquement élu par le peuple israélien, décréta « hors jeu politiquement » l'élu légitime du peuple palestinien, Yasser Arafat, et l'encercla dans sa résidence de Ramallah avant, ou parfois juste après, avoir démoli la radio et la télévision palestiniennes. Eh oui ! nous en sommes là. Décidément, « trop, c'est trop ».

L'intervention intellectuelle et citoyenne que fut « Trop, c'est trop » n'a donc pas – c'est le moins qu'on puisse dire – permis de faire basculer vers le droit et la paix la tragédie qui frappe le Proche-Orient, qui nous frappe tous. Oui. Mais qui s'y attendait ? Certes pas les premiers signataires d'un texte écrit dans la colère et la douleur. Et puis, nul ne sait : il a fallu près d'un an pour qu'on mesure en 1898 la portée des premiers manifestes de soutien à Zola publiés au lendemain de « J'accuse ». Les mouvements d'opinion sont lents à se former, difficiles à interpréter. Les textes foisonnent. Ils se répondent. Ils se prolongent. Ils peuvent se caricaturer. Les chercheurs ont mis longtemps à comprendre concrètement comment étaient nés et s'étaient propagés les « manifestes des intellectuels » de janvier 1898. En sachant raison et mesure garder, je voudrais donner quelques informations sur la naissance de « Trop, c'est trop » et sur la manière dont il échappa très vite à ses premiers signataires.

L'état civil, donc. L'acte de naissance pour commencer. Le 13 décembre 2001, les porte-parole de trois organisations engagées, à des

titres divers, dans la défense des droits étaient
reçus dans la soirée à l'Elysée et à Matignon : le
président de la Ligue des droits de l'homme, le
secrétaire général du MRAP, La vice-présidente
de France-Palestine Solidarité exprimaient
« leur stupéfaction et leur angoisse » devant ce
qui venait de se passer et souhaitaient que les
autorités de la République fassent le geste fort
d'inviter à Paris Yasser Arafat : manière de
répondre aux interdits israéliens, manière de
dire que la « mise hors la loi » de Yasser Arafat
ne pouvait être décrétée, quel que fût le
pouvoir que s'attribuaient les autorités
occupantes, par le Premier ministre d'Israël.

Militante de longue date, depuis les débuts
de la guerre d'Algérie, des mouvements
anticolonialistes et de la Ligue des droits de
l'homme – je l'ai présidée de 1991 à 1995 –,
j'étais depuis plusieurs mois à la recherche
d'une initiative, à la fois intellectuelle et
populaire, qui permît à des forces, réfugiées
dans le silence depuis le début de l'Intifada, de
s'exprimer à nouveau. C'est dans cet esprit et
au cœur de cette journée que je compris avec
François Della Sudda, attaché de longue date à
la cause palestinienne, que le moment était
venu : trop c'était trop. Une réaction
individuelle donc, au sein d'une démarche
collective : rédaction en moins d'une heure ;
coups de téléphone pour m'assurer
l'approbation de quelques amis qui n'avaient
jamais renoncé à associer pratique intellectuelle
et militantisme ; feu vert – mais à cette date pas
davantage – de la direction de la Ligue. Un de
mes fils, lui-même militant à la LDH, plus versé
que moi – ce n'est pas difficile ! – dans le
maniement des nouvelles techniques de
communication, accepta de diffuser par son
e-mail le texte complet, très court à la vérité,
dont *Le Monde* venait de publier une version
abrégée. Et vogue la galère ! Et monte la
colère.

L'ampleur du succès nous surprit. Les coups
de téléphone affluèrent, d'Alain Joxe à André
Miquel, d'universitaires que j'avais côtoyés et
parfois perdus de vue au cours d'une vie
intellectuelle riche en épisodes. D'aucuns
s'emparaient de ce texte pour le faire signer par

des « inconnus », je veux dire des citoyens, il se
faisait pétition : sections de la Ligue, lycées de
province ou de l'étranger, ainsi celui de
Madrid. Et les messages affluaient par milliers,
assortis de textes, de propositions et
d'encouragements. Une amie s'occupa de
relayer le tout. L'appel, conjoint bientôt, à
payer pour couvrir les frais de la publication, en
deux épisodes, des 2000 premières signatures
dans *Le Monde* du 30 décembre 2001 puis du
13 janvier 2002, fut lui aussi entendu avec
chaleur. Les nouvelles signatures sont publiées
sur le site Internet de la Ligue des droits de
l'homme : plus de 2000 là aussi.

Pourquoi ? Il y avait des mois que
progressait, de façon insidieuse dans la société
française, le sentiment que, en soutenant le
mouvement d'émancipation national des
Palestiniens, on alimentait l'antisémitisme en
France même. On voyait renaître la pernicieuse
et entre toutes mensongère égalité entre
antisionisme et antisémitisme qui fut, non sans
succès, opposée au mouvement communiste?
Du coup, les organisations antiracistes se
devaient de publier des communiqués
« équilibrés » : ils l'étaient parce qu'il faut en
effet rappeler qu'il n'y a d'autre solution pour
assurer la sécurité des Israéliens que de
promouvoir un Etat palestinien pourvu de *tous*
les droits nationaux ; ils l'étaient aussi parce
que la conjoncture l'exigeait, sauf à aggraver
chez les juifs de France un procès
particulièrement dangereux de repli
communautaire, alimenté en outre, en France,
par des actes intolérables, au Proche-Orient par
des attentats terroristes dits « aveugles » que les
événements du 11 septembre 2001 avaient
rendu inacceptables par l'opinion.

Ce qui caractérise « Trop, c'est trop », c'est
justement qu'il ne s'agit pas d'un communiqué
équilibré. Ce texte n'apportait aucune
information nouvelle. Il ne se référait pas au
droit international (résolution 242, accords
d'Oslo de 1993), sinon à travers les liens
personnels qui s'étaient alors affichés
publiquement entre Yasser Arafat et Yitzhak
Rabin. Il renonçait à renvoyer dos à dos les
présumés coupables de la tragédie qui se

déroulait au Proche-Orient. Sans employer les mots qui fâchent et que chacun peut approuver ou contester – colonisation, occupation – il exprimait la colère devant l'humiliation imposée à Arafat et au peuple palestinien. En France, et en cette année 2001-2002 où les souvenirs et la réalité de la guerre d'Algérie réapparaissaient dans une mémoire nationale nullement apaisée, ces mots avaient un sens ; ils rencontrèrent un écho.

Ce texte ne donne de leçon de morale à personne. Il n'exprime aucune compassion. Il dévoile la honte de ceux qui se taisent quand il faut crier. Il brasse l'éthique et le politique. Le succès qu'il a rencontré montre qu'il y a toujours dans ce pays des intellectuels et des citoyens. En France seulement ? Non : contacts ont été pris en Espagne, en Italie et de l'autre côté de la Méditerranée avec des universitaires, des journalistes, des défenseurs des droits dans les pays du Maghreb, du Machrek. La Fédération internationale des droits de l'homme nous a aidés. Les liens doivent se renforcer avec les Etats-Unis.

Que ferons-nous de ce succès ? Nul n'est propriétaire de « Trop, c'est trop ». Après un rendez-vous avec l'ambassadeur d'Israël, après avoir appelé à manifester sur des bases présumées communes, nous devons réfléchir. Une réunion de tous les signataires est prévue, le 3 avril en principe.

« Trop, c'est trop » : une petite pierre du chemin semé d'épines d'un long combat pour l'émancipation du peuple palestinien, pour son droit soutenu par les forces vives nouvelles du peuple israélien à se constituer en Etat fier et indépendant.

—M. R.

TROP, C'EST TROP : UN APPEL CONTRE LA GUERRE AU PROCHE-ORIENT

Trop, c'est trop, les dirigeants palestiniens, Arafat en tête, qui serra naguère la main de Rabin, sont aujourd'hui cernés dans Ramallah par des tanks israéliens.

Les bombes pleuvent sur le territoire où vit encore une partie du peuple palestinien.

Rien, nous disons bien rien – y compris les attentats inacceptables commis par des kamikazes – ne peut justifier de tels actes.

Le peuple palestinien a le droit de vivre libre. Il a droit à un Etat véritable.

Il est temps, il est plus que temps que le peuple israélien, que tous les peuples du monde en prennent conscience et agissent.

Nous aurions honte de ne pas le crier : « Trop, c'est trop ».

LIGUE DES DROITS DE L'HOMME

**Gilles
de Staal**

Manhattan transfert

Ce texte a été rédigé pour l'essentiel début décembre 2001. La suite des événements pourrait permettre d'en compléter certaines parties, mais, que ce soit l'avalanche des « preuves » et « découvertes » sur l'organisation al-Qaïda déversées quotidiennement par les multiples enquêtes, ou bien l'enchaînement des faits internationaux survenus depuis (la stratégie catastrophique d'Israël et l'impuissance américaine à la contrôler, les fissures de la politique européenne victime de son inconsistant manque d'initiative, la poursuite du retour en force de la Russie sur la scène, la crise indo-pakistanaise, les accords de sécurité entre la Russie, la Chine et les pays d'Asie centrale, le blocage chinois sur les OGM, ou… la paralysie des Etats-Unis et du FMI devant les dangereuses conséquences de la crise argentine…), aucun élément majeur n'en vient contredire la teneur générale.

—G. S.
20 janvier 2002

Gilles de Staal est journaliste et artiste peintre.

Au-delà des jugements et des prises de positions, divers et divergents, il est au moins deux aspects sur lesquels les nombreux commentaires des événements du 11 septembre 2001 et de la guerre en Afghanistan semblent s'accorder. Le premier a trait à leur signification : les Etats-Unis et, à travers eux, le monde occidental seraient l'objet d'une menace globale lancée par le mouvement d'intégrisme fondamentaliste musulman et mis à exécution par le réseau d'organisations terroristes d'Oussama ben Laden. Le second a trait à leurs conséquences : le conflit qui s'en suit aboutirait à renforcer, achever, consacrer la suprématie absolue des Etats-Unis sur le monde, les laissant désormais seuls à pouvoir décider de la pluie et du beau temps en quelque coin de la planète. Or, ce sont ces deux postulats, prémisses à la plupart des analyses, qui me paraissent les moins bien établis par les faits tels que nous pouvons les connaître.

A vrai dire, au vu de ce qui a été rendu public, et à moins de prendre comme argent comptant, sans le plus élémentaire examen, les affirmations du Département d'Etat, personne n'est en mesure de dire à coup sûr qui a organisé et dirigé les opérations du 11 septembre. Les premières hypothèses, pragmatiques, s'appuient nécessairement sur l'enquête policière. Or, rarement enquête n'a apporté aussi peu d'informations que celle ci, ni ne s'est trouvée aussi vite en panne, faute d'indices nouveaux. Ainsi, la seule information tangible quant aux organisateurs et exécutants de l'opération tient-elle dans un mouchoir de poche. On connaît les identités que les membres des commandos ont utilisées pour agir, rien de plus. Comme il n'est pas dans les habitudes courantes de terroristes internationaux de s'engager dans des actions de ce calibre sous leur nom d'état civil, ni de régler leur pension avec leur carte de crédit familiale, cela ne nous donne guère de certitudes sur l'identité véritable des membres de ces commandos. Nous n'en savons pas beaucoup plus, du coup, sur leurs contacts extérieurs, leurs agents de liaison, ni, bien sûr, le puissant réseau de renseignement et de logistique qui les entourait, sans lesquels une telle action ne pouvait s'assurer du succès et aurait été tout bonnement inconcevable.

Cela nous donne néanmoins une indication, qu'il eût peut-être été intéressant d'approfondir, concernant le *modus operandi* de l'organisation responsable de cette attaque. Plutôt que fabriquer, de toutes pièces vierges, de fausses identités pour les exécutants de l'action, elle aurait usurpé des identités existantes, en les laissant savamment en évidence, comme pour orienter les recherches vers une piste ainsi induite. Ce ne serait pas là une innovation surprenante dans les méthodes d'organisations clandestines menant des actions spectaculaires de déstabilisation et de stratégie de tension ; c'est au contraire quelque chose d'assez banal. Car comment croire qu'un réseau de cette importance, qui a su dissimuler durant de longs mois, voire des années, un intense travail de renseignement, qui a su faire disparaître la moindre trace de son activité et de son infrastructure dès le coup accompli, aurait pu laisser des indices aussi grossiers, si ce n'était intentionnellement... des indices soigneusement circonscrits au groupe des exécutants dont par ailleurs nul n'a pu retrouver et encore moins identifier les corps !

Brodant néanmoins sur ces maigres indices, il y a bien sûr une enquête, et même une enquête mondiale ! Ce qu'elle met en évidence, c'est l'existence dans divers pays d'Europe ayant des liens avec le monde musulman, tout comme dans certains pays d'Asie et de l'océan Indien, et même aux États-Unis, d'une myriade d'officines, groupes et associations légales, semi-légales ou carrément clandestines, formant vivier au recrutement de militants fondamentalistes et de combattants éventuels pour des mouvements de ce courant, agissant dans diverses guerres civiles et ayant en commun, à des degrés divers, des rapports avec des camps d'entraînement d'al-Qaïda. Rien de tout cela qui ne soit déjà connu de longue date. C'est évidemment dans ces relations mouvantes et souvent informelles que l'on retrouve certains des personnages dont l'identité a servi aux auteurs de l'opération de Manhattan et de Washington. Mais, en même temps, ces enquêtes internationales mettent en évidence la grande vulnérabilité de ces réseaux, leur mauvaise structuration, leur cloisonnement très poreux, la faible rigueur de leur recrutement... De plus, l'aisance avec laquelle ils sont identifiés par les enquêtes policières autorise à penser qu'ils peuvent être tout aussi aisément infiltrables et manipulables... Rien en tout cas qui en fasse des organisations à la mesure de l'action accomplie. Il serait impossible, dans un tel article, de reprendre, point par point, l'avalanche d'indices, preuves, et « révélations » de l'enquête du FBI et de la CIA prétendant reconstituer l'itinéraire du « réseau al-Atta » et remontant jusque vers les milieux de al-Qaïda. Néanmoins, rien ne fait des personnages prétendument ainsi rassemblés un groupe de candidats bien crédibles pour monter une telle opération, sauf à croire qu'elle ait pu être organisée de bout en bout dans la plus imparfaite improvisation et en donnant au facteur « coup de chance » le coefficient maximum pour en espérer le succès.

On se trouve donc devant un bien étrange hiatus : d'un côté, l'action conspirative sans doute la plus audacieuse de l'histoire de la guerre secrète, et de l'autre, des auteurs désignés qui ressemblent plus à des Pieds Nickelés du fondamentalisme qu'à des as des opérations spéciales[1].

Le hiatus devient abîme quand on considère les conséquences politiques qui en sont tirées et prétendent justifier la guerre en Afghanistan. La portée du 11 septembre, tout le monde l'a immédiatement saisi, c'est d'avoir, comme le souligne Ignacio Ramonet, « *matériellement,*

---

* Les notes ont été reportées en fin d'article.

symboliquement et médiatiquement », avec une parfaite sûreté de geste et une économie de moyens approchant l'épure, détruit le principe de l'invulnérabilité américaine et, du même coup, remis en question la suprématie sans partage des Etats-Unis sur les affaires du globe, établie depuis dix ans à l'issue de la guerre du Golfe. En géostratégie c'est un coup de maître. Or, c'est dans les rapports de force géopolitiques entre puissances qu'il se joue ; il augure d'une époque de luttes et d'instabilité entre puissances, pour l'établissement d'un nouvel équilibre des forces internationales. Seule une puissance ou un groupe de puissances, constituées ou émergeantes, peuvent espérer en tirer parti. Oussama ben Laden, aussi huilée que soit son organisation combattante, n'est rien dans les rapports de forces entre puissances. Comment un homme aussi avisé et familier des sphères du pouvoir aurait-il ignoré qu'intervenir ainsi et à visage découvert dans ces équilibres, ne pouvait le conduire qu'à son anéantissement ?... Sauf à croire que l'auteur du coup de maître n'était qu'une tête de linotte.

On était parti dans l'angoissante annonce d'une nouvelle période de guerres et de confrontations mondiales aux contours (comme toujours) encore énigmatiques et terrifiants ; voilà qu'on se retrouve dans une palpitante BD de Blake et Mortimer, où le monde civilisé est engagé dans une guerre universelle contre un millionnaire barbu et mégalomane retranché dans les cavernes d'Afghanistan ! Ce n'est pourtant pas le moindre paradoxe des événements qui s'enchaînent depuis le 11 septembre que de voir les personnalités les plus respectables et les cerveaux les plus doctes opiner le plus sérieusement du monde à l'idée que le destin des nations et le devenir des peuples s'accomplissent comme dans les histoires illustrées pour enfants...

Il est par contre certain que, quelle que soit sa vraisemblance, la désignation d'un ennemi aussi vague que « le terrorisme », décliné aujourd'hui comme « terrorisme islamiste » et demain, éventuellement, comme « terrorisme arabe », permet tout d'abord de maîtriser une opinion publique pour le moins inquiète, et surtout de faire diversion quant à la menace pesant sur la suprématie américaine. Elle laisse aux Etats-Unis les mains libres, au moment où ils sont atteints par une attaque à laquelle il n'y a pas de réponse immédiate praticable. L'adversaire étant indéfinissable, cela permet en outre de renouveler en permanence l'état de guerre, de ne pas laisser le jeu se refermer. A un coup d'échec, Bush répond par un coup de poker [2].

Ce qui a été atteint le 11 septembre, dit-on souvent, c'est le mythe de la suprématie américaine. Or cette suprématie n'a rien d'un mythe qui, par définition, se réfère à un état de choses intemporel. Cette suprématie n'avait que dix ans d'âge. Elle était le produit de la victoire américaine dans la guerre du Golfe. En quoi consistait-elle ? Tout d'abord, elle avait permis aux Américains de faire disparaître la seule puissance réellement rivale existante : l'URSS. Non seulement comme rivale politique ou militaire, mais encore comme puissance matérielle, géographique, économique, technologique, quel que soit le régime politico-social y prévalant. Démantèlement géographique, perte de ses accès maritimes, faillite financière, effondrement et asphyxie économico-industrielle, privation de ses alliances extérieures, etc. Alors que tous les systèmes d'alliances militaires et de coopération économique américains étaient renforcés, la puissance géopolitique russe se voyait ramenée aux temps de Pierre Le Grand : sa façade occidentale transformée en réservoir pour l'expansion européenne, son flanc méridional et caucasien soumis aux visées turques et l'Asie centrale, aux guerres mongoles ! De plus, à l'Ouest, la disparition brutale du contrepoids russo-soviétique plaçait, dès le départ, l'édification politique de l'Europe sous l'arbitrage américain qui s'exerçait sans discussion possible dans la fixation du sort de la Yougoslavie à Dayton puis au Kosovo, ou encore dans la réorganisation de l'OTAN. Au sud, la Turquie devenait la principale plate-forme des intérêts américains au Caucase et en

Asie Mineure, neutralisant toute autre influence. En Asie centrale, la chute du régime Najibullah en 1992, puis l'installation des talibans à Kaboul faisaient des Américains, par une puissante chaîne de sujétion allant du Pakistan aux dynasties du Golfe, les maîtres de toutes les évolutions possibles, tant vers l'Asie que vers l'océan Indien. Les puissances émergeantes, Iran et Inde, se voyaient durablement circonscrites et ravalées au rang de pestiféré ou de quémandeur. La Chine, seule puissance à être sortie relativement indemne de cette remise en ordre générale, voyait son expansion solidement encadrée géographiquement et, du coup, orientée vers l'exclusif partenariat américain. Enfin, *last but not least*, les Etats-Unis devenaient les seuls parrains de la situation au Proche-Orient. Après avoir réglé la question libanaise, ils pouvaient contraindre Israël, Etats arabes et Palestiniens à accepter un processus de résolution du conflit en plaçant *tous* les belligérants sous une seule et même tutelle, la leur, à l'exclusion de tout autre protecteur.

Cette hégémonie, certes convoitée par les Etats-Unis depuis 1945, n'a pu être établie qu'après et grâce à la guerre du Golfe. Elle a été consacrée par une absolue suprématie militaire permettant aux Etats-Unis d'être les seuls à pouvoir autoriser la formation d'alliances dans le monde, et de contraindre leurs partenaires à se ranger sous leur bannière en toutes circonstances, en usant du privilège de leur invulnérabilité nationale. Elle a offert à leur économie une domination sur l'ensemble des échanges mondiaux en leur donnant le pouvoir politique d'en établir ou modifier les règles en fonction de leurs seules convenances.

Comment alors trois coups de Boeings ont-ils pu suffire à ébranler une telle suprématie ? Au moment du 11 septembre, et comme il est logique que cela arrive dans une situation mondiale par définition mouvante, plusieurs évolutions nouvelles avaient suffisamment mûri, de façons contradictoires, pour requérir des réaménagements et des réinvestissements de la politique américaine afin de garder la main sur les enjeux des conflits internationaux. On peut,

sans souci de hiérarchisation ni d'exhaustivité, citer entre autres : les besoins d'expansion chinoise dans le commerce mondial ; la montée des réticences européennes à maintenir le rythme des déréglementations économiques ; le besoin pour l'Iran, poursuivant la modernisation de sa société, de desserrer l'ostracisme qui le confinait ; la réapparition en Russie d'un pouvoir visant à rétablir sa souveraineté nationale, voire à retrouver ses anciennes frontières ou, pour le moins, une aire d'influence respectée ; la tentation israélienne de s'opposer aux dernières phases de compromis sur la question palestinienne, que le cadrage américain du processus leur imposait ; l'urgence pour le peuple palestinien de trouver quelque satisfaction probante dans l'interminable et frustrant « processus de paix » sous égide américaine, etc. Tout cela, dans un contexte de récession naissante aux Etats-Unis, affaiblissant momentanément leurs capacités d'initiatives et d'investissements extérieurs.

Aucun de ces facteurs n'aurait suffit à mettre en danger l'équilibre général, et chacun, dans sa sphère et avec son temps propre, pouvait donner lieu à des réaménageants préservant à chaque fois la prééminence des intérêts américains. Ce que l'opération du 11 septembre a accompli, c'est de ramasser d'un seul coup le temps et l'espace de toutes les contradictions en œuvre dans un précipité chimique hautement instable. En frappant les Etats-Unis par une attaque à la fois massive et non identifiable mettant fin à leur invulnérabilité nationale, elle mettait en évidence leur impuissance à contrôler en même temps tout ce qui pouvait remettre en cause leur suprématie.

Les acteurs principaux des différents grand enjeux internationaux ont pu, du fait du 11 septembre, se sentir immédiatement déliés des sujétions acceptées jusque là, dès lors que, dans chaque crise potentielle, la question de la suprématie américaine s'est trouvée mise en rapport avec celle de la sécurité nationale américaine. Le 11 septembre a, pour la première fois dans l'histoire moderne, placé la notion de la sécurité nationale américaine en balance avec celle de la suprématie. Et tout le monde sait, les Américains comme les autres, qu'il n'est pas de suprématie sans sécurité. C'est en cela qu'on peut parler véritablement d'un coup de maître ouvrant la voie à l'effritement possible de la suprématie américaine [3].

Il est évidemment trop tôt pour pouvoir dessiner les conséquences internationales de la crise qui s'est ouverte et qui est encore loin de se refermer, mais on ne voit pour le moment rien qui permette de conclure à un renforcement de l'hégémonie américaine, bien au contraire. Dans toutes les initiatives qu'ils se sont vu forcés de prendre depuis quatre mois, on sent plutôt l'évolution des situations leur filer entre les mains.

La cible, tout d'abord. Il en fallait bien une, mais il est notable que, cette fois-ci, le choix ne s'est porté, prudemment, sur aucun des protégés d'aucune puissance potentiellement rivale, au contraire. Les Américains pouvaient, par cette salutaire cautèle, espérer désamorcer spectaculairement et sans qu'il leur en coûte trop, le piège pakistano-afghan qu'ils avaient eux-mêmes armé pour circonvenir l'Iran, la Russie, et l'Inde ; l'affaire resterait domestique, entre Etats-Unis, Pakistan, talibans et ben Laden. Malgré ces précautions, ce n'est pourtant qu'au prix d'une très coûteuse dégradation et inversion des rapports de forces et des influences dans cette région stratégique que se solde ce qui ne devait être qu'une opération de ménage intérieur. A l'issue de la guerre, ce sont les forces alliées aux Iraniens, aux Russes et aux Indiens qui ont conquis l'essentiel du pouvoir en Afghanistan et l'ont fait légitimer internationalement, tandis que leurs protecteurs voient des perspectives inespérées se rouvrir pour eux dans toute la région. Quant à la victoire américaine, elle se traduit d'abord par un isolement régional de leur allié pakistanais, ensuite par de sérieuses difficultés pour les dynasties pétrolières du Golfe contraintes de refroidir significativement leur traditionnelle symbiose avec les Etats-Unis (d'autant que l'entrée en scène autonome de la Russie, agissant sur tous les leviers, leur interdit

d'user de la crise pour faire monter les cours du brut...), bref, par une neutralisation de l'arc d'alliances et d'interdépendances que les Etats-Unis avaient établi et qui leur permettait de contrôler la façade ouvrant sur l'océan Indien et l'Asie continentale. Sur le terrain où s'est déroulé la guerre en tout cas, ce n'est donc pas à un renforcement de l'hégémonie américaine qu'on assiste, mais bien plutôt à une réapparition en force des puissances que les Etats-Unis étaient parvenus à tenir à l'écart depuis dix ans. Belle réussite !

La coalition, ensuite. Loin de pouvoir rassembler sous leur seul commandement et autour de leurs seuls objectifs l'essentiel des puissances amies, comme ils avaient pu le faire dans le Golfe ou au Kosovo, les Etats-Unis ont dû constater qu'ils étaient plutôt seuls. Passées les condoléances, ils n'ont pas mis longtemps à comprendre qu'à part l'Angleterre, aucune puissance n'était cette fois disposée à combattre pour leur compte et que, si tout le monde était d'accord – la belle affaire ! – pour une « coalition contre le terrorisme », chacun veillerait à définir ce dernier selon ses propres convenances, sans trop s'en laisser conter par les exigences américaines. Aussi n'est-ce pas du tout à une démonstration de la suprématie américaine que fait penser « l'unilatéralisme » de leur action militaire mais bien plutôt à leur impuissance à imposer autour d'eux une véritable alliance soumise à leurs objectifs. Où sont les troupes des soixante-dix nations combattant sous leur commandement unique dans le Golfe ? Les GIs, cette fois, se sont retrouvés bien seuls... avec quelques fidèles tommies. Quant à la coalition, elle forme surtout un cadre dans lequel tous les partenaires marchandent au coup par coup leur appui ou leur contribution à la guerre américaine. Ce à quoi on assiste depuis trois mois dans cette crise, c'est à une nouvelle émergence des intérêts propres à la plupart des puissances, et du souci de les faire reconnaître et respecter, comme condition de l'appui éventuel aux choix incertains de la stratégie américaine. Cela ne ressemble pas non plus à un renforcement de leur hégémonie, et il faudrait plutôt lire l'agressivité offensive de leur stratégie comme la manifestation d'une course éperdue et fébrile pour rétablir à temps cette suprématie ébranlée, avant que les affaires du monde ne leur glissent entre les doigts. Et, de ce point de vue, en trois ou quatre mois, les choses n'ont guère progressé ; l'affaiblissement des dynasties arabes, la réapparition de l'Iran sur la scène régionale, la grande difficulté de s'attaquer à l'Irak, le retour en force de la Russie comme puissance autonome, la réaffirmation des ambitions de l'Inde, le refus chinois – suivi par le sommet du Forum de coopération économique d'Asie-Pacifique, APEC – de soutenir l'effort de guerre américain sans que cela fasse obstacle à l'entrée de la Chine dans l'OMC, etc., sont autant de signes d'effritement des positions hégémoniques américaines conquises lors de la guerre du Golfe. Et il est peu probable que l'alignement – plein de si et de mais – de l'Europe soit à mettre à l'actif d'une suprématie américaine retrouvée, mais plutôt qu'il est le produit de la couarde médiocrité politique des dirigeants européens quand souffle le vent de la crise internationale, comme s'ils avaient déjà peur des bombes que l'Amérique s'apprête à larguer sur la Somalie !

Ce sont évidemment les dirigeants qui ont le mieux et le plus vite compris cette nouvelle donne du 11 septembre – que les Américains ne sont plus en mesure de dicter seuls leurs conditions à l'ordre des choses – qui en ont tiré le meilleur parti. Ce fut, on l'a vu, le cas de la Russie, et tous les observateurs ont remarqué l'habileté de la stratégie russe dans cette affaire. Mais, paradoxalement, ce qui pourrait réjouir – à savoir, l'affaiblissement de la suprématie américaine –, prend des couleurs inquiétantes et sombres quand on perçoit les conséquences qu'en ont tiré ceux qui ont le plus rapidement, sur l'heure dirait-on, compris la véritable portée de l'événement, c'est-à-dire les dirigeants israéliens.

Le lent « processus de paix » enclenché depuis dix ans, à travers les contacts d'Oslo, puis à Madrid, puis par la reconnaissance des territoires autonomes et de l'Autorité palestinienne, enfin par la négociation finale sur un Etat palestinien, n'a pas été le fruit du seul mariage de l'Intifada et de la « philosophie généreuse » de la gauche sioniste. Il a été imposé par les Américains à l'ensemble de la classe politique israélienne comme condition de leur garantie à la sécurité d'Israël. Ce fut aussi l'une des conséquences, et pas la moindre, de la guerre du Golfe. Jamais la classe politique, tous partis confondus, ni l'opinion israéliennes, n'y auraient consenti sans la contrainte des Américains devenus les seuls protecteurs dans la région, à la fois d'Israël, des Palestiniens et de tous les Etats arabes. L'opération de Manhattan a donné au gouvernement Sharon le signal pour remettre en cause l'ensemble des conditions associées depuis dix ans au soutien américain, et tenter de revenir à la politique d'avant la reconnaissance du droit national palestinien et de l'OLP, leur politique d'avant la guerre du Golfe... alors que justement, la logique des processus engagés depuis cette date, en retirant toute autonomie diplomatique aux Palestiniens, a placé ces derniers sous la seule garantie de la protection américaine ; que cette garantie s'effondre, et alors... *vae victis* !

A la différence de 1991, ce ne sont plus les Patriots qui protègent Israël des Scuds arabes, mais Manhattan et Washington qui sont bombardés. Les Israéliens sont en train de faire payer aux Etats-Unis les concessions que la protection américaine leur avait arrachées. Et cette fois-ci ce sont les Américains qui se trouvent enchaînés à leur protégé qu'ils n'ont plus les moyens de lâcher, parce que précisément ils sont affaiblis partout ailleurs. Mais cette surenchère israélienne, qui risque d'entraîner les Américains à l'effondrement de leur autorité dans la région et vers une catastrophe à laquelle pourtant aucun intérêt ne peut les pousser, démontre, a contrario, combien cette suprématie américaine sur les crises en cours est devenue une coquille vide après le 11 septembre.

Il appartient donc à tous ceux qui ont besoin de conjurer une telle catastrophe de sortir eux aussi d'urgence de cette coquille désormais creuse, de considérer que les Américains ont perdu le privilège d'être les seuls à pouvoir définir les conditions acceptables des malheurs du monde, de comprendre qu'une fracture s'est ouverte où se disloquent et se remettent en jeu les postulats établis depuis 1991, et qu'il convient surtout de se demander ce que cela permet.

—G. S.
11 décembre 2001

NOTES

1. Cette impression de Pieds Nickelés, bien incapables de concevoir et de diriger une opération de cette envergure, est évidemment renforcée quand on regarde les seuls « présumés coupables » vivants que le FBI est capable de produire pour étayer sa thèse : le Français Zacccharias Moussaoui, sans parler du piteux Anglais Richard Reid. Ils ressemblent trop au suspect que les nazis avaient produit pour l'incendie du Reichstag. Est-ce à dire que al-Qaïda n'est qu'un fantasme américain ? Sûrement pas, mais tout ce que l'on en sait et que l'on en apprend nous montre certes une organisation combattante, apte au terrorisme, mais nullement un candidat crédible quant aux compétences, bien plus élevées, requises pour « emporter », en tout cas seul, un tel « contrat ».

2. Il existe une thèse qui, reprenant l'idée que seule une puissance et non une organisation terroriste pouvait tirer parti du 11 septembre et donc le concevoir, ne voit pas de contradiction à l'attribuer quand même à al-Qaïda, alors considérée comme une espèce d'organisation spéciale de cette puissance. Cette thèse voit, dans l'attentat, l'opération d'une oligarchie montante dans les royaumes et émirats arabes du Golfe, et visant à ébranler la tutelle américaine, pour remplacer ou circonvenir les familles régnantes en déclin et s'établir pour compte propre comme puissance régionale en expansion sur la prometteuse zone de l'océan Indien. C'est à peu près la thèse de Pierre Hassner (« *Il y a une stratégie : renverser et prendre la place d'une monarchie traditionnelle corrompue par les Américains en Arabie Saoudite* », dans un débat entre Hassner, Alain Joxe et Mohammad Reza Djalili, *Le Monde*, 23-24 septembre 2001), c'est aussi celle qu'on peut lire entre les lignes du quotidien *L'Humanité*. Elle a l'avantage d'une cohérence apparente par rapport à l'incohérence romanesque de celle du FBI. C'est en tout cas une hypothèse qu'on ne peut rejeter d'emblée. Elle souffre pourtant de deux faiblesses majeures. Tout d'abord, du point de vue des événements eux-mêmes. Si, dans ce cas, le 11 septembre devait marquer un changement de l'orientation stratégique des dynasties du Golfe et donc un renversement ou, pour le moins, un rééquilibrage dans ce sens des groupes dirigeant ces pays, c'est précisément à la faveur de la crise ouverte et en profitant des difficultés américaines que ces changements auraient dû se produire. Or, aucun événement politique notable ne s'est produit dans aucun de ces pays depuis le 11 septembre. Il faudrait donc en conclure, en suivant cette thèse, que les milieux oligarchiques qui ont fomenté cette crise sont ceux-là mêmes qui sont au pouvoir, autrement dit, que ben Laden travaille directement pour le compte des gouvernements d'Arabie Saoudite et des Émirats, et que ceux-ci attendent et se préparent déjà à en retirer les dividendes… Dans ce cas, il serait peu probable que les Américains, qui disposent d'innombrables oreilles dans ces Etats, ne sachent pas à quoi s'en tenir. Compte tenu de la menace terrible que ferait peser sur leurs intérêts vitaux, économiques et géostratégiques, la perte de ces dominions du Golfe et leur constitution en puissance hostile, les Etats-Unis

agiraient sans tarder et avec la plus grande brutalité pour y rétablir des gouvernements à leur service, en sachant d'avance qu'aucun des peuples concernés ne se lèveraient pour défendre les oligarchies déchues, que les armées de ces pays, directement dépendantes des commandements, communication, logistique et moyens américains, ne tireraient pas une cartouche, et que personne au monde n'y trouverait à redire. Or dans aucun Etat arabe du Golfe ne bruit la rumeur d'un coup d'Etat de la CIA. La seconde faiblesse de cette hypothèse tient à son contenu lui-même. Ces oligarchies ne sont, précisément, que des oligarchies, pétrolières certes, mais cela n'en fait pas des puissances, même potentielles. Le capital compte pour être une puissance, mais il ne suffit nullement. Ni Andorre, ni Monaco, ni Malte ne sont des puissances. Il faudrait que les oligarchies représentent une nation, que la richesse du capital reflète le développement de toutes les ressources productives d'un peuple, la mise en valeur de son imagination, de son habileté, de son héritage culturel, de son ingéniosité, traduits bien sûr par une industrie, une technologie, un art, une agriculture, un armement propres, etc. Et il faudrait aussi l'adhésion volontaire du peuple aux buts de la puissance. En un mot, une oligarchie n'est pas une puissance en soi, il faut au moins être une nation. Et une nation ne peut se constituer dans les seuls liens sociaux des sujétions féodales. Une nation *adhère* aux buts poursuivis par ses dirigeants, même si ce sont aussi ses exploiteurs, mais elle n'y *obéit* pas par pure obligation féodale. La singularité des dynasties du Golfe, c'est d'être des Etats oligarchiques et féodaux, mais sûrement pas des Etats nationaux, et le ciment religieux ne peut suffire à palier ce fait. Enfin, pour vouloir accéder au rang de puissance, encore faut-il qu'une classe dirigeante en éprouve le besoin. Rien dans l'existence, la reproduction et les intérêts de ces oligarchies féodales n'est de nature à les pousser à se constituer en puissance internationale rivale. Rien dans leur stratégie de développement économique n'indique une telle tendance. Disposant des capitaux les plus importants de la planète, elles ne les ont jamais investis dans le développement de la puissance de leur pays, mais toujours dans des activités strictement financières à l'extérieur, et dans l'amélioration de leur luxe de caste à l'intérieur de leur pays. Usufruitières de l'activité économique mondiale et guichetières reconnues du pétrole qui la fait tourner, elles n'ont nul besoin de s'astreindre à l'effort et aux risques de s'imposer comme puissance pour assurer leur pérennité. La thèse ainsi s'éteint d'elle-même.

3. Il y eut un précédent historique où la question de la sécurité nationale américaine s'est trouvée mise en rapport avec celle de leur leadership, ce fut la crise des fusées de Cuba, en 1962. La différence est qu'alors, si la sécurité américaine pouvait se considérer menacée, elle n'était pas atteinte. Il n'en reste pas moins que la crise des fusées est, en même temps qu'elle fut le point de départ d'une politique de très grande agressivité internationale des Etats-Unis (guerre au Vietnam, coups d'Etats en série en Indonésie, en Amérique latine, course effrénée aux armements, abandon du Gold Exchange Standard, etc.), est aussi le point de départ d'une longue période de remise en cause de leur hégémonie sur le monde occidental : sortie de la France de l'Alliance militaire atlantique, rapprochement franco-soviétique, montée en puissance des non-alignés, poussée générale des luttes d'émancipation anti-impérialiste, défaite au Vietnam, puis en Afrique australe, puis en Iran… Il ne faut pas confondre le déploiement d'une politique agressive américaine avec l'exercice sans partage de l'hégémonie américaine sur l'ordre mondial.

Vincent Mespoulet

Un allumeur d'incendie

A propos d'un livre de Pierre-André Taguieff

Vincent Mespoulet est professeur d'histoire-géographie à Manosque et président de l'association EduFIP « Education France-Israël-Palestine » edu.fip@laposte.net.
Ce texte a également paru dns le bulletin électronique de l'Association médicale franco-palestinienne.
Les notes ont été reportées en fin d'article.

Et il est politique d'ôter à la haine son éternité.
Plutarque, *Vie de Solon*

Essai ou pamphlet ? Le dernier livre de Pierre-André Taguieff [1] oscille dangereusement entre les deux genres. Trop polémique et caricatural pour être un essai, trop bavard et rempli de notes en bas de pages (l'appareil critique ne compte pas moins de 400 renvois et ce paratexte souvent calomnieux occupe le tiers de l'ouvrage) pour être un pamphlet incisif. La vertu d'un pamphlet, son côté « coup de gueule » tient autant à la légitimité de la dénonciation qu'à la sincérité de l'indignation et à la concision de la formule, trois qualités permettant au lecteur d'accepter ou de supporter une certaine dose de mauvaise foi ou de raccourcis approximatifs. Dans cet ouvrage, rien de tel : ce ne peut être un pamphlet puisque le pamphlet n'est pas assumé. Pour se donner de l'honorabilité et de l'autorité, le livre se fait passer pour ce qu'il n'est pas : une démonstration argumentée ; comme si, la posture du pamphlétaire étant mal adaptée à lui, Pierre-André Taguieff avait cherché à se rassurer en l'enrobant de la stature imposante du chercheur reconnu. A trop vouloir prouver, il passe à côté de son sujet.

Pourtant, en fabriquant un de ces néologismes dont il est si friand, Pierre-André Taguieff tenait une vraie problématique. Après tout, la « *nouvelle judéophobie* » correspond bien à un fait incontestable : la multiplication d'actes racistes à l'encontre de la communauté juive en France est indéniable, même si l'on manque encore d'études probantes pour l'analyser correctement. Mais, au lieu de mener une enquête serrée sur le phénomène en restant circonscrit sur lui-même, Pierre-André Taguieff a choisi la voie de l'amalgame : il plaque a priori ses vieux ressentiments et ses schémas d'analyse un peu datés à l'encontre de la gauche radicale, véritable cible de l'ouvrage : il ne lui suffit plus de s'en prendre à l'ultra-gauche des années 80, supposée un peu vite avoir plongée en bloc dans l'antisémitisme via l'antisionisme et l'antiaméricanisme [2] ; il en vient à s'attaquer à toutes les formes d'organisations de la gauche alternative luttant contre la mondialisation néo-libérale, considérées comme un tout cohérent et supposées véhiculer et alimenter cette nouvelle judéophobie. Pour Pierre-André Taguieff, José Bové, malmené au même titre qu'Alain Gresh, rédacteur en chef du *Monde diplomatique*, ou Daniel Bensaïd, incarne ce qu'il appelle « *l'antisionisme absolu* » regroupant selon sa terminologie les « *néo-gauchistes* » qu'il pense être les promoteurs de la destruction de l'Etat d'Israël. Le péché mortel de José Bové autorisant sa stigmatisation par Pierre-André Taguieff ? Avoir participé à la première mission de protection civile européenne dans les territoires occupés durant l'été 2001 [3]... Cela suffit à en faire un thuriféraire de l'antisémitisme nouvelle manière, même si Pierre-André Taguieff serait bien en peine de trouver la moindre déclaration judéophobe chez ce syndicaliste ou la moindre profession de foi « antisioniste ». La plus grande faiblesse de l'ouvrage réside dans l'impossibilité d'étayer ces accusations multiples par un corpus cohérent de textes ou de déclarations de responsables politiques, syndicaux ou associatifs français qui se déclareraient « antisionistes » et prôneraient la destruction de l'Etat d'Israël. A partir de là, les arguments se transforment en anathèmes désordonnés et incohérents. Pour faire fonctionner sa thèse, Pierre-André Taguieff est en effet obligé d'utiliser ce qu'il peut y avoir de pire dans la démarche d'un chercheur : le procédé de reconstruction : « *je souligne qu'il ne s'agit pas là d'une citation mais d'une reconstruction, par mes soins, d'un raisonnement ordinaire qui n'apparaît pas toujours sous cette forme développée et explicite* [4] », et le procédé de schématisation : « *cette schématisation d'une argumentation fondée sur un enchaînement d'amalgames ne se réalise pas telle quelle dans les discours ordinaires, où n'apparaissent que certains des termes mis en équivalence* [5] ». Autrement dit, Pierre-André Taguieff, dans l'incapacité d'alimenter en citations véritables son argumentation quand il s'agit de stigmatiser la gauche radicale, fabrique donc un corpus

judéophobe pour dénoncer la nouvelle judéophobie... Dans la même veine, l'assimilation de la « *judéophobie* » à « *l'islamophilie* » supposée des organisations « *néo-gauchistes* » qui verraient dans le Musulman opprimé le Prolétaire du XXIe siècle, passe par l'amalgame avec le négationnisme avéré d'un Garaudy (sans cesse cité en référence dans le livre, comme s'il était le maître à penser de la gauche alternative !) ou carrément avec le terrorisme (il est rappelé par exemple à plusieurs reprises dans le livre que... Carlos s'est converti à l'islam).

De la même façon, tout intellectuel juif en France cherchant à manifester publiquement sa distance avec la politique de l'actuel gouvernement israélien et à marquer que le destin des juifs de la diaspora n'est pas forcément lié au destin des juifs israéliens [6] est suspecté de développer le syndrome de la « *haine de soi* [7] ». Ainsi, en s'enfermant dans un pro-israélisme [8] inconditionnel et en interdisant toute critique de la politique menée par Ariel Sharon, surtout si elle émane d'intellectuels juifs, Pierre-André Taguieff développe un curieux discours communautariste [9], plutôt contradictoire avec son ralliement à la gauche dite « réaliste », hostile au multiculturalisme, de Jean-Pierre Chevènement dont il fait l'éloge à plusieurs reprises dans son pamphlet [10]. Ce qu'il y a de plus frappant, chez cet analyste des failles du discours raciste et antiraciste des années 80, c'est qu'il est devenu progressivement prisonnier de son propre discours anti-antiraciste. Les deux « anti » finissant par s'annuler, il n'est pas étonnant que dans leur livre sur la « *lepénisation des esprits* [11] », Pierre Tévanian et Sylvie Tissot s'interrogeaient déjà en 1998 sur le discours de plus en plus ambigu de Pierre-André Taguieff, qui tout en se réclamant de la gauche républicaine et laïque en vient à flirter avec les discours de l'ancienne « nouvelle droite » ou du Grece, lieu matriciel de l'élaboration d'un nationalisme identitaire et sécuritaire, qui a influencé d'abord l'extrême droite, puis la droite, et qui est revendiqué désormais sans complexe dans les rangs mêmes des souverainistes de gauche. Les concepts politiques ont cette incroyable plasticité qui leur permet d'être utilisés à des moments différents par des forces politiques opposées : c'est ainsi que naissent les idéologies de troisième voie ayant la prétention le plus souvent d'effectuer une synthèse nationale, aussi factice qu'artificielle, le nationalisme enrobé de références au gaullisme étant en train de redevenir une valeur d'une partie de la gauche (de la même façon que le régionalisme décentralisateur et la célébration du « pays », incarné par l'Action française antijacobine de 1890 à 1930 est devenu la vertu cardinale de la gauche écologiste à partir des années 1970).

En ce qui concerne les références savantes censées appuyer sa thèse, on ne peut être que stupéfait de la façon dont Pierre-André Taguieff distribue les bons et les mauvais points. Les auteurs et spécialistes sont discriminés en fonction de leur « *propalestinisme* » supposé (Pierre-André Taguieff ne se contente d'ailleurs pas de mentionner les livres, il range leurs auteurs dans l'un des deux camps qu'il fabrique artificiellement à coups de suffixes en –phobe et en –phile, de préfixes en pro- et anti-, tout au long de l'ouvrage). Voici un échantillon non exhaustif mais assez représentatif [12] : « *une approche informée mais trop empathique* » pour le livre d'Isabelle Sommier *Les Nouveaux Mouvements contestataires à l'heure de la mondialisation* ; « *l'angélisme* » de Catherine Withol de Wenden quand elle analyse la situation des jeunes issus de l'immigration, entre intégration culturelle et exclusion sociale ; « *l'ouvrage apologétique* » de Dominique Vidal, *Le Péché originel d'Israël* ; la « *mise en perspective historique (orientée dans un sens pro-palestinien)* » pour un article de Jean-François Legrain sur « Islamistes et lutte nationale palestinienne dans les territoires occupés par Israël » paru dans la *Revue française de science politique* ; une « *étude (non dénuée d'empathie)* » d'Agnès Pavlowsky pour son livre *Hamas ou le miroir des frustrations palestiniennes* ; un « *dossier intéressant mais quelque peu irénique de la revue* Esprit » sur

l'islam d'Europe. Irénisme, empathie, angélisme, voilà les qualificatifs dont Pierre-André Taguieff crédite les points de vue n'allant pas exactement dans le sens de sa vision manichéenne des phénomènes complexes qu'il prétend analyser.

A l'inverse, les analyses de Gilles Kepel et de Michèle Tribalat, qui semblent constituer les deux principaux appuis documentaires et conceptuels de Pierre-André Taguieff dans son ouvrage, sont systématiquement valorisées. Le premier, spécialiste de l'islamisme radical, est connu pour tomber souvent dans le travers du surdimensionnement de son objet de recherche (c'est le classique « effet-loupe » du chercheur qui succombe à l'étude d'une masse de documents de propagande sans prendre toujours la peine de créer les outils méthodologiques permettant d'en vérifier l'impact réel, limite de toute histoire des idées se cantonnant à l'analyse de discours stéréotypés et répercutés à l'infini au lieu de déterminer les archétypes : « *les islamologues ont-ils inventé l'islamisme ?* » demandait malicieusement Olivier Roy dans une livraison récente de la revue *Esprit* d'août-septembre 2001). La seconde a défrayé la chronique du landerneau démographique en clamant il y a quelques années qu'elle était bloquée dans ses recherches à l'INED à cause du scandale provoqué par l'intégration dans ses enquêtes de critères ethniques qui lui faisait distinguer « *Français de souche* » et »*Français d'origine étrangère* », expressions immédiatement récupérées et travesties par Jean-Marie Le Pen (les xénophobes de tous bords ont une passion débordante pour la démographie version Tribalat où ils viennent puiser des éléments pseudo-scientifiques de leurs discours qui ont besoin de chiffrer l'altérité), puis reprises en cœur dans les médias... Evidemment, la sous-estimation par Michèle Tribalat de la récupération de ses travaux à des fins politiques peu avouables ne semble pas lui poser des problèmes d'éthique. Il est pourtant peut-être élémentaire de se demander simplement si les contre-effets de la catégorisation ethnique des populations n'engendrent pas plus de discriminations qu'elle ne prétend en éliminer, à cause d'une instrumentalisation inévitable des résultats de ce type de travaux scientifiques lorsqu'ils sont déformés par des démagogues populistes[13]. Pierre-André Taguieff défend d'ailleurs cette omnipotence du chercheur peu soucieux des rapports ambigus entre ses recherches et leur exploitation politique et médiatique qui fabrique les préjugés. Nous ne sommes plus loin alors de l'expertocratie, de cette supériorité arrogante et élitiste de celui-qui-sait sur les citoyens obscurantistes qui s'aviseraient de résister ou de revendiquer des actions de désobéissance civique : transposé dans le domaine des OGM, cela passe par la pénalisation des « néo-gauchistes » arrachant des plantations en plein air de maïs transgéniques.

L'autre versant référentiel du livre de Pierre-André Taguieff est constitué par les informations tirées de revues communautaires telle *L'Arche* ou de bulletins tel celui édité par *L'Observatoire du monde juif*, présidé par Shmuel Trigano[14], qui a vocation à « *diffuser une information raisonnée sur les affaires du monde juif* » pour contrebalancer « *le black-out généralisé qui occulte systématiquement l'insécurité spécifique dans laquelle le judaïsme français se voit plongé*[15] ». Cet Observatoire a été créé au moment du déclenchement de la seconde Intifada en automne 2000. Autant cet effort de collecte d'informations sur le développement d'agressions racistes dans des synagogues et des écoles confessionnelles juives est nécessaire pour alerter les pouvoirs publics et les amener à poursuivre énergiquement les auteurs de ces actes, autant il est difficile de lui donner le sens développé par Pierre-André Taguieff dans son livre : quel est le rapport direct ou indirect entre les organisations « néo-gauchistes » et ces agressions antisémites qu'il faut justement prendre très au sérieux en déterminant la part qui revient à des actes isolés (ce qui semble généralement le cas, même si cela ne les excuse en rien) qui se multiplient dangereusement, à des actions concertées de salafistes (il est impossible de le déterminer

pour le moment), à des exploitations de la situation de tension communautaire par des groupuscules antisémites d'extrême droite développant depuis très longtemps ces agressions et ces intimidations dans nos universités (GUD, négationnistes...) ?
Ne faut-il pas trouver dans cette judéophobie d'attitude et de comportement la résultante de l'ignorance alliée à la bêtise, cocktail détonant du racisme ordinaire qui ne touche malheureusement pas que la communauté juive en France, entretenu par l'inflation d'images télévisuelles ou de raccourcis journalistiques incapables de fabriquer autre chose que de l'émotionnel ? Tout cet aspect de la question est passé sous silence dans l'ouvrage. Aussi nous souscrivons à l'inquiétude de Shmuel Trigano lorsqu'il écrit : « *L'existence d'un mauvais journalisme finit toujours par déboucher sur une mauvaise démocratie*[16] », à condition d'y ajouter : « la mauvaise dialectique d'un intellectuel influent finit toujours par déboucher sur un mauvais journalisme » en pensant à l'ouvrage de Pierre-André Taguieff.

Ne convient-il pas plutôt dans ce contexte tendu de poser de façon plus constructive la question de la mission de l'Ecole publique qui faillit actuellement, dans son incapacité à transmettre, par-delà les appartenances communautaires et confessionnelles, les valeurs d'une laïcité ouverte, au lieu d'entrer dans un discours simplificateur braquant communauté contre communauté, Juifs contre Arabes, juifs contre musulmans, « israélophiles » contre « palestinophiles », « beurophobes » contre « beurophiles » ?

Pierre-André Taguieff n'hésite pas non plus à puiser à des sources très contestables. Deux exemples suffiront à montrer combien il est important de démonter l'appareil critique de cet ouvrage pour en comprendre les insuffisances et les partis pris. Au détour d'une note[17] est mentionné *Israël Magazine* publiant un entretien d'Oussama Ben Laden avec Peter Arnett, texte en fait très facile à se procurer sur le Web. Ce périodique est un vrai torchon francophone d'extrême droite (Pierre-André

Taguieff ne le précise pas et en fait ainsi une source ordinaire) édité en Israël et appelant explicitement à la haine contre les Palestiniens. Il y a une tendance récente dans la presse consistant à fabriquer rapidement et à faire circuler du papier à partir de sites ou de mails de désinformation transitant ordinairement sur le Web. *Israël Magazine*, surtitré « Le Mensuel de la presse israélienne en français », participe à cette nouvelle génération de périodiques que j'appelle la presse copiée-collée [18], qui ne se nourrit que de ce type de sources. Pour se faire une idée exacte du contenu de cette publication, il suffit de lire un éditorial de son directeur, à proximité d'une photo du visage d'Arafat entouré d'une cible : « *Qu'est-ce que l'islam et faut-il en avoir peur ? J'avais dit il n'y a pas si longtemps (il est tellement agréable de se citer) que les pierres de Gaza atterriraient un jour sur le parvis de Notre-Dame ; j'avais simplement omis de penser qu'elles pouvaient un jour aussi viser les totems jumeaux gardant le port de Manhattan ou des usines dans la périphérie de Toulouse* [19]. » Double amalgame entre le terrorisme benladien et l'Intifada d'une part, entre l'explosion accidentelle de l'usine AZF à Toulouse et un attentat terroriste islamiste...

Toujours pour accréditer que les jeunes beurs virent à l'islamisme et à l'antisémitisme, Pierre-André Taguieff fait marcher le café du commerce électronique que constituent les forums de discussion, à partir d'un article de Michèle Tribalat paru dans *Le Figaro* [20], démographe qui pense peut-être trouver là un nouveau corpus significatif de la présence dans nos banlieues d'une masse considérable de dangereux terroristes en citant un « *jeune candidat au djihad* » anonyme [21]. Ceux qui connaissent un peu les apories de la communication électronique savent que des propos haineux ou racistes se multiplient d'autant plus facilement qu'ils peuvent être proférés très lâchement, confortablement assis devant un écran d'ordinateur. Même des professeurs de philosophie respectables n'échappent pas à ce travers de considérer l'Internet comme un égout tout en l'utilisant,

pour corroborer leurs dires, comme un espace-défouloir : en témoigne cette provocation, sous forme d'apologie du meurtre, publiée sur la liste de diffusion « Philoliste » par Robert Redeker, auteur d'un compte-rendu élogieux, dans *Libération*, du livre de Pierre-André Taguieff [22] : « *Moi j'ai souvent envie de tuer des flics, des patrons, des militaires. Je rappelais lors de la fête de L'Huma à Toulouse à un écrivain de la série "Le Poulpe" que lorsque le chef d'une compagnie de CRS a été tué à Montredon Corbières j'ai, avec mon meilleur ami, aujourd'hui inspecteur dans l'éduc, et toujours mon meilleur ami, et qui était présent sur la voie ferré où se sont passés ces héroïques moments de la lutte des viticulteurs, aux côtés de ces héros, sabré (avec un sabre piqué dans un mess à Tarbes) le champagne. Rien n'est plus partagé que l'envie de tuer des ennemis réels ou fantasmatiques, imaginaires. Les explications socio-économiques du racisme me font rire, elles éludent la radicalité de cette haine-désir de tuer* [23]. » Ces débordements langagiers seraient-ils réservés aux agrégés de l'Université et interdits aux « *sauvageons fascistes* [24] » qui peuplent nos banlieues ?

Dans cet amalgame décousu de références censées corréler la multiplication d'actes antisémites en France, avec d'une part un discours néo-gauchiste judéophobe, d'autre part la surdramatisation provoquée par le terrorisme d'al-Qaïda, et enfin le déclenchement de l'Intifada à l'automne 2000 interprété par Pierre-André Taguieff comme une islamisation du mouvement nationaliste palestinien, le plus grave est à venir : voici une analyse des points les plus litigieux des trois premiers chapitres, le dernier se terminant en une profession de foi chevènementiste et une apologie de la tolérance zéro, en dehors de notre propos, sous le chapeau paranoïde : « *Silences sur la nouvelle judéophobie : aveuglement, complaisance ou connivence ?* »

Le premier chapitre, consacré aux « *figures de la judéophobie contemporaine* » est construit sur une falsification où il s'agit d'associer gouvernement palestinien et terrorisme islamiste international. Alors que le but de l'ouvrage est de mettre en rapport le déclenchement de la seconde Intifada et l'apparition de nouvelles formes de manifestations antijuives dans le monde entier et particulièrement en France (c'est ce qui est affirmé dès la première phrase du livre), on se serait attendu à trouver là une analyse des faits récents survenus dans le conflit israélo-palestinien, ou du moins une analyse de discours palestiniens participant à cette nouvelle judéophobie. Il n'en est rien. Pierre-André Taguieff pratique l'amalgame en mélangeant et accumulant des extraits longs de divers discours et écrits d'islamistes ou de fondamentalistes dont... aucun n'est palestinien ou en rapport avec la dernière Intifada ! Un comptage sommaire suffit à discréditer cette énumération grotesque de citations émanant des quatre coins du monde, pour réduire à l'ennemi unique, LE terroriste islamiste, des hommes et des mouvements très divers qui sont nés dans des contextes et à des moments différents, dont fort peu ont un rapport avec le conflit israélo-palestinien. Si l'on ne prend que le corps du texte du premier chapitre, Oussama Ben Laden est cité douze fois très longuement (sur l'ensemble du livre, il est la personne la plus souvent citée), Ali Belhadj quatre fois. Aucun représentant palestinien dans cet inventaire à la Prévert, hormis deux déclarations datant de... 1967, comme si l'évolution géopolitique et idéologique du conflit n'avait pas changé depuis. L'OLP n'est citée que deux fois, pour stigmatiser sa corruption et sa propagande. Ce confusionnisme est entretenu pour effrayer le lecteur, au mépris de toute rigueur historique, géographique et politique. Il faut attendre la page 115, soit la moitié du livre, pour que soit évoqué subrepticement, au détour d'une phrase, la possible « *instrumentalisation de la cause palestinienne* » par les organisations terroristes de l'islamisme radical...

Le deuxième chapitre est construit sur une négation. Traçant « *les chemins de la haine* », il disculpe au passage les responsabilités d'Ariel Sharon dans ses nombreux crimes de guerre et pratiques du terrorisme d'Etat depuis les années 50. Comment Pierre-André Taguieff

envisage-t-il le massacre de Sabra et Chatila réalisé sous les lumières des fusées éclairantes [25] de l'armée israélienne installée autour du camp par les supplétifs phalangistes chrétiens d'Elie Hobeika, assassiné récemment ? Appelant Claude Lanzmann [26] à la rescousse, auteur de la célèbre réduction négationniste selon laquelle « *ce sont des Arabes qui ont tué d'autres Arabes* », Pierre-André Taguieff parle « *d'un fait mal établi et volontairement mésinterprété* [27] ». Comme si cela ne suffisait pas, il cite aussi Eliane Amado Lévy-Valensi écrivant : « *quand quelqu'un tue, il peut y avoir des responsabilités partagées, le coupable reste celui qui tue* ». On imagine la portée de ce genre d'argument négationniste si on le reportait aux massacres d'enfants juifs par les supplétifs ukrainiens ou lituaniens des forces nazies pendant la Seconde Guerre mondiale [28]...

La provocation destructrice d'Ariel Sharon lors de sa venue sur l'esplanade des Mosquées à Jérusalem, le 28 septembre 2000 ? Elle nous vaut le commentaire suivant avec cette succession de négations : « *le "post-hoc" n'équivaut pas à un "propter hoc", la succession factuelle n'est pas ici une relation causale : la seconde Intifada n'a pas été provoquée par la visite de Sharon, celle-ci n'aura été qu'une occasion, saisie par l'Autorité palestinienne pour déclencher une vague de violences spectaculaires qui avait été préparée, organisée et planifiée par ses stratèges* [29] ».

On s'interrogera longtemps sur la faillite de cette génération de politologues, ayant fait du racisme ou de l'islamisme leur objet de recherche, qui finissent par utiliser par imprégnation la même rhétorique de propagande des écrits racistes et/ou terroristes dont ils ont étudié les ressorts et les mécanismes, et qui peuvent tranquillement assener ce genre d'assertion citée plus haut, au mépris de toute précaution méthodologique et scientifique. A l'heure où le négationnisme n'existe plus en tant que tel (Thion, Faurisson et Garaudy n'ont plus de surface médiatique ou éditoriale), il est frappant de constater que le mode de pensée négationniste est désormais reproduit par un politologue qui serait sans doute plus avisé de laisser les historiens travailler avec une méthode rigoureuse, en leur laissant notamment le temps d'avoir accès à des sources fiables et incontestables.

Le négationnisme est un mécanisme pervers aux antipodes de la méthode historique. Cette dernière peut accepter (et même encourager) le révisionnisme (la réinterprétation de faits historiques à partir de problématiques nouvelles et de l'accès à de nouvelles sources archivistiques), mais certainement pas la négation ou la déformation des faits du passé, qu'il soit proche ou lointain. Quels sont les mécanismes négationnistes à l'œuvre dans l'ouvrage de Pierre-André Taguieff ?

– L'usage immodéré de néologismes (les négationnistes en ont toujours été de grands inventeurs, le plus connu étant celui d'« éliminationnistes » pour désigner les historiens de la Shoah), et l'emploi de qualificatifs dépréciatifs pour désigner les travaux des autres chercheurs.

– le travestissement et l'inversion des rapports de causalité et de conséquence, avec une souveraine indifférence, voire un mépris, pour la concatenatio, l'enchaînement des faits, et pour la mise en contexte. Un propos tenu en 1967 devient une preuve pour décrypter la réalité de 2002 ; dans la logique de subversion systématique des faits, un événement déclencheur, mis en doute, devient, par l'usage de l'hypercritique paranoïaque – procédé typiquement négationniste –, une « occasion » attendue par l'adversaire permettant le développement d'un plan secret ourdi par l'ennemi ;

– l'usage de sources peu fiables ou manifestement désinformatives, qui ne donnent lieu à aucune critique interne et externe : le cas des manuels scolaires palestiniens (voir *infra*) est particulièrement éclairant en ce domaine ;

– la récupération vaut preuve : si un élément de propagande islamiste ou antisémite détourne et utilise la cause palestinienne à son profit, alors c'est la cause palestinienne en son entier qui devient islamiste et antisémite *sui generis*.

Le troisième chapitre est construit sur la dénonciation, dans une phraséologie digne des plus belles heures du terrorisme intellectuel des années de la guerre froide. Ainsi, pour accréditer l'idée que les « néo-gauchistes » sont judéophobes, Pierre-André Taguieff revient longuement sur les relations troubles de « La Vieille Taupe » (librairie de l'ultra-gauche de Pierre Guillaume) avec Faurisson. La figure de proue de ce voisinage, et donc la cible personnalisée de la dénonciation, est bien sûr Jean-Gabriel Cohn-Bendit qui avait en son temps (1979) fait effectivement des allégations stupides, au nom d'une conception pervertie de la liberté d'expression, très anglo-saxonne au fond, sur l'intérêt de la démarche de Faurisson. Que, depuis, Jean-Gabriel Cohn-Bendit ait fait son mea-culpa [30] et reconnu publiquement son erreur, Pierre-André Taguieff n'en a cure et continue à enfoncer ce clou qui est devenu le pont-aux-ânes de la gauche nationale. Car, à l'évidence, l'enjeu s'est déplacé : ce qui intéresse Pierre-André Taguieff, c'est de toucher ainsi l'ensemble de la gauche alternative en jouant sur l'homonymie et la relation familiale et personnelle entre Jean-Gabriel et son frère Daniel, responsable politique des Verts, et de ce fait honni par Pierre-André Taguieff. A deux reprises, celui-ci entre dans cette modalité de dénonciation par ricochet en évoquant « *Jean-Gabriel Cohn-Bendit, mentor politique de son célèbre "petit frère" Daniel* » puis reparle du « *grand frère de Dany* [31] ». Dans cet escamotage, il n'y a plus de Jean-Gabriel, qui est défini simplement comme le « grand frère de Dany ». Visiblement, ces rapports familiaux passionnent Pierre-André Taguieff. Il utilise, au détour d'une note, le même procédé à l'encontre d'Alain Gresh pour lequel il nous précise, la filiation valant preuve : « *fils du militant tiers-mondiste Henri Curiel* » ; et, à l'encontre de Tariq Ramadan [32], petit-fils de Hassan al-Banna, fondateur des Frères musulmans et surtout frère de Hani Ramadan. Voilà de belles preuves biologiques pour étayer le discours : tous coupables puisque issus de la même famille…

Pour terminer et marquer définitivement le caractère propagandiste de ce livre, il est nécessaire de faire mention aussi du problème des manuels scolaires palestiniens. Pierre-André Taguieff utilise massivement cet argument pour relier directement l'antisémitisme au gouvernement palestinien [33]. Le manque de précaution méthodologique est particulièrement flagrant. Au lieu d'aller à la source même, à savoir les manuels palestiniens eux-mêmes, Pierre-André Taguieff utilise le rapport du CMIP, à travers un dossier de la revue communautaire *L'Arche* de janvier 2001 consacré aux « enfants palestiniens à l'école de la haine ». Ce rapport, réalisé en novembre 1999, est en fait à utiliser avec d'infinies précautions. A aucun moment, Pierre-André Taguieff ne précise ce qu'est le CMIP, ONG américaine (Center for Monitoring the Impact of Peace) dont le directeur de recherche vit en fait à... Efrat, soit une occupation illégale israélienne en Cisjordanie. Cette ONG a fait un tel lobbying avec ce rapport que l'Union européenne a bloqué les crédits d'aide à l'Autorité palestinienne pour sa politique scolaire [34]. Or, malgré les rectifications faites par ceux qui sont allés à la source des manuels et ont pu constater puis prouver les « *intentions malicieuses*[35] » – c'est un euphémisme – des auteurs du rapport (traductions tendancieuses de l'arabe à l'anglais, mentions de textes absents des livres cités, etc.), ce dernier devient chez Taguieff un élément décisif de ce qu'il appelle une démonstration.

Ainsi, les procédés utilisés par Pierre-André Taguieff dans cet ouvrage ne relèvent ni de l'essai ni du pamphlet mais bien de la mystification. Par un processus de réversibilité mimétique, il finit par utiliser la même phraséologie que celle véhiculée dans les écrits de propagande racistes et antisémites, anciens ou récents, qu'il décrypte depuis des années. Ce n'est pas le moindre des paradoxes que de définir « *la réduction à l'ennemi unique* » comme « *première règle de fonctionnement du discours de propagande*[36] » et dans le même temps de s'y livrer en englobant sous le qualificatif de « *néo-gauchistes judéophobes* » des personnes aussi diverses que des anarchistes, des trotskistes, des ex-communistes, des syndicalistes, des journalistes, des associatifs. Ce n'est pas la moindre des contradictions de vitupérer contre l'usage « *de métaphores pathologisantes*[37] » chez les « israélophobes » tout en les utilisant lui-même, telle « *la maladie de la gauche folle* », ou en louant ses suiveurs tel Robert Redeker, lorsque ce membre du comité des *Temps modernes* signe dans une livraison récente de cette revue un article intitulé « De New York à Gaillac, trajet d'une épidémie logo-toxique [38] » bourré de ce genre de formules. On se demande encore où peut bien se trouver dans ce livre rempli de haine la déclaration d'amour qui le conclut.

Risquons une hypothèse : n'y a-t-il pas derrière l'inquiétude légitime de la communauté juive française face à cette recrudescence d'actes antisémites, le profond désarroi d'une génération des enfants de la Shoah, née dans les années 50, qui n'a pas connu véritablement dans sa jeunesse d'agressions antisémites directes à son encontre, tant le traumatisme de la destruction des juifs d'Europe pendant la Seconde Guerre mondiale a fonctionné comme une chape de plomb et neutralisé pendant quarante ans l'antisémitisme populaire en France ? Ne font-ils pas vivre aujourd'hui par procuration à leurs enfants leurs propres angoisses juvéniles, entre d'une part des parents survivants et silencieux qui ne leur parlaient pas de la Shoah et d'autre part une opinion publique sous-informée et indifférente qui jusque dans les années 80, avant les grands procès (Barbie, Touvier, Papon, sans compter l'affaire Bousquet) a largement ignoré l'antisémitisme de l'Etat français de Vichy ? N'y a-t-il pas derrière ce déchaînement de réactions communautaristes un nouveau contre-effet pervers des enjeux de mémoire [39], ce qui n'excuse en rien de la part de Pierre-André Taguieff sa stigmatisation irresponsable de la communauté maghrébine en France et de leurs enfants à laquelle se livre Pierre-André Taguieff, aussi français que les petits-enfants de la Shoah ? Ce n'est qu'à ce compte qu'on pourrait comprendre cette étrange déclaration d'amour clôturant le livre, où Pierre-André Taguieff, penseur pessimiste et antiprogressiste ayant éteint les Lumières dans un autre de ses ouvrages récents[40], ne semble pas se rendre compte qu'il est entré lui-même avec ce livre « *dans les haines mimétiques qui se nourrissent réciproquement*[41] », ni percevoir que l'utopie de l'amour à laquelle il se rallie en suivant Lévinas (tout en bannissant l'utopie du bonheur) est absente des pages qu'il a écrites, en s'engageant dans la logique suicidaire du ma mémoire contre la tienne, ma haine contre la tienne, et en refusant de créditer l'individu d'identités multiples qui coexistent en lui. Il est absurde de les opposer, ou pire encore, de réduire l'individu à une seule de ses identités. On peut être né de parents algériens, avoir la nationalité française, parler arabe et pratiquer l'islam, côtoyer, s'entremêler et vivre pacifiquement avec d'autres individus ayant d'autres horizons religieux, sociaux, culturels tout en s'inscrivant dans la citoyenneté française. Les « petites patries » n'empêche pas l'inscription dans la patrie. En ce sens, nous ne pouvons qu'inviter Pierre-André Taguieff à regarder de plus près Marseille et sa culture du compromis. Pourquoi n'y a-t-il pas de judéophobie ni d'arabophobie à Marseille, contrairement à ce que beaucoup de Français croient à cause du succès lepéniste en Provence [42] ? Parce que les Marseillais ont toujours vécu dans un rapport de proximité et d'échanges entre des cultures méditerranéennes foisonnantes. Ici, on ne parle pas de « banlieues » avec tout ce qui est connoté dans ce terme par les essentialistes avec leurs « sauvageons fascistes », leurs équations beurs = terroristes ou beurs = délinquants. On parle de « quartiers » (les « quartiers nord »), restituant à la cité sa véritable dimension, presque grecque, de synoecisme. Rappelons ce qui s'était passé pendant la guerre du Golfe à Marseille: les journalistes avaient planté leurs caméras dans les quartiers chauds en espérant trouver là un terrain d'affrontement télégénique où des enfants d'immigrés, c'est-à-dire des individus perçus fantasmatiquement et essentialisés en enfants d'immigrés, mettraient

en cause violemment la participation française à l'alliance américaine en créant des émeutes, non en raison d'une position politique, mais au nom d'une solidarité ethnique et religieuse. Ils sont repartis sans pouvoir enregistrer les images croustillantes d'Arabes fanatiques qui auraient fait frémir le Français moyen de Dordogne : voilà comment on fabrique les « cinquièmes colonnes » dans les esprits... Le livre de Pierre-André Taguieff participe au même réductionnisme substantialiste destructeur faisant suite au 11 septembre et dont les conséquences sont catastrophiques sur le conflit israélo-palestinien.

—V. M.

NOTES

1. Pierre-André Taguieff, *La Nouvelle Judéophobie*, Fayard, Mille et une nuits, janvier 2002, 234 p. Les références sans autres indications sont tirées de ce livre.

2. Ces deux termes ne mériteraient-ils pas d'être soumis au même examen que le terme d'antisémitisme (voir p. 26-27 où Pierre-André Taguieff justifie l'usage du néologisme « judéophobie »), puisque l'antisionisme et l'antiaméricanisme n'existent plus en tant que tels avec la signature des accords d'Oslo et la disparition d'un monde bipolaire et que leur mésusage ne révèle que la disparition même des notions qui y sont attachées ?

3. Voir notamment l'article cosigné par Taguieff au cours de l'été dernier dans *Libération*, « José Bové en territoires piégés » (10 juillet 2001), avec deux suites les 19 juillet et 11-12 août dans le même quotidien. Pour se faire une idée de la participation de José Bové à cette mission de protection civile en territoires occupés, on peut voir le documentaire de Samir Abdallah, *Voyage en Palestine(s)*, qui a suivi cette délégation. Pour se le procurer, écrire à palestine@noos.fr.

4. Note 2, p. 12.

5. Note 146, p. 193.

6. Voir notamment la prise de position récente d'Esther Benbassa, « La loi de la République est la loi », *Libération*, 11 janvier 2002, et l'« Appel des 113 » qui comptait notamment Pierre Vidal-Naquet (*Le Monde*, 21-22 octobre 2001), gratifié par P.-A. Taguieff d'un inélégant « *inévitable mandarin à la retraite* » (note 372, p. 218).

7. Voir note 53, p. 42 et note 218, p. 132.

8. A partir des travaux d'Alain Dieckhoff, on pourrait définir l'israélisme comme la forme que prend l'idéologie sioniste avec la création de l'Etat d'Israël, de la même façon que le stalinisme a pu être une forme étatique dévoyée de l'idéologie marxiste.

9. Voir notamment Mona Chollet, « Les apprentis sorciers du communautarisme », sur son site www.peripheries.net pour une analyse des articles de presse en France qui ont suivi le 11 septembre, en rapport avec la situation du conflit israélo-palestinien.

10. P. 206 et 216 par exemple.

11. Voir Pierre Tévanian et Sylvie Tissot, *Mots à maux. Dictionnaire de la lepénisation des esprits*, Paris, Editions Dagorno, 1998.

12. Successivement : note 125, p. 75 ; note 142, p. 90 ; note 156, p. 99 ; note 166, p. 108 ; note 283, p. 163.

13. Un autre démographe, Jacques Magaud, avait dès 1996 exprimé ses doutes quant aux méthodes utilisées par Michèle Tribalat qui ont déclenché le scandale : « *Chaque fois que l'on souhaite, pour une observation spécifique, créer une catégorie de classement ad hoc, il faut bien sûr s'interroger sur l'effet qu'aura une telle création sur la réalité, car en classant, en nommant, on contribue aussi à faire exister. Scientifiques, chercheurs, universitaires à l'affût de compréhension de phénomènes mal connus sont en permanence demandeurs d'observations nouvelles, de classement nouveaux, ne serait-ce que parce qu'ils ont analysé les inconvénients des regroupements anciens. En général, leur poids n'est pas suffisant pour arriver à leurs fins et s'ils se livrent à des observations utilisant des classifications nouvelles, c'est à une échelle trop restreinte pour qu'il y ait, ensuite, rétroaction comme on dit, sur le réel, pour que les catégories créées à l'occasion d'un travail universitaire prennent racine dans la vie quotidienne et le langage courant. De ce fait ils ne se préoccupent guère des effets indirects de leurs observations; à l'exception des ethnologues et anthropologues pour qui l'attention à la dialectique observateur/observé fait partie intégrante et importante de la formation, la plupart n'y sont ni sensibles ni formés. Le pont aux ânes des ethnologues n'est pas forcément bien connu des statisticiens. Et pourtant une telle procédure de création, pour la simple observation, de classifications nouvelles peut avoir des effets forts pervers.* » In *Si l'immigration nous était comptée*, quatrième nocturne de *Pénombre*, Sénat, 22 octobre 1996, hors série, mars 1997, publié sur le site de l'association Pénombre, créée en 1993, qui propose un espace public de réflexion et d'échange sur l'usage du nombre dans les débats de société : justice, sociologie, médias, statistiques. http://www.unil.ch/penombre/hors_serie/hs97_01.htm

14. Shmuel Trigano est par ailleurs l'auteur de *L'Idéal démocratique à l'épreuve de la Shoah*, Paris, Editions Odile Jacob, 1999, dans lequel il mène une attaque en règle indistincte contre les historiens révisionnistes israéliens (p. 77-85). Pour une vision différente, on peut lire par exemple ce qu'en disait Yirmiyahu Yovel en 1998, dans un entretien accordé à la revue *Confluences Méditerranée* n° 26, en s'élevant contre une conception moralisante de l'histoire : « *Je refuse de les mettre sur le même plan. Benny Morris est un historien sérieux, pas Ilan Pappe dont le travail est très superficiel et confus. Si l'objectivité historique ne compte pas, alors il ne s'agit que d'idéologie et l'universitaire que je suis, cela n'a pas de valeur. Mais si le travail historique est sérieux, comme c'est le cas pour Benny Morris, alors il faut accepter son travail et le regarder en face.* » Plus récemment, le point de vue inverse de Dominique Vidal, qui semble plus proche des thèses d'Ilan Pappé en repérant des contradictions dans les travaux de Benny Morris sur l'existence ou non d'un plan d'expulsion des Palestiniens en 1948 : Dominique Vidal « D'une Intifada à l'autre : Israël face à son histoire », p. 120-124, in *Le Droit au retour. Le problème des réfugiés palestiniens*, textes réunis et présentés par Farouk Mardam-Bey et Elias Sanbar, Paris, Actes Sud/Sindbad, 2002. Cette querelle de spécialistes n'est pas anodine : elle présente des points communs avec l'ancienne querelle (désormais dépassée) entre intentionnalistes et fonctionnalistes qui opposait les historiens du nazisme quand il s'agissait de définir si le judéocide nazi avait fait l'objet d'un plan. Sinistre ironie de l'historiographie...

15. *L'Observatoire du monde juif*, n° 1, novembre 2001.

16. *Ibid.*

17. Note 184, p. 115.

18. Pour une amorce de réflexion sur cette presse, voir notamment les messages émis par Vincent Mespoulet sur la liste de diffusion à vocation pédagogique ECJS (Education civique juridique et sociale) autour des titres *Nexus* et *Israël Magazine*, http://fr.groups.yahoo.com/group/ecjs. La liste ECJS rassemble plus de 500 professeurs d'histoire-géographie, de sciences économiques et sociales et de philosophie essentiellement.

19. *Israël Magazine*, n° 16, décembre 2001, p. 5. On peut d'ailleurs signaler que le n° 18, février 2002, de cette publication présente un intéressant tripatouillage d'image sur le thème de l'antisémitisme dans les banlieues françaises : sur la couverture apparaît une photographie d'un graffiti « *A mort les Juifs* » avec une croix gammée. A la page 24, sur la même photographie, dont la source n'est pas communiquée, la croix gammée est absente, ce qui laisse penser à un ajout avec l'utilisation d'un logiciel de traitement d'images numériques type PhotoShop.

20. Michèle Tribalat, « Sortir des amalgames », *Le Figaro*, 21 septembre 2001, p. 10.

21. P. 129-130.

22. Robert Redeker, « Taguieff, avertisseur d'incendie », *Le Monde*, 25 janvier 2002.

23. Courrier électronique diffusé le 29 juin 2000 et écrit par Robert Redeker sur la liste de diffusion à vocation pédagogique philoliste rassemblant essentiellement des professeurs de philosophie.

24. Expression tirée du titre d'un article paru dans *Le Monde* du 17 février 2002, « Des sauvageons au fascisme », par Charles Hadji.

25. On peut lire à ce sujet la traduction du magnifique roman d'Elias Khoury, *La Porte du soleil*, Paris, Actes Sud/Sindbad, 2002, notamment l'admirable non-récit du massacre, p. 303-307.

26. Note 149, p. 95.

27. P. 93.

28. Voir Benoît Rayski, *L'Enfant juif et l'enfant ukrainien. Réflexions sur un blasphème*, Editions de l'Aube, 2001, p. 29 (évocation du massacre de Lvov le 30 juin au 3 juillet 1941 ; de Vinnitsa, le 22 septembre 1941). L'ouvrage de Benoît Rayski est une critique de Stéphane Courtois, maître d'ouvrage du *Livre noir du communisme* et plus généralement une réaction contre la banalisation de la destruction des juifs d'Europe par un usage idéologique anticommuniste de la comparaison avec les crimes du stalinisme. Pour la participation de Lituaniens, d'Ukrainiens et de Polonais aux crimes contre les populations juives commis par les Einsatzgruppen nazis allemands, il faut lire *Le Livre Noir*, Paris, Solin-Actes Sud, 1995 ; W. Dessen, E. Klee et V. Riess, *Pour eux, c'était le bon temps*, Paris, Plon, 1990, spécialement p. 28-29 et p. 37-39. Sur la participation de Polonais aux massacres de juifs, vient de paraître en traduction française : Jan Gross, *Les Voisins. 10 juillet 1941, un massacre de Juifs en Pologne*, Paris, Fayard, 2002.

29. Note 165, p. 107-108. (C'est nous qui soulignons en italiques.)

30. Sur le sujet, voir notamment Philippe Mesnard, *Consciences de la Shoah. Critique des discours et des représentations*, Paris, Editions Kimé, 2000, p. 250-255, et, dans le même ouvrage, Philippe Corcuff, « Négationnisme d'ultra-gauche et pathologies intellectuelles de la gauche. A propos d'un texte de Jean-Gabriel Cohn-Bendit de 1981 », p. 260-273, *op. cit.*, où Corcuff reprend des passages de « Jean-Gabriel Cohn-Bendit s'explique », *Libération*, 12 mars 1992. L'ouvrage de référence le plus récent est *Histoire du négationnisme en France*, par Valérie Higounet, Paris, Seuil, 2000, avec notamment, sur le négationnisme d'ultra-gauche, les pages 457-488.

31. Note 218, p. 132-134.

32. Note 94, p. 60.

33. P. 38-39 et 168-169.

34. Amendement B7-420 du Parlement européen de l'Union européenne aux modalités de financement des programmes d'éducation de l'Autorité palestinienne, qui bloque les 3 millions d'euros de la réserve en attendant la rédaction d'un rapport avant la deuxième lecture du budget (25 octobre 2001).

35. L'expression est tirée d'une mise au point de Fouad Moughrabi, « The Politics of Palestinian Textbooks » in *Journal of Palestine Studies*, 121, vol. XX1, automne 2001, traduit en français sous le titre « Les manuels scolaires palestiniens sont-ils antisémites ? » in *Revue d'études palestiniennes*, n° 82, hiver 2002, pages 53-64. Fouad Moughrabi est le directeur du Centre Qattan pour la recherche et le développement de l'éducation à Ramallah. Sous le même titre, la journaliste Elsa Morena avait publié un article dans *Le Monde diplomatique* d'avril 2001.

36. Note 163, p. 106.

37. P. 37-38.

38. Robert Redeker, « De New York à Gaillac, trajet d'une épidémie logo-toxique », in *Les Temps modernes*, décembre 2001.

39. Parmi la floraison de réflexions sur ces enjeux de mémoire, très fournie ces dernières années, une contribution originale de Barbara Cassin « Politiques de la mémoire. Des traitements de la haine » in *Multitudes* n° 6, septembre 2001, p. 177-196, où cette philologue rappelle l'approche d'amnistie-amnésie proposée par la cité grecque dans l'Antiquité, qu'elle confronte avec le cheminement inverse (mais accordant au langage une finalité analogue) de la commission Vérité et réconciliation en Afrique du Sud, et avec la procédure de gestion des archives sensibles telle que nous la pratiquons en France. Elle cite notamment Platon, Lettre VII, 336e-337a : « *Une cité en* stasis *(guerre civile) ne connaît la fin de ces maux* (kaka) *que lorsque les vainqueurs cessent de rappeler le passé* (mnêsikakein, *littéralement rappeler les maux de mémoire*) *par expulsion et égorgements.* »

40. Pierre-André Taguieff, *L'Effacement de l'avenir*, Paris, Galilée, 2000. On peut se demander, si, en utilisant la métaphore de Philippe Corcuff qui propose de « *tamiser les Lumières* », c'est-à-dire de les soumettre à un examen critique pour inventer un nouveau mode d'action politique en phase avec le phénomène de globalisation, Pierre André Taguieff n'incarne pas un troisième avenir possible de la gauche que doit combattre la gauche radicale : pendant que Baudrillard éteint les Lumières en laissant la télé allumée (gauche postmoderne spectatrice) et que Minc privatise les Lumières en substituant le Marché à l'éclairage public de la Raison (gauche sociale-libérale), Taguieff renverse les Lumières et allume le feu (gauche nationale, identitaire et sécuritaire s'autoproclamant « républicaine » et se repliant sur de nouvelles formes de jacobinisme via le souverainisme). Voir Philippe Corcuff : « Les Lumières tamisées des constructivismes. L'humanité, la raison et le progrès comme transcendances relatives », in *Revue du MAUSS*, n° 17, 1er semestre 2001, et plus spécifiquement après l'attentat terroriste du 11 septembre : « Baudrillard et le 11 septembre : delirium très Minc », in *ContreTemps*, n° 3, février 2002.

41. P. 233

42. A propos de l'incendie criminel antisémite qui a touché à l'automne dernier l'école Le Gan Pardess à Frais-Vallon (XIIIᵉ arrondissement de Marseille), Pierre-André Taguieff cite d'ailleurs Clément Yana, président local du Crif qui parle d'« *acte isolé* » et de « *provocation* [...] *insignifiante* » (note 134, p. 84).

Yoram Mouchenik
Stanislas Tomkiewicz

Israël et le théorème structuraliste

Yoram Mouchenikest psychologue clinicien et
docteur en anthropologie, consultant pour
Médecins sans frontières.
Stanislas Tomkiewicz est directeur de recherche
honoraire à l'INSERM et psychiatre. Auteur de
nombreux articles sur l'enfant et la guerre et de
Une adolescence volée, Paris, Hachette, 1999.

Au moment où le gouvernement israélien mène une guerre ouverte contre la population palestinienne, il peut sembler utile de s'interroger sur la cécité et la paralysie des Etats et des organismes internationaux à faire respecter les règles les plus élémentaires du droit. Cette paralysie ne nous semble pas uniquement relever des conjonctures politiques, mais aussi d'un théorème culturaliste appliqué à Israël.

Le culturalisme issu de l'anthropologie américaine des années 30 définissait une « personnalité de base » modelée par la culture du groupe d'appartenance. Margaret Mead décrivait à grands traits les caractères dominants de trois sociétés mélanésiennes. Pour cet auteur, le type de soins maternels dans la petite enfance, spécifique à chaque culture, organise la personnalité future de l'enfant. Geza Roheim, anthropologue et psychanalyste, passait du mythe phylogénétique du Freud de *Totem et tabou* à une ontogenèse, avec l'espoir de découvrir pour chaque culture un type de trauma spécifique dans l'enfance, organisateur de la personnalité de ses membres. Les critiques nombreuses et argumentées à l'encontre du culturalisme lui reprochent à juste titre son « relativisme culturel », le peu de prise en compte de la singularité des sujets en développement dans une configuration familiale et sociale toujours particulière. Les culturalistes définissent schématiquement une psychologie collective, uniformisante et normative.

Nous entendons aujourd'hui, dans les propos de nombreux commentateurs trop tolérants vis-à-vis de la politique israélienne, des excès culturalistes analogues qui méritent d'être soulignés. En particulier, au travers de définitions d'une personnalité judéo-israélienne s'étayant essentiellement sur le religieux et la transmission traumatique qui doivent être questionnées à différents niveaux :

1. *Le religieux*

Identifier ou confondre judaïsme et Etat d'Israël, juifs et Israéliens, est une erreur méthodologique et historique. Le sionisme moderne a été fondé par un juif athée et assimilé, Theodor Herzl, journaliste qui rendait compte du procès et de la condamnation du capitaine Dreyfus. Son combat, loin d'être religieux, relève d'un enjeu social et politique. Le retour à Sion n'était pas messianique, mais le choix d'une solution qui semblait la plus praticable. Le sionisme précurseur de la fin du XIXe siècle et du début du XXe était peu guerrier, peu fanatique. La génération des pères fondateurs de l'Etat est arrivée en Palestine au début du siècle et avant la Deuxième Guerre mondiale. Ses militants socialistes étaient moins motivés par le judaïsme que par l'antisémitisme subi dans leur pays d'origine. Hormis une extrême droite [1], très minoritaire, les convergences et les alliances avec la population palestinienne pouvaient apparaître possibles.

2. *Le trauma*

Le sionisme s'est affermi avec la montée du fascisme et du nazisme dès les années 30. L'extermination presque totale des juifs d'Europe et sa révélation ont permis ou favorisé la création de l'Etat d'Israël. Affirmer, comme l'a fait récemment Robert Badinter, que seul le traumatisme de la Shoah permet de comprendre l'attitude d'Israël à l'égard des Palestiniens relève d'une dérive culturaliste. Tom Segev souligne dans son ouvrage, *Le Septième Million* (1998), l'ambivalence historique des juifs de Palestine vis-à-vis de leurs coreligionnaires d'Europe qui tardaient à les rejoindre. Avec la révélation de l'ampleur de la Shoah, la création de l'Etat d'Israël a pris la forme d'une évidence. Dans le combat politique international, la Shoah a été légitimement instrumentalisée. Toutefois, des juifs survivants des camps de concentration et des persécutions arrivés en Israël après la guerre évoquent souvent le souvenir des critiques, ressenties comme une blessure profonde, qui leur reprochaient d'avoir docilement marché vers l'abattoir nazi.

Utiliser la Shoah comme grille de lecture unique ou principale du conflit israélo-palestinien ne tient pas suffisamment compte des données sociologiques, démographiques et politiques et renvoie la population judéo-israélienne à une inépuisable et infinie souffrance du traumatisme, laquelle entraîne une irrépressible et névrotique activité de répétition sous la forme de mauvais traitements infligés au voisin palestinien. Ce mécanisme de défense psychologique par « identification à l'agresseur », consécutif à un grave trauma, a été bien décrit par Freud. A l'effroyable persécution des juifs par des Européens succéderait l'agression des Palestiniens par les Israéliens. La réalité est plus complexe. La majorité des multiples peuplements d'Israël d'aujourd'hui n'a pas connu la Shoah ; ils sont souvent venus de pays où les juifs étaient humiliés, malmenés, menacés, mais aussi intégrés voire protégés ; plus rarement étaient-ils persécutés et jamais ils n'ont été massacrés. Les commémorations de la Shoah sont innombrables en Israël, surtout depuis les années 60. Mais cette compassion et cette douleur ne doivent pas faire oublier pour autant la fonction idéologique des pratiques sociales qui servent à cimenter un pays ou une nation en voie de constitution.

Le théorème culturaliste appliqué à Israël, que ce soit par le retour religieux à Sion ou par le traumatisme, utilise les deux figures emblématiques du « pieux » et du « déporté » comme modelant pour toujours le psychisme des Israéliens. Cette vision fait disparaître les vraies figures du conflit actuel :

– Les colons et, plus particulièrement les colons intégristes, armés, fanatiques et meurtriers, agents de l'occupation venant annexer une « Terre promise » et confirmer qu'un judaïsme sectaire pourrait s'exercer en dehors de la loi humaine et sans limites.

– Une armée, contrepoids à l'anéantissement, instrumentalisée par un Etat qui ne risque plus de disparaître, porteuse de

---

3. Fondée par Vladimir Jabotinsky, précurseur direct du groupe terroriste Irgoun dont est issu le Likoud actuel.

mort et de terreur, qui vient catalyser la
douleur et la fureur des Palestiniens.

La rhétorique culturaliste permet d'occulter
ces figures, moins nobles que les premières.
Elle aveugle des opinions publiques qui malgré
les protestations se refusent à prendre la mesure
du terrorisme d'Etat pratiqué par Israël, dont
l'impunité encourage le terrorisme palestinien.
Elle exonère temporairement les hommes qui
conduisent une politique criminelle à défaut de
se donner les moyens d'une ambition de paix ;
elle rend peu justice à la diversité des points de
vue qui s'expriment et s'affrontent en Israël.
Plus grave encore, le théorème culturaliste peut
non seulement contribuer à briser un processus
de paix au Moyen-Orient, mais il renforce
l'immobilisme des institutions internationales et
favorise les justifications obscurantistes des
terrorismes.
Un peuple qui devient colonisateur
développe une mentalité de colonisateur avec
toutes les dérives que cela comporte. Ainsi les
anciens expulsés démocrates d'Alsace (1871),
les anciens émigrés socialistes espagnol, voire
quelques communards ont donné naissance en
Algérie aux extrémistes racistes de l'OAS. Un
peuple qui en opprime un autre ne saurait être
libre et la liberté des Palestiniens est aussi un
combat pour une vraie liberté et une
démocratie en Israël.

—Y. M. & S. T.

« Le droit au retour est la question centrale »

Entretien avec la cinéaste palestinienne Maï Masri

JANINE EUVRARD : *Quelles sont vos origines ? Quel a été votre parcours avant d'arriver au cinéma ?*

MAÏ MASRI : Mon père est un Palestinien de Naplouse et ma mère est Américaine. Mon père faisait ses études aux Etats-Unis lorsqu'il a rencontré ma mère. Ils sont venus en Jordanie. Je suis née en 1959 à Amman. J'ai passé les cinq premières années de ma vie entre Amman et Naplouse, lorsque les frontières étaient encore ouvertes, puis un an en Algérie après la révolution algérienne. Ensuite nous sommes venus au Liban. Mon père, géologue, y a trouvé du travail. Nous étions à Beyrouth en 1967 lorsque la guerre a éclaté, nous n'avons plus pu repartir. Nous sommes devenus « les absents ». Tout Palestinien qui n'était pas en Palestine à ce moment-là perdait automatiquement le droit à sa citoyenneté. Nous n'y sommes jamais retournés, mais mon père s'y est rendu récemment. J'ai donc été élevée au Liban, dans une atmosphère qui a beaucoup influencé ce que je suis devenue plus tard. Grandir à Beyrouth dans les années 60 et 70 était très stimulant, enrichissant. Ce fut aussi le début du mouvement de la résistance palestinienne, qui s'y installa en 1969. J'étais jeune, mais cela m'a beaucoup marquée. Mon père était un nationaliste palestinien comme beaucoup de gens de sa génération. Un grand nombre de personnalités palestiniennes, Abou Jihad par exemple, venaient nous rendre visite. Au lycée, je faisais partie d'un mouvement étudiant. Nous nous rendions souvent dans des camps de réfugiés où nous aidions bénévolement à rebâtir des maisons. L'année 1975 a été un tournant pour moi, je finissais le lycée et m'apprêtais à rentrer à l'université quand la guerre civile a éclaté au Liban. C'est à ce moment-là que j'ai décidé de faire des films. Il n'y avait pas d'école de cinéma au Liban, je suis donc partie pour San Francisco.

J. E. : *Pourquoi avoir choisi le documentaire plutôt que la fiction ?*

M. M. : J'ai toujours été fascinée par le documentaire. A mon retour au Liban en 1982, j'ai voulu me servir des films pour montrer la réalité. Je pense qu'en se polarisant sur de « vraies » personnes et les vraies situations dans lesquelles elles se trouvent, on peut raconter une histoire sans que celle-ci perde sa dimension artistique.
Le documentaire n'empêche pas la forme narrative. Mais ça n'a jamais été de ma part une décision vraiment consciente. Une histoire en amenait une autre... Je n'ai jamais eu l'impression qu'il y a une séparation entre ma vie et les films que je tourne, tout est étroitement lié. Je fais des films sur des expériences qui me sont personnelles. Chaque film correspond à une partie de ma vie. Il en est de même avec les films que je fais avec mon mari, le réalisateur libanais Jean Chamoun avec qui je travaille depuis vingt ans – mais nous faisons aussi des films séparément. Tous ces films sont des documentaires, mais qui racontent des histoires. Je ne parlerais pas de fiction, car notre travail, s'il est toujours fondé sur la réalité, ne l'est pas directement. Je n'aime pas travailler sur des évidences, j'aime explorer d'autres terrains. Par exemple, lorsque je fais des films avec les enfants.

J. E. : *Vos films sont plutôt axés sur le monde des femmes et des enfants. Pourquoi ?*

M. M. : Cela m'est venu tout naturellement, parce que dans ma façon d'aborder les films et les situations que je choisis, je sens chez les femmes une grande possibilité d'ouverture. Elles sont naturelles, spontanées. Dans tous les films que j'ai fait, elles étaient toujours prêtes à parler de leurs sentiments, de ce qu'elles vivaient, et de manière plus complète, plus intense que les hommes. Je crois que ce qu'on obtient en travaillant avec les femmes est plus riche. Quant aux enfants, ce qui m'attire chez eux c'est surtout leur imagination. J'aime qu'ils me surprennent toujours, qu'ils soient si imprévisibles, si spontanés. J'ai un peu le sentiment à travers eux de revivre ma propre enfance, même s'ils sont différents de ce que j'étais. Je me retrouve toujours un peu en eux et c'est cela que je recherche, comme si à travers eux je partais à la recherche de moi-même. C'est aussi la raison pour laquelle j'aime tant le documentaire. Les gens sur lesquels Jean Chamoun et moi faisons des films sont toujours très engagés avec nous dans le processus de fabrication. Nous vivons souvent avec eux, et créons par là une atmosphère de confiance. A un moment donné ils oublient la présence de la caméra et ce n'est plus un film mais une expérience humaine que nous vivons ensemble.

J. E. : *Revenons à votre dernier film,* Rêves d'exil. *C'est un film qui pose tout de suite la question essentielle du droit au retour à travers les enfants, à travers une femme, il exprime ce point crucial qui semble tétaniser les Israéliens en ce moment. Est ce que je me trompe ?*

M. M. : Pas du tout. Chaque fois que vous faites un film sur les réfugiés, leur condition de réfugiés, le fait que ce sont des exilés qui ne peuvent pas rentrer dans leur pays, la question du droit au retour est la question centrale. Ils sont dans un perpétuel état d'attente qui date de trois ou quatre générations, depuis cinquante-deux ans ils se demandent ce que sera leur avenir et ils sont encore dans cet état de suspension. C'est le rêve qui les maintient vivants, le rêve de la Palestine, son souvenir, l'espoir qu'un jour ils pourront y retourner. Peut-être n'y retourneront-ils pas tous, mais l'idée qu'ils en ont le droit leur permet de continuer. C'est ce qui se dégage du film de manière indirecte, car je n'aime pas filmer d'une façon évidente, mais on le ressent grâce au pouvoir évocateur de l'image.

J. E. : *Comment avez-vous filmé tous ces jeunes, avez-vous vécu avec eux un certain temps, comment avez-vous gagné leur confiance ?*

M. M. : Tout a commencé au camp de Chatila que je connais depuis longtemps. J'y ai fait un film il y a trois ans, *Les Enfants de Chatila* (1998). J'avais déjà commencé à y tourner il y a une vingtaine d'années, surtout en 1982 durant le siège de Beyrouth. A cette époque, le camp avait été détruit puis reconstruit, et nous avions tourné un film, *Sous les décombres* (1983). En 1986 le camp a été à nouveau détruit. Je connais donc toutes les familles de Chatila et j'ai vu leurs enfants grandir. Je me suis toujours sentie chez moi dans ce camp. J'ai toujours ressenti qu'il symbolise tous les autres camps. Il a plus souffert que les autres. En raison du massacre de 1982, il est devenu un symbole pour les autres camps. Mon amitié avec ces enfants date de 1988 et du film *Les Enfants de Chatila*. Ce sont, pour la plupart, des gosses orphelins de leurs pères morts au combat et cela créait un lien entre eux, cette perte du père les unis, ils sont devenus des frères. Et il y a entre eux une forme d'honnêteté. Quand j'ai commencé à tourner mon dernier film, Frontières, peurs et rêves, je voulais voir comment leur vie était réellement en train de changer par rapport à mon film précédent, *Les Enfants de Chatila,* qui reposait plus sur leurs fantasmes, leur mémoire, la manière dont ils les utilisaient, comment tout cela était relié à la réalité et aux conditions difficiles de leur vie et de leur rêve de la Palestine. Dans mon dernier film, *Rêves d'exil*, je voulais filmer comment ces rêves se transformaient alors que les enfants approchaient de l'âge adulte, comment ils seraient obligés de prendre des décisions dans leur vie, parce qu'à ce stade, bien sûr, leurs rêves se heurtaient à un mur. Cette idée m'intéressait beaucoup. Puis j'ai découvert qu'ils communiquaient par Internet avec d'autres enfants en Palestine.

J. E. : *Il y a dans le film une scène particulièrement émouvante : tous les enfants ont une clé autour du cou. Cette scène a-t-elle été conçue pour le film, ou portent-ils toujours ainsi cette clé ?*

M. M. : Rien n'a été prémédité. J'ai une amie qui fait du volontariat dans ce camp, elle donne même des cours d'anglais aux enfants des réfugiés. Elle savait que ceux-ci suspendait une clé à leur cou, elle me l'avait dit. Donc quand je suis arrivée pour tourner, je n'ai pas été surprise. Les enfants faisaient aussi des recherches sur leur village d'origine. Beaucoup savaient de quel village ils venaient mais n'en connaissaient pas l'histoire. La chose importante pour eux est qu'ils ont quitté la Palestine. Depuis, ils essaient de se protéger. Je les ai vus se balader dans le camp, parler à d'autres enfants, poser des questions, etc. Ça a été le début du projet.

J. E. : *Quel est pour vous le rôle, l'importance des femmes palestinienne dans la lutte ?*

M. M. : Les femmes ont toujours joué un rôle important à travers l'histoire, surtout dans la vie des villages. La femme paysanne est une figure emblématique. Dans la plupart des foyers palestiniens, le matriarcat est très fort, les femmes sont souvent entièrement responsables de la maison, pour bien des raisons, dont les arrestations et l'emprisonnement des hommes. Dans ces conditions, c'est aux femmes qu'incombe l'éducation des enfants. Souvent elles doivent à la fois travailler et maintenir la famille soudée. C'est la préoccupation principale des réfugiés : maintenir la famille, maintenir l'identité palestinienne. Elles sont aussi les gardiennes de l'Histoire, de l'histoire orale qu'elles transmettent de génération en génération. Les chants, les vêtements, la nourriture et d'autres petits détails de la vie quotidienne sont aussi des signes d'identité.

J. E. : *Quel est à votre avis le rôle, l'utilité du cinéma dans la vie d'un pays, dans la vie, dans la lutte d'un peuple ?*

M. M. : Le film est un puissant vecteur. L'image est un double de la mémoire. Elle est aussi la preuve de sa propre existence. Pour les Palestiniens, pouvoir enfin tourner leurs propres films a été un événement. Toutes les images qui avaient été prises d'eux au début du siècle l'avaient été par des étrangers qui, d'une certaine manière, s'étaient appropriés leur histoire. Le cinéma est une forme artistique de première grandeur parce qu'il est capable d'exprimer la culture et l'histoire des peuples.

J. E. : *Le cinéma peut-il à un moment donné contribuer au dialogue ?*

M. M. : La question est très importante. Oui, je le pense vraiment. Lorsque vous regardez un film et que vous le comprenez, un lien se tisse entre vous et les protagonistes du film, avec ce qu'ils expriment. Cela vous ouvre de nouveaux horizons, une nouvelle compréhension de l'autre, cela offre une possibilité de dialogue avec l'autre qui n'existerait peut-être pas sans le film. D'une certaine manière, le cinéma brise les barrières et permet le dialogue.

J. E. : *Avez-vous déjà eu des contacts avec des cinéastes ou des intellectuels israéliens ?*

M. M. : Lorsque je participe à des festivals ou à des colloques, j'ai souvent des conversations avec eux. Je ne peux pas généraliser, chaque personne a son propre passé, certaines sont beaucoup plus proches de mon point de vue que d'autres. J'ai fait des rencontres qui se sont avérées très positives, et d'autres qui ont été très négatives. Les événements au Proche-Orient affectent les gens : un jour on peut rencontrer un interlocuteur et avoir avec lui un vrai dialogue, et le lendemain votre interlocuteur est tellement affecté par ce qui se passe qu'il polarise tout là-dessus. Mais si le dialogue est important, il ne résoudra rien à lui tout seul. En fin de compte, ce n'est pas tant un problème humain qu'un problème politique. S'il n'y a pas de changements substantiels sur le terrain, telle la libération des territoires occupés – entre autres –, le dialogue ne pourra pas servir à grand-chose.

J. E. : *Sur un film, l'idée d'une équipe mixte, c'est-à-dire comprenant à la fois des Palestiniens et des Israéliens, pourrait-elle être fructueuse ?*

M. M. : Dans certains cas, oui. Cela dépend de ce que vous tournez. Après les accords d'Oslo, nous avons eu le sentiment que les choses se réglaient, qu'il y aurait moins de problèmes, que nous pourrions nous lancer dans des aventures ensemble. Mais c'était trompeur, parce qu'au fond rien n'avait vraiment changé, tout était même pire qu'avant. Bien des choses mauvaises se sont développées dans les années qui ont suivi les supposés accords d'Oslo. Il y a eu, malgré toutes les promesses, un énorme recul. Si je pouvais travailler avec des Israéliens pour contribuer à de véritables changements, cela m'intéresserait, bien sûr.

J. E. : *Que pensez-vous de la situation actuelle ? Où réside l'espoir d'une paix juste et équitable ? Que pouvons-nous faire, nous les intellectuels, les créateurs juifs et palestiniens, pour y contribuer ?*

M. M. : Je suis d'un naturel optimiste qui me pousse à travailler, à continuer. Nous devons continuer à faire ce que nous faisons et faire plus encore. C'est un problème général, il ne s'agit pas seulement d'Israël et de la Palestine, il s'agit aussi de la lutte pour la justice dans le monde. C'est ainsi que je vois les choses. Les années à venir vont être difficiles, mais je ne veux pas perdre espoir. Il y aura encore bien des souffrances et peut-être des milliers de morts avant que nous atteignions notre but, mais nous y arriverons. Cela ne peut pas continuer ainsi, ce n'est une solution pour personne.

J. E. : *Vous considérez-vous comme une exilée, et si oui, comment le vivez-vous ?*

M. M. : J'ai vécu tant d'années en exil... J'ai la double nationalité, c'est peut-être pourquoi j'ai ce regard double. Vivre au Liban alors que j'étais palestinienne a fait que je me suis sentie comme une étrangère. Quand j'étais enfant, je me sentais différente, je n'avais pas le même accent, la même allure que les autres, j'avais le sentiment de n'appartenir à rien. Je me suis réconciliée avec moi-même. Je me sens citoyenne de toutes ces cultures, et en même temps je ressens fortement mon identité palestinienne. J'ai été très proche des Palestiniens dans les camps, proche des réfugiés, même si je n'ai pas vécu cette expérience dans ma chair. Mon exil est plus intellectuel, je n'ai jamais prétendu avoir autant souffert que les réfugiés des camps, et je n'ai jamais perdu des proches. Mais mon histoire personnelle fait partie de l'histoire humaine et collective des Palestiniens, je fais partie de cette histoire, je la comprends très bien.

—Propos recuaillis par Janine Euvrard,
Montréal, août 2001.

FILMOGRAPHIE DE MAI MASRI

Coréalisation avec Jean-Khalil Chamoun :
Sous les décombres, 1983
Fleur d'ajonc, 1986
Beyrouth, génération de la guerre, 1988

Les Enfants du feu, 1990

Coréalisation avec Jean-Khalil Chamoun :
Rêves suspendus, 1992

Hanan Ashrawi, une femme de son temps, 1995
Les Enfants de Chatila, 1998
Les rêves de l'exil, 2001

La 6ᵉ Biennale des cinémas arabes aura lieu à l'Institut du monde arabe, Paris, du 29 juin au 7 juillet 2002. Elle sera consacrée au cinéma palestinien et au cinéma israélien contestataire.

Alhadji Bouba Nouhou

L'Afrique et le conflit du Proche-Orient

Alhadji Bouba Nouhou, du Cermam (université Bordeaux 3), est l'auteur de *Contribution à l'étude géopolitique de la souveraineté d'un Etat dans un environnement régional hostile : le cas d'Israël* (1948-1993), Lille, Presses universitaires Septentrion, 2001.

Parmi les principaux attentats organisés contre les Etats-Unis durant ces dix dernières années, on retiendra ceux du 7 août 1998 contre les ambassades américaines à Nairobi (Kenya) et à Dar es-Salam (Tanzanie), qui ont fait 224 morts et 4000 blessés. Le 11 septembre 2001, d'autres attentats vont frapper les symboles des Etats-Unis : les deux tours jumelles de World Trade Center et le Pentagone. Le monde saisi d'effroi manifeste sa solidarité à l'égard du peuple américain, tout en appelant à une réflexion politique sur le traitement des causes profondes de cette tragédie.

Le Moyen-Orient est la région la plus concernée dans cette crise. C'est là que Ben Laden recrute ses partisans et c'est là qu'il bénéficie des sympathies pour lancer une *fatwa* appelant à libérer la mosquée al-Aqsa (Jérusalem), La Mecque et Médine qui, selon lui, sont contrôlées par les Israéliens et les Américains : des non-musulmans [1].

Depuis longtemps la dénonciation de l'Amérique et d'Israël est devenue l'un des terreaux sur lequel fleurit le terrorisme islamiste, qui se nourrit de la conviction que les Etats-Unis soutiennent inconditionnellement les Israéliens. Pour Alain Joxe, « *l'ordre américain vise au contrôle du monde et non à la recherche de la paix. [...] Si l'on tient véritablement compte des objectifs de Ben Laden – que d'ailleurs il revendique –, il faut bien voir que les difficultés sont réelles. Avoir laissé traîné le problème israélo-palestinien jusqu'à l'arrivée de Sharon au pouvoir n'est pas très malin* [2] » . Effectivement, lors de la Conférence de l'ONU contre le racisme qui s'est tenu à Durban (31 août-7 septembre 2001), le conflit israélo-arabe a retenu toute l'attention. Alors que les Nations unies avaient placé cette première année du nouveau siècle sous le signe du dialogue des civilisations, le moins qu'on

---

1. *The Financial Times*, 15-16 septembre 2001.
2. Alain Joxe, *Le Monde*, 23-24 septembre 2001.

puisse dire est que l'incompréhension, notamment lors de la Conférence de Durban, a supplanté le dialogue. A Durban, les pays arabes, qui soutiennent fermement leur opposition à Israël, sont pourtant restés silencieux sur la question de l'esclavage puisqu'ils ont été les premiers à l'avoir pratiqué. D'ailleurs, les Africains ont évité de les impliquer, préférant s'adresser aux anciennes puissances coloniales. La question palestinienne a ainsi monopolisé tout le débat. Le refus d'Ariel Sharon d'entamer toute négociation avec Yasser Arafat sans un cessez-le-feu complet désespère la communauté internationale. La logique de paix a fait place à une logique de guerre et les Etats-Unis, garant de ce processus de paix, s'avèrent incapables de trouver une solution.

A Durban, c'est cette défaillance qui a d'ailleurs poussé le président sénégalais Abdoulaye Wade à suggérer, mardi 4 septembre 2001, une initiative africaine sur la question palestinienne. Abdoulaye Wade proposait un « Camp David africain » où Palestiniens et Israéliens seraient invités à négocier sous la présidence de quelques chefs d'Etats africains. Il demandait à ce qu'une délégation africaine, conduite par le président sud-africain Thabo Mbeki, invite Israéliens et Palestiniens à discuter pour trouver une solution au conflit. Selon lui, il faut avoir le courage de « *condamner les violences pratiquées par Israël à l'encontre des Palestiniens* ». Il reconnaissait « *qu'il est plus facile de rester dans son bureau, de faire des déclarations, de condamner que d'essayer de franchir un pas vers la paix. C'est pourtant beaucoup plus important que les condamnations* [3] ».

Le conflit israélo-arabe a longtemps catalysé le ressentiment des pays du tiers-monde à l'égard de l'Occident (dont Israël est considéré comme faisant partie) et les réactions qui ont suivi le départ des représentants américain et israélien de la conférence de Durban sont révélateurs de la tension qui règne entre les diverses parties.

Israël considère qu'à Durban la défense des droits de l'homme a été prétexte à un déversement de haine contre l'Etat hébreu, alors que le représentant de l'Autorité palestinienne, Suleiman al-Herfi, estime que la question du Moyen-Orient n'a été que secondaire puisqu'elle ne concerne que 5 % du document sur lequel devait travailler la Conférence. La véritable raison du retrait israélo-américain est que les Américains ne veulent tout simplement pas condamner l'esclavage et payer les réparations [4]. Pour l'Afrique du Sud, pays organisateur, le retrait américain et israélien de la conférence est tout simplement regrettable et inutile.

Dans ce contexte, les déclarations d'Abdoulaye Wade, dénotent à la fois l'intérêt qu'accorde l'Afrique au conflit israélo-palestinien mais aussi son impuissance face à une situation qui se dégrade de jour en jour.

Une certaine communauté de vue

Rappelons que l'Etat hébreu, après avoir perdu le soutien des pays asiatiques à la Conférence de non-alignés à Bandung (1955), s'était déjà tourné vers les pays africains au sortir de l'indépendance : « *Nous avons partagé avec les Africains, non seulement les défis qui vont avec la nécessité d'un développement rapide, mais aussi le souvenir de siècles de souffrances. Oppressions, discrimination, esclavage, ce ne sont pas là de simples clichés pour les Africains comme pour les Juifs* [5] », écrivait Golda Meïr.

Pour Shimon Pérès, c'est avec un double point de vue moral et politique qu'Israël accueillait la renaissance de l'Afrique, l'enseignement essentiel du judaïsme étant de condamner l'oppression et d'exalter la dignité de l'homme [6]. Cette communauté de vue non seulement se voulait historique mais aussi idéologique car elle rapprochait les leaders africains du parti politique israélien marxiste-sioniste Mapaï [7], alors en phase avec un certain discours tiers-mondiste.

3. *Le Monde*, 6 septembre 2001.

4. Olu Ojewale, « Bad Tempered Affair », *Nigeria Weekly News Magazine* n° 100, *Newswatch*, 17 septembre 2001.
5. Golda Meïr, *Ma vie*, Paris, Robert Laffont, 1975, p. 340.
6. Shimon Pérès, *David et sa fronde, l'armement d'Israël*, Paris , Stock, 1971, p. 178.

Les Africains, à la recherche d'un modèle de développement, étaient donc fascinés par Israël, « pays socialiste » dont la réussite au plan agricole était donnée en exemple. Cela correspondait à l'idée de « l'africanisation » du secteur rural (suppression des propriétés privées appartenant aux colons, création des coopératives villageoises) prônée par certains chefs d'Etat africains [8]. Suivant l'exemple israélien, les *nahals* [9] vont apparaître dans une douzaine de pays[10].

Par ailleurs, les stratèges israéliens considèrent que l'ouverture sur l'Afrique (avec l'accès à la mer Rouge et à l'océan Indien par le golfe d'Aqaba) devrait permettre à l'Etat hébreu d'être un pont entre les pays en voie de développement et les pays développés [11] tout en contrant le boycott arabe. L'Afrique représentait donc un intérêt économique capital pour l'Etat hébreu. Durant la décennie 60-70 la balance commerciale entre Israël et l'Afrique progressait en moyenne de 14,1 % par an [12]. Cependant, ces relations vont évoluer au gré du conflit israélo-arabe. Après la guerre des six-jours, l'Organisation de l'unité africaine (OUA) (qui a fait du respect des frontières héritées son principe fondateur) condamne l'occupation israélienne des territoires arabes et exprime son accord avec la résolution 242 de l'ONU demandant le retrait israélien des territoires occupés. C'est de cette époque que date la première initiative africaine pour la paix au Moyen-Orient.

La précédente initiative africaine

Après la guerre des six-jours, le secrétaire général de l'ONU, U Thant, confie la mission de médiateur à Gunnar Jarring, l'ambassadeur de Suède à Moscou, qui s'était distingué en 1957 dans le règlement de la crise du Cachemire. Malgré les efforts de Jarring, Israël annonce, le 6 septembre 1970, qu'il suspend officiellement sa participation aux pourparlers. Alors que Anouar al-Sadate (nouveau maître de l'Egypte après la mort de Nasser le 28 septembre 1970) se déclare favorable aux initiatives de Jarring et à son appel invitant Israël à un retrait des territoires avant la conclusion d'un accord de paix mettant fin à l'état de belligérance et reconnaissant le droit d'Israël à l'existence.

Certains chefs d'Etat africains, prenant acte de l'échec de la mission Jarring, tentèrent de faire sortir la situation de l'impasse. Au sommet de l'OUA à Dakar, en novembre 1971, une résolution, sous l'initiative du président Senghor, est adoptée. Elle condamne l'agression israélienne contre la République arabe unie (RAU)[13]. Le président zambien, Kenneth Kaunda, demande alors au président en exercice de l'OUA (le Mauritanien Mokhtar Ould Daddah) de proposer un amendement afin que puissent être consultés les grands leaders africains, le but étant de faire pression sur les Etats-Unis pour qu'ils forcent Israël à se retirer des territoires arabes.

Un comité comprenant dix présidents africains (ceux du Cameroun, de l'Ethiopie, de la Côte d'Ivoire, du Kenya, du Liberia, de la Mauritanie, du Nigeria, du Sénégal, de la

---

7. Mapaï, Initiales de Mifleget Poali Eretz Israel (Parti des ouvriers d'Eretz Israël). Créé en 1930 par la fusion du Achdout Haavoda et de l'Hapoel Hastsaïr, le Mapaï est devenu la formation politique dominante du Yichouv et, après 1948, de l'Etat d'Israël où il s'est maintenu sous ce sigle jusqu'en 1969. Les principaux leaders du pays tels que David Ben Gourion, Ben Tsi, Moshé Sharret, Lévi Eshkol et Golda Meïr ont été membres du Mapaï et ont forgé son identité politique comme parti de gouvernement sioniste socialiste de nature pragmatique découlant des responsabilités sociales, politiques et diplomatiques qu'ils ont dû assumer. Voir *Sionismes, textes fondamentaux,* réunis et présentés par Denis Charbit, Paris, Albin Michel, coll. « Idées/Memorah », 1998, p. 964.
8. Voir Julius Nyéréré, *Ujamaa, The Basis of African Socialism,* Dar es-Salam, 1962 ; Léopold Sédar Senghor, « Nation et voie africaine du socialisme », *Présence africaine,* Paris, 1961.
9. *Nahal,* Noar Haloutsi Lochem, « jeunesse pionnière combattante », est un corps de l'armée israélienne qui allie service militaire et travaux de défrichement civil en se servant des exploitations agricoles pour les besoins de la défense nationale.

10. Sénégal, Madagascar, Kenya, Haute-Volta (futur Bourkina Faso), Mali, Dahomey (futur Benin), Cameroun, Côte-d'Ivoire, Ghana, Nigeria, Tanzanie, Guinée ; voir Z. Y. Hershlag (Ed.), *Israel-Africa Cooperation Research Project, Progress Report Research Project on Israel-Africa Cooperation Department of Developing Countries,* Israël, université de Tel-Aviv, 1970.
11. Samuel Decalo, « Messianic Influences in Israeli Foreign Policy », in *Israel and Africa : Forty Years 1956-1996,* Middle East Studies, n° 1, Londres, FAP Books, 1998, p. 3.
12. Z. Y. Hershlag (Ed), *op. cit.,* p. 60.
13. Voir Ron Kochan, « An African Peace Mission in the Middle East : The One-Man Initiative of President Senghor », in *Africa Affairs,* vol. 72, n° 287, avril 1973, p. 187.

Tanzanie et du Zaïre) fut formé. Léopold Sedar Senghor suggéra de réunir quatre hommes politiques africains pour reprendre le flambeau que Jarring avait laissé tomber et dont les Etats-Unis ne s'étaient pas encore emparés. Léopold Sedar Senghor (Sénégal), Joseph Mobutu (Zaïre), Ahmadou Ahidjo (Cameroun) et le général Yakubu Gowon (Nigeria) furent désignés pour poursuivre la mission.

Informée de la démarche africaine, le Premier ministre israélien, Golda Meïr, adressa une lettre au président Mobutu, le 12 novembre 1971, dont voici un extrait :

« *Vous avez certainement remarqué, Monsieur le Président, qu'il existe une grave incompatibilité entre le principe du dialogue sans préalable d'un côté, et l'entrée dans les détails, de l'autre. Monsieur Jarring et les Etats-Unis ont vu leurs efforts bloqués au moment où, déviant de la promotion des pourparlers, ils sont entrés dans les détails des arrangements concrets. Les dirigeants de l'Afrique se trouvent devant une occasion unique d'apporter leur contribution là où d'autres ont échoué. Ceci en faisant appel à des pourparlers sans préalable et en encourageant Monsieur Jarring à inviter les deux parties à nouer le dialogue, sans leur demander des rectificatifs quelconques à leurs positions respectives, telles qu'elles lui on été transmises. Aussi est-il d'une importance primordiale de ne point exiger d'une quelconque des parties d'accepter a l'avance les positions de l'autre*[14]. »

Il apparaissait d'ores et déjà que la mission africaine était vouée à l'échec puisque le Premier ministre israélien sous-entendait qu'il n'y aurait pas de concessions. Face aux pressions diplomatiques et financières des Arabes, la rupture des relations diplomatiques entre les Etats africains et l'Etat hébreu ira crescendo, commençant par la rupture avec la

Guinée, en juin 1967, pour atteindre son paroxysme après la guerre d'octobre 1973. Seuls l'Afrique du Sud, le Malawi, le Lesotho et le Swaziland ne rompirent pas leurs relations avec Israël [15].

En fait, en gagnant la guerre des six-jours, Israël n'était plus désormais ce petit pays qui essaie de survivre face à l'hostilité de millions de voisins arabes. Le faible changeait donc de camp, l'Etat hébreux était désormais du côté des « forts », des « puissants [16] ». Les Arabes vont alors lancer une contre-offensive diplomatique pour maintenir le verrou israélien en misant sur le dynamisme de l'Islam et en usant de leurs ressources pétrolières.

La contre-offensive arabe

Le boom pétrolier des années 70 a permis le développement des banques islamiques, dont la Dar al-Maal Islami Ltd (DMI) Genève (1981). La DMI est fondée par douze princes saoudiens, dont Muhammad al-Faysal al-Saoud, et des chefs du gouvernement de Bahreïn, d'Egypte, de Guinée, du Koweït, de Malaisie, du Pakistan, du Qatar, du Soudan et des Emirats arabes unis. Ses objectifs : prendre en charge toutes les opérations financières des musulmans en respectant les préceptes de la charia (loi islamique) ; implanter des filiales dans les pays islamiques et autres ; investir, dans un contexte islamique, les capitaux musulmans en vue de l'obtention de bénéfices licites (*halal*) ; enfin, promouvoir et renforcer la coopération entre musulmans. La DMI va donc s'installer en Afrique noire (Sénégal, Guinée, Gabon, Nigeria, Burkina Faso). Les chefs d'Etat de ces pays sont nommés membres fondateurs honoraires des filiales de la banque. En Guinée, celle-ci investit près de 100 millions de dollars pour financer une raffinerie de pétrole. D'autres pays comme le Mali, la Côte-

---

14. *Relations Between Israel and States in Asia and Africa : A Guide to Selected Documentation*, n° 8 : Zaïre, Jérusalem, The Hebrew University of Jerusalem, The Harry S. Truman Institue for the Advancement of Peace & The Leonard Davis Institute for International, H. S. Aynor (ed.), 1994, p. 206.

15. Voir Benjamin Beit Hallahni, *The Israeli Connection. Who Israel Arms and Why,* Londres, IB Tauris & Co Ltd, 1987, p. 42.
16. Léon César Codo, « Les élites africaines et l'Etat hébreu : perception, images et représentations », in *L'Année africaine 1987-1988*, CEA (Centre d'études d'Afrique noire, A. Pedone, p. 165.

d'Ivoire, le Bénin ou le Togo vont aussi bénéficier de son aide [17].

Entre 1974 et 1982, le montant de l'aide financière arabe à l'Afrique s'est élevé à 8 milliards de dollars, soit 10 % de son aide au tiers-monde[18]. Les banques islamiques et leurs filiales en Afrique, au nombre de 9 en 1985, vont passer à 30 en 1995, soit une augmentation de 300 %, avec des avoirs estimés à près de 4 milliards de dollars[19]. Aujourd'hui les avoirs des institutions islamiques représentent, grosso modo, 230 milliards de dollars intégrés dans l'économie globale[20]. Fonctionnant selon les principes religieux islamiques, ces banques ont recours, pour les investissements, à des avis juridiques (*fatwa*) d'experts en charia. L'islam interdisant la *riba* (usure), les formes de financement les plus utilisées sont la *musharaka* (le prêteur s'associe à l'emprunteur), la *mudaraba* (commandite), et enfin la *murabaha* (la banque joue le rôle d'un intermédiaire commercial en achetant des marchandises à ses clients et en les leur revendant moyennant profit)[21]. En 1995, les modes de financements se repartissent comme suit : *murabaha* (50,5 %), *musharaka* (28, 37 %), *mudaraba* (6,05 %) et *ijara* (3,8 %)[22].

Il faut dire que les investissements financiers des banques islamiques contribuent à renforcer l'idée d'une « économie morale » de l'Islam. Et compte tenu de la progression de l'islam en Afrique noire, les Arabes estiment qu'ils ont plus d'atouts que l'Etat hébreu dans la mesure où la religion musulmane s'est toujours adaptée aux cultures les plus diverses (*urf*) tout en les intégrant dans la communauté musulmane (*Dar al-Islam*). Il n'est donc pas étonnant de voir instituer la charia dans certains Etats, comme c'est le cas au nord du Nigeria.

Ainsi, créant une sorte d'identité de références communes (basée sur la religion ou sur la solidarité tiers-mondiste) les Arabes – comme on l'a d'ailleurs remarqué lors de la Conférence de Durban – comptent sur le soutien des pays africains en ce qui concerne la question israélienne, tout en restant silencieux sur le débat portant sur l'esclavage, débat dans lequel les Africains évitent d'ailleurs de les engager.

Signe de l'évolution significative de l'offensive diplomatique arabe combinée au travail des mouvements islamistes : après les accords de Camp David (1979), les Africains avaient estimé qu'il était temps de renouer leurs relations diplomatiques avec l'Etat hébreu puisque l'Egypte avait choisi cette même option. Et la décennie 80 a été effectivement celle du rétablissement des relations diplomatiques entre les pays africains et Israël – bien que ce soient la crise économique et surtout les problèmes de sécurité rencontrés par certains Etats africains qui aient poussé les Africains à se tourner vers Israël.

Au plan économique, ils comptent en effet sur les réseaux israéliens à Washington pour intercéder auprès des bailleurs de fond. Dans le domaine de la sécurité, ils espèrent obtenir de l'Etat hébreu du matériel militaire et l'encadrement des forces de sécurité de leurs régimes. C'est le cas par exemple du Cameroun, du Liberia, du Sénégal, du Togo, du Gabon et du Kenya [23]. Pourtant, durant la décennie 90 on note une nette diminution de l'achat d'armes israéliennes, l'Ethiopie et le Botswana étant les rares pays d'Afrique à figurer dans les revues stratégiques spécialisées [24]. En général les statistiques israéliennes sont peu bavardes en ce domaine.

17. Voir Traute Wohlers-Scharf, *Les Banques arabes et islamiques : de nouveaux partenaires commerciaux pour les pays en développement*, Paris, Études du Centre de développement, OCDE, 1983, p. 67-68.
18. *Jeune Afrique*, n° 1186, 28 septembre 1983.
19. Samir Abid Shaikh, « Islamic Banks and Financial Institutions : A Survey », in *Journal of Muslim Minority Affairs*, vol. 17, n°. 1, 1997, p. 117-121.
20. Voir Ibrahim Warde, « Les principes religieux à l'épreuve de la mondialisation, paradoxes de la finance islamique », *Le Monde diplomatique*, septembre 2001, p. 20.
21. D'autres opérations comportent le financement par loyers *ijara* au terme desquels la banque acquiert des équipements ou des immeubles et les met à la disposition du client sous forme de location directe. Le même système est utilisé dans le cas de financement a crédit *ijara wa iktina*. Voir Samir Abid Shaikh, *op. cit.* p. 124.
22. *Ibid.*

23. Voir *The International Institute for Strategic Studies* (ISSS) 1985-1986 et 1987-1988.

En fait, les échanges économiques entre l'État hébreu et l'Afrique noire vont aussi évoluer en fonction des tensions au Moyen-Orient. Les importations israéliennes étaient de 17, 8 millions de dollars en 1960 et de 30,1 millions de dollars en 1970. Actuellement elles avoisinent les 400 millions de dollars. Quant aux exportations vers l'Afrique, elles passeront de 10,5 millions de dollars en 1960 à 41, 5 millions de dollars en 1970. Aujourd'hui les exportations israéliennes atteignent 500 millions de dollars [25]. Bien que ces chiffres soient sans doute largement sous-estimés (le commerce des armes et des diamants figurent rarement dans les statistiques israéliennes), on peut cependant noter que l'ouverture du processus de paix israélo-arabe en 1991 a eu des effets bénéfiques pour l'économie israélienne.

Le plus gros des échanges israéliens se faisant avec l'Afrique du Sud, la discrétion sur les données commerciales réelles entre les deux pays est de mise. L'exploitation qu'en font souvent les Arabes, en rappelant aux Africains qu'Israël est le seul pays au monde qui ait soutenu le régime d'apartheid jusqu'à la dernière minute, ne faisait que nuire aux intérêts israéliens en Afrique. Pourtant, l'arrivée de l'ANC au pouvoir, en 1994, n'a pas fondamentalement modifié les relations entre l'Afrique du Sud et Israël, mais un rééquilibrage politique a été fait en faveur des États arabes, au risque d'irriter l'administration Clinton dont la stratégie consistait à isoler certains États « voyous » du Moyen-Orient.

En se plaçant sur le créneau de la morale, le gouvernement de Nelson Mandela va améliorer ses relations avec la Libye, la Syrie et l'Iran (ce dernier fournit à l'Afrique du Sud 90 % de son pétrole)[26]. C'est un changement significatif de la stratégie sud-africaine, quand on sait que

jusqu'en 1992 Israël était son seul partenaire au Moyen-Orient.

La nouvelle politique sud-africaine au Moyen-Orient

Désormais, le gouvernement sud-africain subdivise le Moyen-Orient en deux zones : le Levant (Israël, Irak, Jordanie, Liban, Palestine et Syrie) et le Golfe arabo-persique (Bahreïn, Koweït, Oman, Qatar, Arabie Saoudite, Emirats arabes unis, Iran et Yémen). C'est cette deuxième zone qui requiert plus d'attention de la part des Sud-Africains.

En mai 1998, un accord de coopération élargie, portant sur l'agriculture, les mines, l'électricité, la construction et le commerce, est signé entre l'Afrique du Sud, le Yémen et l'Arabie Saoudite. En novembre 1998, les députés sud-africains, conduits alors par l'actuel président Thabo Mbeki, se rendent en Arabie Saoudite en vue de renforcer les relations entre les deux pays. L'ex-président Nelson Mandela est le premier invité non arabe au Sommet annuel du Conseil de coopération du Golfe (CCG)[27].

Par ailleurs, si la position israélienne, surtout dans le domaine de la coopération militaire, est solidement établie en Afrique du Sud, elle reste cependant fortement concurrencée, là aussi, par la Russie, deuxième fournisseur, après les États-Unis, des armes classiques vendues dans le monde en 2000 [28]. Pour Moscou, qui cherche activement des débouchés dans le commerce d'armes pour renflouer ses caisses, Pretoria semble être un bon partenaire. Après l'élection de Thabo Mbeki en juin 1999, et l'arrivée de Vladimir Poutine au pouvoir en Russie, en mai 2000, les relations russo-sud-africaines vont connaître un coup d'accélérateur, notamment dans le secteur militaire conformément à

24. The International Institute for Strategic Studies (ISSS) 1994-1995, p. 226 ; Stockholm Peace Research Institute (SIPRI), 1991, p. 254-255.
25. Source : *Statistical Abstract of Israel*, n° 49, Foreign Trade, 1998, p. 8-13.
26. Obiodun Onadipe, « The Evolving Foreign Policy », Londres, *West Africa*, 28 octobre-3 novembre 1996, p. 1673-1674.

27. Le Conseil de coopération du Golfe regroupe Arabie Saoudite, Bahreïn, Emirats arabes unis, Koweït, Oman et Qatar ; *South Africa Yearbook*, Pretoria 1999, p. 187-189.
28. *Africa News Report*, bulletin de l'ambassade des Etats-Unis, 27 août 2001, p. 3.
29. Greg Mills et Sara Pienaar, « Nazdoravya ? Russian-South African defence and technologie ties », in *African Security Review*, vol. 9, n° 4, 2000, p. 82-86.

l'accord de coopération signée entre les deux pays en juillet 1995[29].

Avec un programme de coopération qui s'étale jusqu'à 2010, l'Afrique du Sud s'est donnée comme objectif principal le transfert de la technologie militaire russe pour ses propres industries afin de créer un réel partenariat avec la Russie. Cette dernière compte aussi sur cette coopération pour gagner le marché africain, notamment dans le domaine de l'aéronautique civile et militaire. Et les Arabes entendent bien tirer bénéfice du savoir-faire sud-africain, comme le démontre déjà la coopération entre la Syrie et l'Afrique du Sud.

Les conditions de la paix au Moyen-Orient restant les mêmes (retrait israélien des territoires occupés et création de deux Etats distincts), le succès diplomatique d'Israël en Afrique demeure handicapé par le conflit israélo-arabe. Rappelons tout de même que l'appel à un « Camp David africain » est une initiative qui part d'un constat : le leadership américain au Moyen-Orient n'a pas été synonyme de la paix internationale.

L'échec de la Conférence de Durban est aussi celui de l'intelligence face aux traumatismes et aux frustrations qui, selon les alarmistes, pourraient engendrer le spectre d'un « choc des civilisations ». Mais quoi qu'il en soit, jamais les peuples n'ont autant réclamé justice. Israéliens, Arabes, Africains, ou même Américains, tous réclament – bien que pour des motifs différents – que justice leur soit rendue. En cela, la Conférence de Durban a été une caisse de résonance des frustrations, de ce « mal-vivre de l'Histoire » dont on commence à mesurer les conséquences. Pourtant, l'ONU avait placé l'année 2001 sous le signe du dialogue des civilisations...

—A. B. N.

Juan Goytisolo

Genet et les Palestiniens

Ambiguïté politique et radicalité poétique

Ce texte a été lu par Juan Goytisolo lors d'une rencontre internationale pour un hommage à Jean Genet qui s'est tenue, mi-janvier 2002, à Rabat et à Casablanca au Maroc.
Traduit de l'espagnol par Abdelatif Ben Salem.

La publication d'*Un captif amoureux*[1], peu de temps après la disparition de Jean Genet, fut accueillie par la critique parisienne par un rejet quasiment général. La virulence de certaines attaques contre l'auteur et ses idées subversives se mêlait à une espèce d'ignorance aux vertus protectrices à l'égard d'une lecture déstabilisante. Lorsqu'on passe en revue les comptes rendus signés de quelques stars de la profession, on se rend rapidement compte de leur imposture et impéritie pathétiques : elles n'ont pas hésité à expédier cette œuvre en deux phrases anodines, disqualifiantes, sans prendre la peine de l'examiner pour découvrir sa richesse et en déchiffrer les clés. Mise en présence d'un livre étranger aux canons ordinaires de la littérature, dont la réflexion historique, politique, sociale, culturelle et sexuelle se situe aux antipodes de la sienne, la corporation des critiques a réagi comme elle avait l'habitude de le faire dans des circonstances analogues : elle l'a jeté aux flammes et décrété inintelligible. Devenu une sorte de *monstruosité informe, chaotique, incompréhensible,* ou pieusement catalogué comme une « *œuvre ratée sur la révolution palestinienne* », *Un captif amoureux* fut relégué dans l'oubli où il demeure encore malgré les efforts de quelques auteurs arabes et occidentaux pour l'en exhumer. Rares sont les écrivains qui ont eu l'audace d'affirmer que l'œuvre posthume de Genet était l'une des plus profondes, des plus révulsives et des plus passionnantes qui aient été écrites en français au cours des ces dernières années. Comme Edward Saïd, je continue à croire malgré tout que sa rupture radicale d'avec la norme pseudo-esthétique et commerciale finira tôt ou tard par être comprise et par féconder le champs où dépérit actuellement un large secteur de la littérature.

Un livre sur la révolution palestinienne écrit avant la première et la deuxième Intifada et les défunts accords d'Oslo ? Oui, mais aussi sur bien d'autres choses. Les allusions à celle-là, aussi importantes soient-elles, ne sont qu'un fil subtilement relié à d'autres, qui permet à l'artiste de

---

1. Paris, Gallimard, 1986.

passer à la trame narrative tout en brodant, à la manière d'une tapisserie, les entrelacs de son œuvre. Comme de nombreuses créations littéraires du passé, *Un captif amoureux* est une encyclopédie de connaissances dans laquelle nous retrouvons les thèmes essentiels de l'histoire humaine : une réflexion percutante, toujours insolite sur l'écriture, la mémoire, la société, le pouvoir, l'aventure, le voyage, la révolte, l'érotisme et la mort – celle des protagonistes qui apparaissent dans l'œuvre, mais celle aussi de l'auteur, survenue alors qu'il corrigeait les dernières épreuves de son livre.

Le désarroi initial du lecteur devant cette œuvre, qui n'obéit ni aux lois du genre romanesque ni aux schémas ni aux classifications habituelles, se transmue peu à peu en désir de s'y immerger pour la décrypter et l'assimiler. Comme toute grande création littéraire, *Un captif amoureux* exige une relecture : confus au départ, le lecteur se transforme en relecteur avisé, il ne dispose pas d'un centre précis à partir duquel il entamera confortablement la relecture, mais d'une multiplicité de centres narratifs qui sont simultanément braqués, telles les flèches d'un archer adroit, sur plusieurs cibles à la fois. La terre qu'il foule tremble sous ses pieds comme sous l'effet d'une secousse tellurique. Une écriture mouvante, à saute-mouton, qui bondit d'un sujet à l'autre, où l'auteur – comparé sur le mode burlesque dans de nombreux passages de l'œuvre à un montreur de marionnettes – met à rude épreuve l'agilité de l'esprit du lecteur par des associations d'idées, à première vue étrangères à toute logique mais, dans les faits, intimement liées par un subtil réseau d'affinités secrètes et de comparaisons risquées, où la distance entre les mots semble infranchissable alors qu'elle ne l'est pas : la passerelle verbale tendue par le poète accomplit le miracle de les ajointer.

Comme je l'ai signalé en d'autres occasions, la convergence entre une vie forgée par des expériences exceptionnelles et une accumulation de savoirs chaotiques et difficilement rentables à première vue fit de Genet, au seuil de la soixantaine, une encyclopédie vivante. Durant la période où je l'ai le plus fréquenté, je fus toujours impressionné par l'ampleur et la richesse de ses lectures. Il n'avait pas l'ambition de devenir médiéviste, arabisant ou spécialiste en hellénisme ou en histoire ottomane, mais ses connaissances dans ces matières étaient hors du commun. Les rares livres qui l'accompagnaient dans ses interminables pérégrinations à travers la France, l'Espagne et le Maroc traitaient de thèmes sans le moindre lien apparent avec les causes politiques qu'il défendait : essais sur les Mérovingiens, sur la Révolution française, sur Homère, sur Soliman le Magnifique. Il me souvient d'une longue conversation avec lui sur Abélard et les raisons qui l'avaient poussé à entreprendre une traduction du Coran.

Avec le recul, je pense que cette accumulation de connaissances fort disparates fut une condition préalable à l'élaboration de cette œuvre dans laquelle il a distillé la totalité de son savoir et de son expérience. En m'imprégnant de son livre posthume, j'ai rétrospectivement compris quel avait été le lien caché entre son engagement dans la révolution palestinienne en 1970, ses commentaires sur la jubilation païenne du *Requiem* de Mozart et la mobilité – ce pur nomadisme à travers le temps – du calendrier des fêtes musulmanes.

Un large éventail de thèmes et d'arguments se déploie dans les pages du livre avec cette même cohérence mystérieuse qui structura sa vie ; une vie constituée, comme je l'ai écrit il y a vingt ans[1], d'un réseau complexe d'attractions, de répulsions, d'orbites, de cercles, de tensions, de ruptures : une espèce de système solaire avec ses astres fixes, ses satellites, ses planètes mortes, ses étoiles filantes. Je laisserai de côté les allusions aux aspects directement liés à son intimité : le cimetière de Thiais, sa passion pour la musique, la nostalgie de l'accent des bas-fonds de Ménilmontant, Giacometti, ses cachets de nembutal, « La Mauvaise Prière » de Damia, qu'il nous fit écouter à Monique Lange et à moi, pour nous persuader de sa supériorité sur Edith Piaf.

L'histoire de la plate-forme en ciment armé sur laquelle fut installée une pièce d'artillerie, construite sur les hauteurs d'un fortin à Damas par le fringant conscrit Genet, fraîchement libéré

---

1. *Les Royaumes déchirés*, tome 2 du dyptique autobiographique de Juan Goytisolo, Paris, Fayard, 1988.

d'une maison de correction pour mineurs, je l'ai entendue plus d'une fois de la bouche même de l'auteur. La voyant s'écraser juste après le premier tir d'essai, il eut tellement honte qu'il pensa se suicider, me confia-t-il. Cinquante ans plus tard, le comique de la situation n'est pas sans rappeler un des films de Chaplin. Le séjour de ce « janissaire du colon » en Syrie « pacifiée » par le tristement célèbre général Gouraud (« pacificateur », quinze ans plus tôt, du Maroc) n'est nullement anecdotique. Le parallèle tracé entre les ruines de Damas et celles de Beyrouth en 1982, après le siège impitoyable imposé par l'armée de Sharon, met effectivement à nu l'imposture de la prétendue « paix retrouvée » et pointe l'écrasante responsabilité de l'Occident dans le drame sans fin du Proche-Orient et du peuple palestinien tout particulièrement.

Certains passages du livre, comme la description minutieuse d'une procession de la Vierge des Kataëb libanaises ou des célébrations en l'honneur de Marie Mère de Dieu de l'abbaye de Montserrat nous paraissent comme de simples digressions alors qu'ils vont s'imbriquant dans la trame de l'œuvre ; d'autres, en même temps qu'ils expriment l'ironie mordante de Genet, servent de mur de soutènement sur lequel repose la structure de son édifice.

Les brèves apparitions de l'auteur dans l'univers des nantis et l'observation de leurs pompes et rituels, jouent quant à elles le rôle de contrepoint au monde des ghettos et des camps palestiniens considérés à distance, comme s'il s'agissait d'images sur papier glacé telles qu'on peut en voir dans les magazines luxueux destinés à la *jet-set*. Le lecteur ne manquera pas de savourer la lecture de la conversation de Genet avec la charitable épouse du président de la Banque mondiale (cette conversation m'en rappelle une autre, qui eut lieu en ma présence, avec l'épouse d'un ancien président du gouvernement français, amie de Monique Lange) ; ou bien la description de ces dames de l'aristocratie libanaise et palestinienne qui, tout en gardant un œil ouvert sur les horreurs de Sabra et Chatila, maintiennent l'autre rivé sur les cours de l'or et les cotations de la monnaie américaine ; ou encore les considérations sur ces fauteuils de style Louis XXVI

tapissés de velours grenat, aux accoudoirs dorés, dont raffolent les élites arabes du Golfe à l'Océan.

Sa satire la plus cruelle et féroce contre le pouvoir et ses trompe-l'œil est sans conteste celle de la scène où il décrit la réception offerte dans un grand hôtel de Jordanie en l'honneur des membres du corps diplomatique accrédité à Amman. Le poète déserteur, chantre du vol, de la prostitution, de l'homosexualité et captif amoureux de la cause palestinienne, assiste, vautré dans un canapé du hall d'entrée, à la fouille stricte et impitoyable des ambassadeurs et ministres plénipotentiaires aux poitrines couvertes de médailles et des décorations – décrites comme des plaques étincelantes ou des crachats onctueux – par deux solides gaillards, aux moustaches bien fournis, de la sécurité nationale, dans un spectacle digne du *Balcon* dans l'inoubliable représentation qu'en a donné Peter Brook. Le pelotage de l'attaché militaire français culmine sur un hymne chanté, très à la Genet, en hommage à la beauté des policiers moyen-orientaux « *donnant par gestes souvent très verts, l'ordre de se baisser, de tendre les fesses, de lever les bras latéralement à des grands hommes d'Europe et de l'univers* ».

Les associations d'idées – leur apparition inespérée les unes après les autres – déconcertent souvent le lecteur. La logique narrative de Genet est singulière ; elle est à l'image de celle qui structura sa vie, de l'orphelinat jusqu'à sa tombe dans le vieux cimetière espagnol d'al-'Araich. Tenter de lui trouver une parenté avec celle qui préside habituellement aux destinées des livres « normaux » serait un exercice voué fatalement à l'échec. Ses ruptures et comparaisons sont les signes révélateurs d'une profonde cohérence, pour peu que nous ne les envisagions pas isolément mais à la lumière d'une lecture attentive. J'essayerai d'égrener pour la gouverne des marins quelques exemples tirés de cette singulière façon d'écumer les mers.

1. D'une apparente digression sur l'invention du langage maritime à partir des *finis terrae* connues depuis le XVe siècle et sur la relation fascinante qu'il cultivait avec les profondeurs océanes, Genet passe à la description du contrô-

leur qui poinçonne les billets et avance en titubant à cause du balancement du train dans les tournants montagneux du Tyrol, et de ceux-ci, à une réflexion sur la topographie d'Amman et de ses sept « nobles » collines habitées par les courtisans et les bourgeois et sur les profondeurs abyssales où s'entassent les réfugiés palestiniens, dans lesquelles on peut, à partir d'un balancement semblable à celui du wagon ou du mouvement de tangage d'un navire, plonger sans combinaison sous-marine comme une espèce de scaphandrier de terre ferme. Les phrases se mêlent à des images surprenantes évoquant parfois un Lezama Lima, mais sans toutefois le baroquisme délibéré de l'auteur cubain.

2. L'épisode du marchand des quatre-saisons d'une ruelle adjacente à la tour de Galata, qui fait léviter, au grand étonnement et plaisir des badauds, une orange, au moyen d'un invisible fil de nylon, renoue quelques pages plus loin avec la légende de la cellule conçue par Dieu à l'usage exclusif de sainte Isabelle reine de Hongrie, cellule elle aussi invisible aux yeux de son époux et de toute la Cour, où elle s'enferme comme dans une sorte de bulle de sainteté. De lévitations en bulle et en fil de nylon, Genet nous mène au récit de la tentation à laquelle il résista dans les environs enchanteurs des rivages d'Anatolie, quand le démon jamais exorcisé du goût de la possession lui bâtit mentalement un intérieur idéal de repos et de retraite, avec ses couloirs, ses chambres, ses meubles, ses miroirs, ses jardins et ses arbres fruitiers. La découverte de porter en soi-même sa maison et ses meubles « *était assez humiliant pour un homme qui* [comme lui] *resplendit une nuit de sa propre aurore intérieure* », écrit-il. Ainsi donc, de fil en aiguille, de détours en mirages, d'invisibilité en miracle de lévitation, Genet nous conduit vers l'un des plus beaux et des plus puissants passages du livre : l'exposé de cet idéal de dépossession qui aimanta sa vie, la rigueur ascétique, proche dans son versant provocateurx de la morale du derviche *malâmî*.

Le spectre ou la bulle du domaine immobilier qui l'ont hanté en Turquie disparut à jamais :

« *Depuis longtemps contre moi-même*
et le goût de possession, j'avais guerroyé

au point de réduire les objets aux seuls vêtements qui étaient sur moi, à un seul exemplaire, crayons et papiers étant alors cassés, déchirés, jetés, l'univers des objets découvrant le vide s'y précipita... les objets sans doute séduits et apaisés cessèrent de me martyriser. »

D'Antioche, Genet vint à Alep, d'Alep à Damas, puis à Amman. Enfin à la base des feddayins.

3. L'hymne à la joie du *Requiem* de Mozart, écrit-il, convertit le temps de l'agonie – l'effroi de perdre le monde pour se retrouver dans le vide immense que toutes les religions comblent de visions eschatologiques plus ou moins délicieuses et horribles – en une explosion de joie. Genet quitte alors « *les ingrates politesses du quotidien afin de monter, pas descendre et monter, à la lumière* », à cette lumière éclatante de la « *liberté osant tout* ». Ensuite, renouant avec la joie et la fulgurance mozartiennes du *Dies irae* et de la huitième mesure du *Lacrimosa*, il nous gratifie d'une inespérée et tout aussi provocatrice comparaison entre les transsexuels et les martyrs palestiniens.

« *Quand décide le jeune garçon, après des longs jours d'inquiétude et de perplexité, de changer de sexe, selon le mot assez horrible de transsexuel, alors que sa décision est prise une joie l'envahit à l'idée du sexe nouveau, des deux seins qu'il caressera réellement [...] Quitter la démarche virile abhorrée mais connue, c'est laisser le monde pour le carmel ou la léproserie, quitter l'univers du pantalon pour celui du soutien-gorge, c'est l'équivalent de la mort attendue mais redoutée et n'est-ce pas comparable au suicide afin que les chœurs y chantent le Tuba-mirum ? Le transsexuel sera donc un monstre et un héros, un ange aussi car je ne sais si quelque homme se servira une seule fois de ce sexe artificiel. La terreur commencera par la résistance des pieds refusant de diminuer : les chaussures des femmes, talon aiguille pointure 43-44 sont rares, mais la joie couvrira tout, elle et la gaieté. Le* Requiem *dit cela, joie et crainte. Ainsi les Palestiniens, les Chi'ites, les fous de Dieu qui se précipitaient en riant vers les Anciens des cavernes et les escarpins dorés du 43-44 se virent sauter avec mille éclats de rire en avant, mêlés au recul farouche des trombones. Grâce à la joie dans la mort, ou plutôt dans le nouveau, contraire à cette vie, malgré les deuils, les morales furent en panne. Joie du transsexuel, joie du* Requiem, *joie du kamikaze... joie du héros. »*

Est-il question, dans ce paragraphe, d'éloge de terrorisme et de kamikazes fanatisés ? La réponse est d'emblée affirmative. Dans de nombreux entretiens et textes réunis après sa mort (*L'Ennemi déclaré*, Paris, 1991), Genet prétend en effet que les attentats (suicides ou non) constituent une réponse des pauvres et des opprimés aux puissantes armées de l'oppresseur. Avec cet argument il justifia l'action des Panthères noires, des feddayins et, avec une grande témérité, de la Fraction armée rouge du groupe Baader-Meinhof. Or le terme « terroriste » plaqué sur des réalités et des contextes différents peut se prêter à des comparaisons et à des interprétations tout aussi erronées et opportunistes les unes que les autres, comme celle entre l'ETA et les Palestiniens ou les indépendantistes tchétchènes. Amnésiques que nous sommes, il suffirait de regarder en arrière pour se rappeler que les combattants du FLN algérien avaient recours à l'arme de la terreur, tout comme les fondateurs de l'Etat d'Israël, qui firent usage du terrorisme, non d'Etat comme celui de Sharon aujourd'hui, mais de terrorisme tout court et ce, jusqu'au jour où ils atteignirent leur objectif de créer un foyer national juif. Nous avançons effectivement sur un terrain glissant et les précautions dont nous nous entourons dans l'emploi de ce mot ne sont jamais de trop.

D'un autre côté un mot tel que « héros » est quelque peu ambigu sous la plume de Genet (l'auteur des *Nègres* ne l'avait-il pas brocardé toute sa vie ?). La séquence rapide des changements sémantiques que nous venons de citer se termine du reste par une question très révélatrice : « *aurait-il* [le héros] *connu la béatitude du vertige suicidaire s'il n'avait eu comme Hamlet un public et une réplique ?* »

(A l'évidence Genet ne pouvait prévoir qu'un tel vertige mettrait en scène, en direct le 11 septembre 2001, et au prix de milliers de victimes, son apothéose destructrice devant des centaines des millions des spectateurs.)

« *La difficulté*, a dit un jour Genet, *c'est la courtoisie de l'auteur avec le lecteur.* » Cette phrase m'a profondément marqué, je l'ai souvent citée à propos de mon travail ou celui des écrivains que j'admire. Quoi qu'il en soit, elle semble avoir été taillée sur mesure pour un livre que Genet n'écrira que quelque vingt années plus tard.

Un captif amoureux est une œuvre d'accès difficile, obscure si l'on veut, mais jamais opaque. Sa relecture l'illumine de cette lumière intérieure qui perdure, celle de l'astre solaire et non celle du reflet d'une étoile lointaine et probablement morte. Le lecteur destinataire de cette courtoisie se doit de rendre rigoureusement la pareille sans se laisser décourager par les fréquents changements de direction et les virages abrupts. Ce n'est pas par hasard que le testament poétique et humain de Genet jouit du triste privilège d'être l'une des œuvres littéraires les plus mal lues de son siècle.

Dans de nombreux passages, l'auteur nous explique les raisons de son engagement aux côtés des Palestiniens. Même si à un moment donné il nous dit qu'il « *avait accueilli leur révolte comme l'oreille musicale reconnaît la note juste* », des nuances et des énoncés postérieurs en viennent à brouiller quelque peu la netteté de cette déclaration. Comme nous le verrons plus loin, le parallélisme tracé entre le dénuement dont sont victimes les Palestiniens (« *n'oublions pas qu'ils ne possèdent rien : ni passeport, ni nation, ni territoire, et s'ils exaltent tout ceci et aspirent à sa réalisation c'est parce qu'ils n'en voient que leurs ombres* ») et celui qu'il recherche pour lui est étroit, mais il n'épuise pas entièrement l'ensemble des raisons plus ou moins obscures que Genet nous dévoile à mesure qu'on pénètre plus avant dans la lecture de son œuvre.

En prenant conscience, dès son arrivée en Jordanie, de la réalité du combat disproportionné qui oppose les Palestiniens à la formidable machine de guerre israélienne, Genet s'avise de la présence de « bases Potemkine », de défilés de « lionceaux » équipés de fusils dérisoires et de simulacres destinés à masquer la faiblesse de leur mouvement. Poser pour les objectifs des photographes japonais et occidentaux, observe-t-il, c'est opter pour le lieu commun et le cliché qui conviennent à la presse à sensation et aux tabloïds à grand tirage : « *leurs gestes* [des feddayins] *risquaient de manquer d'efficacité à cause de cette loi théâtrale : La répétition pour la représentation* ».

Genet n'est ni journaliste, ni écrivain en quête de *scoop* (quoiqu'il écrivît un texte bouleversant sur les massacres de Sabra et Chatila). Sa réflexion à propos de ce théâtre symbolique, mais avec des morts réels, ressemble à celle du Genet auteur d'œuvres telles que *Les Bonnes, Le Balcon* et *Les Nègres*, où la parodie, les jeux de miroir, l'absence de distinction entre rêve et réalité et la volonté de se servir de l'ensemble de ces artifices pour retourner les fondations de l'ordre du monde, jouent un rôle essentiel. En acceptant l'invitation d'un séjour en Palestine, c'est-à-dire à l'intérieur d'une fiction – puisque la Palestine réelle se trouve dans les territoires occupés – Genet, qui s'autodéfinit, souvenons-nous, comme *spontané simulateur*, se demande si en apportant sa « *fonction de rêveur à l'intérieur du rêve* » il n'ajoutera pas, d'une certaine façon, un élément de plus au processus de déréalisation de la cause qu'il défend : « *N'étais-je pas l'Européen qui au rêve vient dire : Tu es un rêve, surtout ne réveille pas le dormeur ?* » L'auteur – pas plus que Calderón ou Shakespeare – ne trouve pas de réponse à sa vie rêvée mais il approfondit la réflexion à son sujet, à partir de son appartenance à une nation, de son déracinement qu'il veut définitif par rapport à la France et à l'Europe et du rêve révolutionnaire palestinien, bien que sa foi en lui, précise-t-il, n'ait jamais été totale et qu'il ne s'y soit jamais entièrement livré.

Un captif amoureux n'est pas un livre de souvenirs. Tout en réfléchissant sans cesse sur son propre travail, Genet nous met souvent en garde contre les pièges de la mémoire et de l'écriture. Non seulement il nous indique les dates de sa composition, mais il nous renseigne aussi sur le processus de rédaction de l'œuvre que nous tenons entre nos mains. Bref, il nous livre à la fois le produit final et les différentes phases de son élaboration.

Les questions et les doutes qui le submergent : le narrateur, tout narrateur, est-il fiable ? peut-il embrasser par écrit toute la réalité ? comment restituer le langage parlé, le ton d'une conversation et le timbre d'une voix à travers les filtres de la mémoire ? n'ont apparemment pas de réponses. En construisant et en déconstruisant ses souvenirs des camps palestiniens et sa fascination pour le couple formé par Hamza et sa mère, il constate que sa relation des faits ne reproduit pas les voix de ceux qui émergent des pages, mais exclusivement la sienne propre. « *Comme toutes les voix,* écrit-il, *la mienne est aussi truquée.* »

Le livre que les dirigeants palestiniens réclamaient depuis déjà 1970 – Genet a relaté à ses amis cette brève conversation qu'il eut avec Arafat : « — *Quand est-ce que votre livre sera prêt ?* — *Quand vous ferez enfin votre révolution !* » – ne répond pas, à l'évidence, à ce que l'on est en droit d'attendre d'un militant tiers-mondiste, c'est-à-dire à un livre conforme à un schéma et à des conclusions établis d'avance : c'est celui d'un homme qui fait ses adieux au monde après s'être débarrassé de la nostalgie d'un ordre médiocre, du confort, de la pensée correcte, de l'appartenance nationale ; d'un homme qui se situe volontairement dans l'espace d'une région morale frontalière où « *la totalité d'une personne humaine, en accord ou en contradiction avec elle-même, s'exprime avec une meilleure ampleur* ». Laissons cependant la parole à Genet, dont la provocation morale et politique ne se situe pas, loin s'en faut, à l'échelle des faits décrits, comme l'avaient cru à tort les croque-morts empressés de l'œuvre – des dizaines d'auteurs justement indignés par la spoliation cruelle des Palestiniens ont déjà réalisé ce genre de travail – mais dans l'espace d'une écriture qui se convertit grâce à sa provocation en *corps du délit*.

« La forme que j'ai donnée dès le commencement du récit n'eût jamais pour but d'informer le lecteur de ce que fut la révolution palestinienne. La construction même, l'organisation, la disposition du récit, sans vouloir délibérément trahir ce que furent les faits, arrangent la narration de telle sorte qu'apparaîtra probablement que je fus le témoin peut-être privilégié, ou l'ordonnateur ?... Mais tant de mots afin de dire : ceci est ma révolution palestinienne récitée dans l'ordre que j'ai choisi. A côté de la mienne il y a l'autre, probablement les autres... Vouloir penser la révolution serait l'équivalent, au réveil de vouloir la logique dans l'incohérence des images rêvées. »

Les spectres des feddayins morts peuvent-ils parler ? Ou bien est-ce lui qui les transforme en marionnettes, tirant chaque fois sur les ficelles pour leur faire remuer les lèvres ?

Lorsque Genet s'installa pour « quelques jours » – qui se sont prolongés en quelques mois – dans les bases de guérilla palestinienne en Jordanie, il était au seuil de la vieillesse. Son éloignement de l'Europe s'est mué en rupture qu'il voulait définitive. La France n'est plus que « le lointain souvenir » de sa prime jeunesse : ce déracinement graduel lui fit découvrir d'autres voies. Nous savons qu'il fut heureux en Grèce dans les années cinquante ; ensuite au Japon, puis au Maroc, et enfin avec les Panthères noires. L'instinct vagabond qui le guidait, comme moi, vers les quartiers populaires et les fourmilières humaines des grandes métropoles, était-ce le même qui guida ses pas telle une boussole jusqu'au sanctuaire frêle et menacé des feddayins ? Au cours de son séjour en Turquie, flanqué d'un beau gaillard, il vit *« la distance qui séparait le vagabond que j'étais alors et le gardien d'un ordre que je risquais de devenir si je me laissais aller à la tentation de l'ordre et du confort qu'il assure. De temps en temps je devrai revenir sur le combat à mener contre les sollicitations... des révoltes où la poésie très visible dissimule, presque imperceptible encore, des appels au conformisme ».*

Ici, une paranthèse s'impose : même si mon immersion dans *Un captif amoureux* laisse de côté les pages dédiées au mouvement des Panthères noires, je ne peux malgré tout passer sous silence son importance dans la vie de Genet. Au milieu de ces militants décimés, incarcérés ou récupérés des années plus tard par le système, l'auteur connut une certaine forme de bonheur érotique, mais pas uniquement, qui a préfiguré celui qu'il connaîtra parmi les feddayins. « *Les* Black Panthers *avaient, au lieu d'un enfant, découvert,* écrit-il, *un vieillard abandonné, et ce vieillard était un blanc.* » Un bref retour sur la biographie de Genet – orphelinat, délinquance juvénile, vol, prostitution, maison d'arrêt – nous aide à comprendre l'expérience poético-morale qui précéda celle qu'il vécut avec les Palestiniens, expérience déterminante dans la résolution du dilemme qui le tracassait et que nous avons exposé plus haut.

« Je réalisais là probablement [avec les Panthères] *un très vieux rêve enfantin, où des étrangers – mais au fond plus semblable à moi que mes compatriotes – m'ouvriraient à une vie nouvelle. Cet état d'enfance, et presque d'innocence, m'avait été imposé par la douceur des Panthères... Or, déjà vieillard, redevenir un enfant adopté était très agréable puisque c'est grâce à cela que je connaissais une véritable protection et une éducation affectueuse. »*

Le temps qu'il passa en compagnie des Panthères noires – adopté et protégé par *elles* – fut, aux dires de Genet, une preuve supplémentaire de l'interprétation erronée et constante de sa vie et de son œuvre, même si les affinités qui les unissaient s'expliquaient tout aussi bien par la provocation et le radicalisme (le projet de terroriser leurs anciens maîtres avec les seules armes dont elles disposaient : étalage de violence, mise en scène de simulacres avec armement et uniformes, menace implicite de leur vigueur sexuelle) que par le fait que leur mouvement, un acte de révolte en grande partie poétique, n'était qu'un *« rêve flottant par-dessus l'activité des blancs* ». Une fois de plus, Genet ne faisait que vivre à l'intérieur de son propre rêve : dix ans après sa représentation par Roger Blin dans un théâtre parisien de la Rive gauche, le jeu de masques des *Nègres* était joué à ciel ouvert dans toute l'Amérique blanche.

Dans son œuvre aussi bien qu'au cours des ses conversations privées, Genet a toujours évoqué les prisons par lesquelles il est passé comme des refuges maternels et la cristallisation de ses rêves érotiques. Trois décennies plus tard il connaîtra pour un temps, dans les bases de la guérilla palestinienne en Jordanie, le même « *bonheur de vivre dans une immense caserne* ». Les Palestiniens n'ont ni patrie, ni terre, ni foyer : ils en furent dépossédés au nom d'un rêve qui ne leur appartient pas. Leur révolte contre les puissants de ce monde – Etats-Unis, Israël et les régimes réactionnaires arabes – lui rappelait la sienne contre l'ordre établi et ses gardiens omniprésents. Ils étaient eux aussi criminalisés, comme le délinquant qu'il fut, par l'opinion publique conformément à l'équation Palestinien = terroriste.

A Irbid, les feddayins n'ont pas reproduit seulement une image approximative de ses fantasmes : ils en étaient l'incarnation mirifique. L'innocence absolue de sa séduction – exception faite du cas du Soudanais Moubarak – exclut toute manifestation d'érotisme, comme si la réalisation brutale de ses désirs abolissait leur réalité intérieure. Comme dans une récente rétrospective de Picasso, nous passons du sexe cru et parfois brutal de *Notre-Dame des Fleurs* et du *Journal de voleur* à un voyeurisme apaisé et réflexif débarrassé de tout besoin de possession.

Les portraits croqués par Genet de certains protagonistes du livre nous remémorent ceux des truands et des criminels reclus de ses romans écrits quarante ans plus tôt : Abou Qassim – dont l'immédiateté « *radioactive* » le soumet, dit-il, à un « *constant bombardement de particules* » –, disparu à l'âge de vingt ans au cours d'une opération dans les territoires occupés, Ali, fugace en sa beauté et sa gloire, simple éclair l'instant d'un sourire allumé sur l'ébauche noirâtre de la lèvre supérieure et du menton...

Un captif amoureux nous propose une magnifique galerie de portraits, brossés par touches successives ou d'un seul coup de pinceau, de personnages attachants et intenses qui disparaissent soudain du récit pour resurgir deux ou trois cents pages plus loin, en achronie perpétuelle, ennoblis par la mort et l'inexorabilité du destin.

La description du lieutenant Moubarak et ses rapports avec le narrateur, empreints de séduction-aimantation par la figure nègre aux joues barrées de scarifications rituelles, par l'accent argotique de quartiers parisiens de mauvaise vie et par sa façon de parler français à la Maurice Chevalier, demanderait un développement à part dans la mesure où elle cristallise l'ambiguïté de Genet : le truand et le révolutionnaire, le héros et le farceur. Mais il faudra le laisser pour une autre occasion.

L'autoportrait de l'auteur esquissé en filigrane le long du livre est celui d'un Genet saisi dans toute sa déconcertante complexité : mélange de rêve éveillé et de raison ; de révolte permanente contre l'ordre du monde et de conscience d'un nihilisme théâtral face au néant de la mort. « *Encore charmé pas convaincu, séduit pas aveuglé, je me conduisais plutôt en captif amoureux* », écrit-il.

Les évocations de la procession de la Vierge des Kataëb libanaises et de l'abbaye de Montserrat constituent les premiers fils d'une toile complexe d'allusions – qui prendra plus tard tout son sens – aux statues carolingiennes, à Michel-Ange et aux Piétas du Baroque où la mère de Dieu apparaît toujours plus jeune que le Fils mort allongé sur ses genoux : l'amour des artistes et les polissants baisers de générations et de générations de fidèles accomplissent le miracle d'un rajeunissement bien plus efficace et durable, note Genet, que celui réalisé de nos jours par la chirurgie plastique. « *Le titre de Mère de Dieu décerné à la Vierge oblige à se demander l'ordre chronologique des parentés humaines correspondant au divin, par quels prodiges ou quelles mathématiques la Mère vint après son Fils, mais précédant son propre Père ? Ce titre et cet ordre de valeurs sont moins mystérieux quand on songe à Hamza.* »

Ici, les associations d'idées s'éclairent, les différentes pièces du casse-tête se remettent chacune à sa place.

Lorsqu'en plein mois de Ramadan, la répression sanglante déclenchée par l'armée du roi

Hussein s'abat sur les guérilleros palestiniens, Genet se trouve sur une base militaire tout près d'Irbid. Un responsable de l'OLP le confie alors à un jeune *fida'i* afin qu'il l'héberge pour la nuit. Hamza l'emmène chez lui, dans l'un des quartiers qui ceinturent la ville. Après avoir traversé une courette, ils pénètrent dans une modeste maison où une Palestinienne d'une cinquantaine d'années, fusil sur l'épaule, les accueille le sourire. « *C'est un ami, dit Hamza à sa mère. Un chrétien qui ne croit pas en Dieu.* » « *Bien ! S'il ne croit pas en Dieu il faudra alors lui donner à manger.* » Lorsque le jeune Hamza part en opération militaire (il sera plus tard détenu et torturé par les redoutables *moukhâbarât* jordaniennes), la mère prendra soin de Genet ; elle entrera dans la pénombre de la pièce et posera sur sa table de chevet, pendant qu'il fait semblant de dormir, un plateau contenant une tasse de café et un verre d'eau. Cette nuit, veille de son départ forcé d'Irbid, devint sa *Laylat al-qadr*, ou Nuit du Destin des musulmans, qui correspond au vingt-septième jour du mois de Ramadan.

Après son départ de Jordanie, l'image de Hamza avec sa mère – d'un Hamza dont la silhouette se découpe sur le fond immense, aux proportions quasiment mythologiques de la mère le poursuit avec ténacité jusqu'à la composition de l'ouvrage, écrit-il. L'estampe de la *mater dolorosa* – de la mère et du fils qui, conscients de leur vulnérabilité, veillent toujours l'un sur l'autre – prendra dorénavant valeur de symbole de la révolution palestinienne. Cette association énigmatique livre cependant une autre clé plus révélatrice encore, et plus intime : « *Par une nuit* […] *un vieil homme plus vieux qu'elle devint le fils de la mère. Plus jeune que moi, elle fut ma mère sans cesser d'être celle de Hamza.* » Plus surprenant pour le lecteur de Genet : le parallèle inespéré et véritablement déstabilisant entre le couple Hamza/sa mère (et subsidiairement le couple auteur/mère de Hamza) et le couple Piéta/crucifié, qui trouve son origine, nous dit Genet, dans une rêverie d'enfance qui s'installa en lui « *au point d'y vivre une vie autonome, tellement libre qu'un organe envahisseur, un fibrome multipliant son audace et ses pousses,*

proche de l'ordre de la vie animale ou de la végétation des tropiques ».

Au moment où il rédigeait ce livre chargé d'allusions obscures au mal, Genet était atteint d'un cancer de la gorge et souffrait des effets de la chimiothérapie ; cependant, l'attraction de l'Étoile polaire de Hamza et sa mère – et en même temps celle de Genet – ne s'atténua que le jour où il revint à Irbid pour vérifier, quatorze années plus tard, la réalité de son rêve : déjà vieillie, la femme se souvient à peine de lui mais lui donne le téléphone de Hamza, qui, désormais n'est plus *fida'i* mais ouvrier immigré en Allemagne.

Au cours de cette « froide nuit » qu'il emporta à tout jamais avec lui, Irbid, le refuge maternel d'Irbid et cet amour, dont le « *rayonnement, sa puissance radioactive, s'était élaboré pendant des millénaires* », jettent rétrospectivement une lumière nouvelle sur la totalité de l'œuvre de Genet.

Quand, quelques mois après le suicide de son ami Abdallah, Genet m'annonça sa décision irrévocable de se suicider, Monique Lange eut l'idée de parler à Sartre pour lui confier notre désarroi et notre émotion. « *Vous ne savez pas ce que c'est que vieillir* », lui dit le philosophe. Genet non plus ne le savait peut-être pas encore – plutôt que la vieillesse, c'est un sentiment de culpabilité qui provoqua cette fêlure dans sa vie – mais le fardeau écrasant de la mort ne l'a pas pour autant abandonné. Dans de nombreux passages du livre, il parle en effet de lui d'une manière posthume, comme d'un non-lieu, ou de cet « *escadron compact* » du royaume des ombres, comme disait José Angel Valente : « *à l'intérieur de moi reposait le mort que j'étais depuis longtemps* », « *les souvenirs auxquels je fais allusion sont peut-être les ornements dont se pare mon cadavre* »... « *C'est avec le silence ou la rhétorique, dit-il, qu'on peut répondre à un mort* » : celui qui sacrifie sa vie pour une cause en accomplissant un acte héroïque mériterait une stèle funéraire qui couvrirait et déréaliserait l'action qui provoqua son mutisme définitif. Autrement dit, la mort ou la disparition, dans des circonstances obscures, des feddayins de qui il se sentit captif amoureux, lui renvoyaient l'image brutale de ce qu'il considérait comme le simulacre cruel de sa propre destinée. Une constante exigence de se remettre en question l'incitait à considérer sa vie entière comme étant un ensemble composé « *de gestes sans conséquences, subtilement boursouflés en actes audacieux* » :

> « *Ma stupeur fut très grande quand je compris que ma vie* [...] *n'était qu'une feuille de papier blanc que j'avais, à force de pliures, pu transformer en un objet nouveau que j'étais peut-être le seul à voir en trois dimensions, ayant l'apparence d'une montagne, d'un précipice, d'un crime ou d'un accident mortel.* »

Une fois la tentation du confort moral et matériel définitivement éludée, et sentant poindre intérieurement la mort, il s'est mis en droit d'affronter celle de la gloire et du désir de transcendance. Sa répugnance à la reconnaissance mondaine – qui contrastait magnifiquement avec la souplesse servile de tant d'échines dans les petits mondes littéraires que j'ai connus au cours de ma vie – était, est toujours le modèle par rapport auquel j'ai essayé d'accorder avec plus ou moins de bonheur ma conduite, au point d'avoir réussi à en faire une espèce de seconde nature. Aucun honneur, aucune récompense, aucun hommage ne valent pour moi une seule minute de ce bonheur éphémère qui illumina, dans d'autres circonstances et avec des gens très différents, mon cheminement de par le monde, d'une lumière semblable à celle que trouva Genet parmi les combattants palestiniens. La fascination de l'exemplarité posthume à laquelle il fut confronté nous renvoie au paradoxe que j'ai signalé lors de ma visite à sa tombe dans le vieux cimetière d'al-'Araich : celui d'une réflexion quasiment mystique sous la plume d'un athée.

> « *Il n'y a probablement pas d'homme qui ne désire devenir fabuleux, à grande ou réduite échelle. Devenir un héros éponyme, projeté dans le monde, c'est-à-dire exemplaire donc unique, puissant, parce qu'il procède de l'évidence et non du pouvoir... [comme] cette image détachée de*

> *l'homme, ou du groupe, ou de l'acte, qui fait dire qu'ils sont exemplaires.* »

Or le désir de cette image définitive, capable de précipiter l'être humain dans l'annihilation de soi, ne peut être prémédité sans qu'elle ne coure le risque de se convertir en imposture. Genet le savait et il contourna de son vivant le piège de « l'immortalité » dans lequel furent précipités bon nombre d'« immortels » ironiquement réduits, après leur mort, au néant d'un oubli juste et mérité. Genet mort, il est déjà exemplaire en cela qu'il fut unique. Sa vie et son œuvre se confondent en une aventure dont le radicalisme moral et littéraire brille de tous ses feux, sans jamais s'éteindre. La solitude des morts, avait-il écrit à propos de Giacometti, « *est notre gloire la plus sûre* ».

—J. G.

lettres arabes

Adel
Saïdane

La guerre des criquets

Le chapitre que nous publions ci-dessous est extrait d'un roman intitulé *Hârat al-Sûfahâ'* (Quartier des gueux) *ou Les événements extraordinaires de la vie de Râs al-Ghûl*. Le protagoniste principal en est un homme qui a moisi des années durant dans une carrière militaire sans éclat et qui, à la fois par le plus simple des hasards et par la ruse, fut propulsé au sommet du pouvoir. Le « personnage » d'Abou Qays est un singe, mais un singe pas comme les autres...

Adel Saïdane est le pseudonyme d'un écrivain tunisien résidant à l'étranger. *Hârat al-Sufahâ'* doit paraître en arabe chez Al Kamel Verlag, Manshûrât al-Jamal, Cologne, en 2002.
Traduit de l'arabe par Abdelatif Ben Salem.

« Comment l'âme décharge ses passions sur des objets faux, quand les vrais lui défaillent. »
Montaigne

Quand il prit la décision d'en finir une fois pour toutes avec les criquets, il s'adressa au peuple, se tourna en direction du sud, pointa son index vers le vaste horizon, ensuite rugit comme qui éructe dans un baril en aluminium vide : « Tu es barrage et je suis barrage, qui de nous deux emportera l'autre ? »

Roulement de tambour, clameur, acclamations frénétiques de la foule massée à l'entrée sud de la ville. Toutes les activités cessèrent, on n'entendait plus que des hurlements, des youyous, des bêlements, des aboiements de chiens. Bref un tel vacarme qu'on aurait cru entendre sonner les trompettes du Jugement dernier.

C'était le coup de départ de l'année des criquets et de la réforme de la rhétorique officielle.

Son Excellence fut donc amenée à renoncer temporairement aux polémiques sur la langue et la littérature pour se consacrer exclusivement à la supervision directe et personnelle des batailles qui allaient être livrées afin de repousser l'invasion des criquets qui déferlaient sur la frontière sud-ouest du pays.

Elle aimait beaucoup s'imaginer en train de passer en revue les bataillons de soldats impeccablement alignés, mettre les dernières touches aux plans des batailles, placer l'armée en ordre de combat, organiser l'assaut, ordonner le repli, inventer des tactiques d'attaques surprises et coordonner le ballet aérien des hélicoptères équipés d'engins d'épandage, capables d'anéantir en un rien de temps les nuées compactes des criquets en plein ciel.

A la nuit tombante, juste après le dîner, Elle reçoit les congratulations pour Ses victoires bénies, arrachées grâce à des plans militaires conçus avec clairvoyance et rigueur contre les déferlantes d'escadrilles de criquets, qui le matin obscurcissaient le ciel du pays et, le soir, en étaient chassés. Après quoi, Elle entame une nouvelle tournée d'inspection, passant en revue quelques régiments d'infanterie, Elle décore les pilotes en leur expliquant la mission du lendemain ; parfois, Elle rectifie sur leur recommandation les petites erreurs qui auraient pu contrarier l'application du plan de la veille. Une fois Son devoir accompli, Elle rend grâce à Dieu et se répand en éloges sur Son génie, bénissant l'Académie militaire qui a permis l'efflorescence de tant d'énergies créatrices enfouies en Elle, ensuite se réfugie dans le PC mobile de renseignement, entièrement informatisé, pour se prélasser et prendre quelque plaisir à écouter les strophes enflammées des bardes des bourgs et des villages voisins, venus Lui transmettre les sentiments de joie des habitants et Lui apporter la preuve de leur soutien à Sa marche triomphale contre les criquets. Ceux-là seront décorés de la médaille en fer blanc de l'ordre de la République. Elle ordonne qu'en plus on leur remette des récompenses en nature, de la semoule pour eux et du fourrage pour les mules et les bourriques afin qu'ils retournent chez eux, dans leurs villages disséminés dans la montagne, en paix et en sécurité.

Elle aimait promener longuement son regard sur la foule des fellahs venus acclamer Son convoi solennel par des manifestations d'allégresse, renouvelant ainsi leur indéfectible loyauté envers Sa personne. Elle affectionnait les voir tous réunis autour d'Elle : femmes, hommes, enfants, bovins, ovins, caprins, avis, tout ce qui, pour ainsi dire, marche, rampe, volette ou sautille sur terre. Les journées de Son Excellence s'écoulaient alors en processions et marches militaires grandioses, périlleuses, par monts et par vaux : une longue théorie de blindés, de véhicules tout-terrain, de half-tracks, de canons, de camions de retransmission télévisée et de caravanes médiatiques dotées de caméras *high-tech* ; tandis que Ses soirées tournaient en véritables réjouissances populaires où les joutes poétiques, ponctuées de mélopées, le disputaient en ferveur aux cérémonies de décoration et remise de récompenses. Abou Qays ne cessait quant à lui de L'inciter à faire preuve de munificence dans les distributions de médailles. Alors Elle décorait les poètes, les tambours, les rhapsodes, le conclave des vieilles femmes préposées aux youyous, les officiers de la *m'halla*, les fantassins, les paysans, les éleveurs de vaches hollandaises d'importation, mais ceux aussi du cheptel national afin qu'ils ne se sentent pas humiliés, les bergers ; Elle décorait également une vache qui donnait, à ce que l'on dit, pas moins de cinquante litres de lait par jour, Elle accrochait des *nîchân iftikhâr* aux revers des vestons des journalistes qui couvraient scrupuleusement jour après jour ses batailles titanesques, Elle complimentait le meilleur conducteur de camion militaire, le meilleur mécanicien, l'instituteur de l'école sans eau ni électricité du village perdu dans les montagnes, l'élève de dix-sept ans encore à l'école primaire parce que l'instituteur le retenait tous les jours pour la corvée d'eau et l'entretien du poulailler.

Elle récompensait tous les hommes, toutes les bêtes ou presque, tandis qu'Abou Qays La poussait sans relâche à en faire davantage, tout en Lui rappelant l'exemple édifiant de Napoléon Bonaparte qui n'avait jamais cessé, au cours de ses interminables campagnes militaires, de servir promotions, médailles et autres citations militaires à la louche, parce que l'importance de celui qui décore, affirmait-il, augmente exponentiellement au nombre de ceux qui sont décorés : Semez à tout vent distinctions d'héroïsme et de gloire, ô Votre Excellence, n'hésitez pas à honorer les chiens s'il le faut. Il n'est pas donné à n'importe qui de posséder les moyens dont Vous disposez. Celui qui n'a rien ne donne rien. Chaque médaille épinglée sur le poitrail d'un officier ou d'un poète augmentera Votre part de gloire. Leur héroïsme ne jaillira qu'a l'ombre de Votre héroïsme. Leur gloire ne brillera qu'à la lumière de Votre gloire, ô Excellence ! Vladimir Ghika n'affirme t-il pas que « les actions héroïques ont toujours quelque chose de discutable » ? qu' « elles sont à une hauteur où il n'est pas aisé de juger » ?

La campagne contre les criquets était pour Elle l'occasion de traverser le pays de part en part, d'admirer la beauté de ses vallées et la splendeur de ses montagnes, parce que à chaque fois qu'Elle se lançait à la poursuite des nuées vrombissantes des criquets, ces derniers cinglaient d'un seul coup d'aile, sans crier gare, dans la direction opposée, contraignant ainsi la *m'halla* à faire demi-tour pour repartir à nouveau à leurs trousses. Il était prévu que le premier choc entre les détachements d'avant-garde des troupes d'invasion des criquets se produirait dans les environs de Tamerza et Midas, deux bourgs situés sur les confins sud-ouest du pays ; alors que l'arrière du front de Son Excellence s'étirait sur une ligne qui passait par Chebika, filait en direction du sud, bifurquait à l'est vers Sbeitla et revenait par l'ouest derrière Qasserine pour mourir aux pieds des hauts plateaux de Thala et Makthar, non loin du mont Oueslat. Le plan arrêté par Son Excellence était on ne peut plus clair : tout d'abord il s'agirait de construire un barrage en forme de croissant « sanitaire » capable d'encaisser le choc des premières vagues de criquets pour les empêcher de fondre sur la cité sainte de Kairouan. (Elle a dû probablement lire dans le traité de quelque mémorialiste ancien la sentence pleine de sagesse selon laquelle celui qui perd cette ville perd le nord. Comme nous le savons, l'histoire a confirmé la sentence pendant les raids hilaliens sur le pays.) Ensuite, et c'était là Son plus grand souci, il s'agissait de protéger les côtes, non par compassion pour les fameuses oliveraies du Sahel, mais parce qu'Elle répugnait à causer des désagréments aux cohortes de visiteurs étrangers qui prenaient d'assaut, chaque été, telles des sauterelles, nos vertes vallées et nos plages de sable fin *si-accueillantes-et-si-douces*. Ces touristes, gent fine, civilisée et facile à vivre au demeurant, renâclent malheureusement à la moindre alerte. Abou Qays et certains académiciens férus d'antiquité nord-ifriquienne finiront, comme prévu, par avaliser la tactique de Son Excellence, en tant qu'elle est la seule capable de rejeter les criquets loin derrière les terres fertiles en facilitant leur écrasement total dans les *sbâsib* et les immensités steppiques. Cet *ars combinatoria bellum* a, qui plus est, l'avantage de jeter la troupe sur la route antique qui mène au célèbre plateau de Jugurtha, là où les légionnaires romains subirent la mémorable défaite qui leur fut infligée par le chef berbère. C'est pour cette dernière raison qu'ils ont fini par renoncer à l'idée de prendre la piste qu'emprunta le général arabe Hassân ibn Nu'mân lancé aux trousses de Al-Kâhina. Ibn Nu'mân, d'après la version d'Al-Raqîq al-Qayrawân, trouva cette route quelque peu longue, semble t-il, et lui préféra celle qui passait par Gafsa-Qastília-Nefzâwa, vers la région de Biskra et Wâdi Meskiâna, là où eut lieu la bataille de Yawm al-Balâ', « la Journée des Braves », à l'issue de laquelle mourut la reine berbère. Quoi qu'il en soit, historiens et géographes ont toujours divergé sur ce point. Certains ont même contesté la relation d'Al-Kayrawâni et évoqué une deuxième route, moins dangereuse et tortueuse celle-là, à savoir celle qui monte au nord vers Gafsa et Fériana, et tourne ensuite vers l'ouest en direction de Tébessa en Algérie, où s'est finalement produit le choc entre les deux armées, au pied de Jabal al-'Unq, au lieu-dit Bîr al-Kâhina, à quelques encablures des hameaux de Sidi Boubaker et d'Ûm-l-Aqsâb. On écarta donc le plan de Hassân – et tous ceux qui lui ont été attribué – pour pouvoir contourner les difficultés de l'impraticable et peu sûre route du sud, qui passe par les régions arides de Nefzâwa.

Une fois la difficulté et les complexités de la route du conquérant arabe laissées de côté, le choix se porta sur celle qui mène à la citadelle du chef berbère. Cela est d'autant plus justifié que Son Excellence trouva la consonance du patronyme numide *Youghourta* plus agréable à l'ouïe ; sans parler de sa déclinaison latine en Jugurhta qui sonnera plus solennellement aux oreilles des responsables de la presse internationale que Hassân ibn Nu'mân, qui risque, lui, d'être confondu avec le nom d'un salafiste musulman.

Malgré cela, Elle ne donna aucune suite aux conseils prodigués par les stratèges et experts dans l'art et la manière de fondre à l'improviste sur les criquets. Ceux-ci eurent beau essayer de La convaincre que le meilleur moyen de les chasser consistait à les surprendre de nuit, dans leur sommeil, tactique qui a fait ses preuves depuis des siècles – rien n'y fit. 'Amr ibn Bahr Al-Jâhiz n'a t'il pas affirmé dans son célèbre *Kitâb al-Hayawân* que « *les sauterelles se chassent de nuit. Quand l'humidité tombe, elles se mettent à chercher les endroits en hauteur. Et lorsque l'humidité est accompagnée de fraîcheur, elle se blottissent sur place* » ? Mais l'obstination de Son Excellence dans l'idée de les affronter de face et en pleine lumière du jour – Elle qui était habituée à traiter les questions qui engagent l'avenir de la nation plutôt de nuit – suscita l'inquiétude de Son entourage. Sa réaction, en réponse à leurs sollicitations, fut si énergique qu'Elle leur fit passer l'envie de Lui en proposer d'autres, fussent-ils aussi judicieux. Elle leur dit en substance : « Je ne partage pas l'avis de ceux qui prétendent que la guerre est une affaire de ruse. Pour Moi, la guerre ne saurait être qu'affrontement et défi et non feinte et astuce. » Elle illustra ensuite son propos par une épigramme tirée selon toute vraisemblance de quelque *hadîth* du prophète Muhammad : « *Allah a fait le jour pour le jihâd et la nuit pour le repos*, vous voulez mettre la terre sens dessus-dessous ou quoi ? N'oubliez surtout pas que Je suis guerrier et non chasseur de criquets ! » Abou Qays, qui savait plus que tout autre les dangers et les périls qui guettent les soldats opérant de nuit, acquiesça en rappelant, afin de réconforter l'opinion de son Maître opposé à l'action nocturne, qu'Alexandre le Grand avait repoussé la proposition qui lui avait été faite d'agir à la faveur de l'obscurité pour surprendre et liquider Darius dans son sommeil. C'est Alexandre qui avait dit : « Jamais je n'accepterai cela, car je ne suis pas de ceux qui se délectent des victoires volées ! » Et tant mieux pour les criquets, qui ne se sont pas gênés de se jouer de tous Ses plans, entraînant sa *m'halla* dans un épuisant périple sans fin, du sud à l'ouest, de l'est au centre et au nord jusqu'à ce qu'elle atteigne les marches nord-ouest du pays d'où elle peut contempler à loisir, du haut du Mont Jugurtha, le plaine infinie qui s'étale à ses pieds.

Dès le lever du soleil, la m'halla se mit en branle et se fraya un chemin à travers les rivières et les montagnes, tantôt précédée par le command-car de Son Excellence, tantôt survolée par un hélicoptère d'où crépitaient ordres et contre-ordres crachotées par les appareils de transmission.

A la tombée de la nuit, on installa le bivouac et on fit venir les bardes et les habitants des alentours qui se présentèrent pliés en deux sous le poids des présents. Après quoi, Son Excellence se rendit au chevet des blessés et des mourants, car toute bataille exige des victimes, sinon tout cela ne serait que jeu d'enfant et folle absurdité. Ainsi en a décidé Son Excellence, inspirée ici par la vie et les aventures des grands hommes : en effet, il nous faut des morts et des blessés ! Derechef, les sirènes des ambulances déchirèrent l'air de leurs miaulement plaintifs et on en fit ramener par fournées entières, gémissantes sur les civières. Il y en avait de toutes sortes : ceux piqués par les scorpions, mordus par les vipères, déchiquetés par les broches des sangliers, ou ceux les membres fracturés, l'échine brisée suite à une chute dans un ravin ou qui avaient été pris dans le piège à loup tendu par les fellahs ; d'autres, au postérieur a moitié dévoré par de méchants klebs de race arabe pour s'être introduits dans une basse-cour ou un enclos de chèvre ; celui dont l'os du front a été sérieusement endommagé parce qu'il s'est imprudemment approché de la croupe d'une ânesse, voulant, sans arrière pensée, éteindre la flamme d'un désir exacerbé par ce coin paumé de montagne. Son Excellence les salua tous chaleureusement en louangeant longuement leur sacrifice et l'esprit patriotique qui les animaient et les incitaient à aller toujours de l'avant pour triompher des périls et des obstacles.

Elle décorait les blessés, lisait l'oraison funèbre des martyrs tombés au champ d'honneur et ordonnait que fussent distribuées à leurs familles moult pensions et médailles. Elle pleurait leur dépouille violacée par les ravages du venin des reptiles et des scorpions. Enfin, elle donnait des instructions afin qu'on versât une prime aux poètes qui clôtureraient leurs élégies par un hommage appuyé au patriotisme de Son Excellence qui avait entrepris de conduire, sans la moindre hésitation et en dépit des innombrables écueils, cette action héroïque rien que pour stopper l'agression barbare des hordes de criquets et débarrasser à jamais notre patrie bien-aimée de ce sinistre fléau ; ou bien qui verraient dans Son auguste personne l'illustration parfaite de l'image glorieuse du général carthaginois borgne, Hannibal, fils d'Hamilcar Barca ou la bravoure du numide Jugurtha. Après tout, ne se trouvait-Elle pas à proximité de ce plateau célèbre, qui ressemble à une grande table, du haut de laquelle Jugurtha bombarda les légions romaines de Metellus avec ses catapultes et qu'on appelle depuis « Tables de Jugurtha » ? Soudain Son Excellence fut saisie de ce phénomène qu'on appelle métempsycose en langage ésotérique. Son corps s'anima de l'âme elle-même du chef berbère et la fièvre d'une gloire antique ressuscitée lui monta irrésistiblement à la tête ; comme prise de vertige, Elle donna l'ordre à Son armée de se déployer dans la plaine, puis attaqua toute seule l'ascension du col. Des témoins de mauvaise foi diront plus tard qu'un hélicoptère L'a déposée sur le sommet de la butte.

Le soir même, Elle apparut sur les écrans des télévisions, plantée comme une statue de pierre au sommet de la plate-forme, tantôt agitant les bras, tantôt tournoyant comme un possédé, tenant en mains un pistolet ou une mitraillette crachant un feu nourri en direction de l'Ouest, là où disparurent l'après-midi même les noirs essaims des criquets. Des spectateurs chuchotèrent un *Allahou akbar*, d'autres poussèrent un long soupir : « *Il n'y a de force et de puissance que par Allah.* » Un professeur émérite d'histoire antique s'exclama : « Louange à Dieu qui m'a gardé en vie afin que je puisse voir de mes propres yeux le grand Jugurtha ! » Des paysans dirent à voix basse, de crainte d'être entendus par les informateurs à l'affût : « Sûrement qu'il est possédé par les djinns ! » et implorèrent le pardon et la protection du Tout-Puissant. Dans les foyers, les maîtresses de maison jetèrent subrepticement une poignée d'encens dans les cendres chaudes du brasero et expédièrent leurs gamins de bonne heure au lit, vite fait bien fait. Elles voulaient épargner à leurs petits cœurs la vision de ce qu'elles pressentaient comme le présage de l'effroyable malheur qui frappa jadis les peuples de Pharaon, de Harout et de Marout.

On raconte que Son Excellence a passé trois jours d'affilée à arpenter sans arrêt le toit de cette grande motte, lançant des insultes et proférant des menaces confuses, tandis qu'à Ses pieds la plaine grouillait, comme une fourmilière, d'équipes de télévision, de reporters radio et de journalistes munis de toutes sortes d'appareils sophistiqués. Bien que le plus grand studio du monde de tournage en plein air s'offrît à Son regard, quelque chose L'angoissait et différait Sa descente des planches de cette scène majestueuse, nonobstant la faim qui Lui tenaillait l'estomac, la soif qui Lui asséchait la gorge et cette peur diffuse qui toujours L'étreint à la tombée de la nuit. C'est l'attente des envoyés spéciaux de la BBC et de CNN. Leur retard La rend furieuse et suscite en Elle un sentiment d'humiliation si fort qu'Elle se met à agonir d'injures la presse nationale, à fustiger sa médiocrité et son incapacité à attirer l'intérêt du public du monde entier sur les bons et loyaux services rendus à la patrie. Elle ne s'apaisa et n'accepta à la fin de descendre de Son piédestal de terre que lorsque Son conseiller en information L'eut persuadée que ce genre de grands médias internationaux n'avaient plus besoin de se transporter sur les théâtres des opérations pour retransmettre en temps réel les événements ; les satellites qui constellent le ciel et qui sont capables de capter la reptation des fourmis ou le frémissement d'un brin d'herbe dans le lit d'un oued lointain se chargeaient de le faire à leur place. Alors Son Excellence se ravisa et comprit que Son image ferait le tour du monde et même atteindrait le ciel grâce à ces étonnants astres artificiels. Désormais, personne, qu'il soit là-haut ou ici-bas, ange ou démon, ne pourra prétendre n'avoir pas vu le spectacle de Son illustrissime gloire.

Elle donna lecture de la *khûtba* du *jabal* dans laquelle Elle fit part à tous de la bonne nouvelle de la victoire finale sur les criquets. Elle annonça d'autres guerres plus dures encore, contre les cafards, les moustiques, les chiens errants et contre tous ceux qui ourdissent dans l'ombre des complots pour saboter Ses plans de modernisation ; Elle jura Ses grands dieux et même Son honneur personnel, de faire de Son règne, un règne de peine et de labeur ; Elle stigmatisa les défaitistes, les rabat-joie, les envieux et les parasites ; Elle fulmina, rudoya et fit quelques promesses, ensuite éclata en sanglots, appelant la paix de Dieu sur les âmes des martyrs de notre panthéon national, Massinissa, Jugurtha et Kouceïla le Berbère. Du sommet de la butte célèbre, Elle déclara à la face du monde qu'Elle était prête à sacrifier Sa vie, à l'exemple de nos illustres ancêtres, afin de défendre la sacro-sainte intégrité territoriale de la patrie, ses vaches, ses bourriques, ses scorpions, son réseau informatique, sa sécurité, sa stabilité, les marmites frémissantes de la *Umma* et ses réfrigérateurs, l'amélioration et la mise à niveau de l'usine de fabrication de la *halwa shâmiyya* aux normes européennes, sa voie rapide qui reliera, si Dieu le veut, la capitale à ce mamelon béni afin de faciliter le pèlerinage annuel qui immortalisera la victoire totale sur les criquets.

Quelques instants plus tard, le public L'entendit prononcer des mots incompréhensibles, hermétiques, quelque chose comme un charabia décousu que personne n'arrivait vraiment à déchiffrer. Un vague sentiment d'inquiétude envahit la foule. Certains crûrent qu'Elle s'entretenait avec les djinns ou avec Belzébuth en personne. Les gens se regardèrent avec appréhension. Un professeur d'histoire carthaginoise sursauta tout d'un coup : Par le Prophète Muhammad ! Mais c'est la langue punique, je l'ai entendue de mes propres oreilles s'adresser à Jugurtha et à Massinissa !... *Y thalonimu alonuth !...chem !* puis il traça sur un morceau de papier quelques mots en caractères latins de cette langue bizarre et le tendit aux journalistes, qui s'envolèrent aussitôt vers leur rédaction respective afin d'ajouter un nouveau miracle à la liste déjà longue des grâces prophétiques de Son Excellence. La foule put enfin découvrir le secret de cette « glossolalie » quand, le lendemain, les grands médias diffusèrent sur les ondes cet extrait dont nous vous donnons lecture :

Un Carthaginois s'adresse au peuple

Y thalonimu alonuth sichorathisima comsyth
Chymlach chunythmys thalmyc tibaruimischi
Liphocanet hythbyt hiladoe dinbynuthii
Byrnarob syllohomal oniuyby misyrthoho
Bythlym mothym noctothle chantidamachon
Yssidobrimtyfel yth chylys chon, chem., liphul*...

Finalement Elle descendit et demanda à manger, puis dormit trois jours d'affilée. Tout autour, la plaine résonnait au rythme des roulements de tambours, du son enjoué et canaille des cornemuses et des braillements des bardes.

*

Les expéditions militaires ont temporairement détourné Son attention de l'atmosphère délétère de la capitale, de ses magouilles et des discussions byzantines de ses élites « éduquées ». Parfois, la ville Lui apparaît tellement laide qu'Elle se l'imagine sous la forme d'un marécage putride et pestilentiel dans lequel des créatures hybrides, futiles, se débattent sans fin. Un jour, Elle songea même à en déménager le siége dans les régions montagneuses, au grand air, là où les humbles paysans, les vivats, l'allégeance sont si spontanés et sincères qu'aucun débat intellectuel superfétatoire ne peut les perturber. Elle fit part à Abou Qays de l'heureuse trouvaille. Comme d'habitude, ce dernier la trouva sublime et se mit, sur le champ, à concevoir les plans de la nouvelle capitale.

[...] Son Excellence était en pleine euphorie populiste – consécutive à la décision irrévocable du transfert du siège de la capitale et de l'ouverture des travaux de construction des palais de la présidence et du gouvernement – quand un événement imprévu vint stopper net son élan. Il s'agissait des échos d'une controverse liguistico-littéraire, apparue d'abord dans les rangs de la jeunesse à travers le pays tout entier, à la différence, cette fois, qu'elle ne resta pas confinée comme d'habitude à la littérature. Elle gagna d'autres domaines où les thèmes de discussion aussi

---

* Il s'agit d'un fragment authentique de langue punique, parvenu jusqu'à nous grâce à Plaute dans sa célèbre pièce *Le Carthaginois*, in *Théâtre de Plaute*, traduit par J. Naudin, Paris, Chez Lefèvre, 1845. (NDT)

bien que les arguments se sont tellement enchevêtrés aux problématiques politiques qu'il est devenu difficile d'en démêler l'écheveau. Qui plus est, les initiateurs de ce débat rattachèrent la polémique portant sur les phénomènes linguistiques aux concepts et aux représentations qui les sous-tendent en renvoyant implicitement le tout à l'idée de l'existence d'un véritable complot politique (!). De surcroît, on informa Son Excellence que Son nom, décliné sur le mode de la diffamation, de la moquerie et de la critique féroce, circulait dans les salons littéraires ; il ferait même, d'après les rapports présentés par des indicateurs chevronnés, l'objet de railleries, de plaisanteries cocasses, voire d'injures ordurières contraires à toutes les règles connues de critique constructive. Certains ne se gênaient plus de taxer Son Excellence de gredin, d'illettré, de bourru, d'homme dépourvu de goût, de lumpen, de ringard et de caduc.

Cette vague critique visant à remettre en cause Son style rhétorique suranné – en réalité le style de cet auteur spécialisé en rhétorique ancienne qu'Abou Qays lui présenta un jour – et ses répercussions préoccupaient au plus haut point Son Excellence. Elle était rongée par les remords à l'idée d'avoir prêté une oreille complaisante aux conseils d'Abou Qays qui La persuada, tout au début de cette campagne calomnieuse, de ne pas s'en inquiéter, croyant à tort que l'enlisement dans les méandres de cette polémique empêtrée dans l'abstraction la plus totale allait sûrement détourner ces énergumènes des questions politiques. Elle se rappela qu'après tout Abou Qays n'était qu'un singe, et un singe est toujours singe, fût-il vêtu de pourpre et élevé à la cour de Yazîd ibn Mu'âwiya. Elle ne craignait nullement leurs critiques tant qu'elles ne lui reprochaient pas son style fait de bricolage, de bigarrures, de confusion et de registres linguistiques les plus divers. Les adjectifs abscons La laissent de marbre car ils sont à Ses yeux de simples jeux de mots creux et dépourvus de sens. En dépit de Sa sensibilité à fleur de peau à l'égard de tout ce qui se dit ou s'écrit sur Son compte ou sur Ses discours remarquables, et compte tenu de Ses goûts très en deçà de la moyenne, stigmates sans doute de Son éducation sommaire et populacière, sucée avec le lait maternel et renforcée à l'âge adulte pendant Sa formation militaire.

Elle n'accordait aucune importance aux formules qui tranchent, soit par leur forme, soit par leur contenu, sur le niveau intellectuel du commun des mortels. Mais Elle n'en éprouvait pas moins, dans la partie la plus sombre de Son inconscient, une secrète jouissance à entendre les professionnels de la plume commenter avec brio Ses discours en faisant appel à des adjectifs savants tirés d'une prose tout aussi élégante que précieuse, du style « ancienne rhétorique », « classicisme », « registres linguistiques », « conciliation des oppositions », « visions prémonitoires », « énoncés », etc. Bref, des termes introuvables dans Son vieux dictionnaire, ignorés de Ses camarades de promotion, des officiers, voire même des instructeurs de l'Académie militaire où il a fait Ses classes. Elle était loin d'imaginer, au fond d'Elle-même, que Ses paroles et Ses pensées pouvaient non seulement revêtir une aussi grande noblesse linguistique et philosophique mais provoquer également des débats d'un très haut niveau. Et c'est ce qui L'encouragea à accepter sans trop réfléchir la suggestion d'Abou Qays et de quelques conseillers de ne pas se préoccuper de la campagne critique menée contre Son style discursif. Seulement, voilà ! les choses ont pris une mauvaise tournure car ladite polémique a dérapé et commence à mettre sérieusement en cause la personne de Son Excellence. Evidemment, cela Lui est franchement intolérable. Après une nuit de réflexion, le verdict tomba comme un couperet : « Cette fois les choses sont allées trop loin, cette campagne à franchi la ligne rouge. Je leur ferai, ma parole, ce qu'aucun homme n'a jamais osé faire à un autre homme. Qu'on m'accuse d'être despote, cruel ou dictateur, soit, car après tout, cela n'est que la juste rétribution de ceux dont la fonction expose à la critique – mais pas n'importe quelle critique, en pareils cas, celle-ci devant être servie, au moins, par une prose enlevée et respectueuse. Quoi qu'il en soit, je la prendrai comme un forme d'hommage, même indirect, à Mon étoffe de chef d'Etat digne d'être traité à égalité avec les grandes figures historiques tels que Napoléon, Néron, Hitler, Staline, Al-Hajjâj ibn Yûsuf ou Abû al-Abbâs al-Saffâh. N'est-ce pas en effet un honneur, et quel honneur pour Moi ! que de voir Mon nom inscrit en lettres de... euh ! à côté des leurs, sur la liste noire des grands du despotisme politique universel ! Mais que l'on Me traite de falot, de mou, de fruste ou de quelconque, cela veut dire qu'il n'y a plus de limites à leur outrecuidance. Et le jour n'est pas bien loin ou ils déverseront sur Ma tête un orage de "crapule", de "goujat", de "bidasse borné et retors", de "*hâmil*" et de "fils de pute". Naturellement ce sont-là des expressions qui, loin d'inspirer, comme c'est le cas des adjectifs mentionnés *supra* – crainte, révérence, autorité –, propagent bien au contraire la moquerie, le sarcasme, le mépris et participent de la généralisation de l'esprit de subversion et du défi qui augurent, sans l'ombre d'un doute, d'un début de fissuration du mur de la peur qui, comme chacun sait, ouvre la voie à la rébellion et à la désobéissance. C'est intolérable ! Il faut que cela cesse ! »

Tant qu'elles étaient formulées dans un langage conceptuel ou en termes abstraits et étranges, ce type de formules critiques ne La dérangeait pas outre mesure car, en réalité, très souvent, Elle ne les comprenait pas. En revanche, des termes comme « fripouille », « décadent », « *qawwâd* », « brute », « grossier » et « mythomane », etc., même si Elle les comprenait et les maniait à la perfection, n'en suscitaient pas moins Sa fureur et La faisait littéralement exploser et en lancer des vertes et des pas mûres.

Embrassant de son regard la grande place devant Sa tente de commandement central du camp de la *m'halla,* Son Excellence jura trois fois de castrer, de couper les langues, de marquer au fer rouge, d'amputer les membres, d'empaler, d'introduire les bouteilles de Coca Cola cassées dans les anus, de b... les mères, les sœurs et même les grands-mères, si nécessaire.

Sur ces entrefaites, Elle donna l'ordre de lever le camp, pensant toujours à ce projet qu'Elle nourrissait depuis quelque temps, qui consistait à encercler les villes par les campagnes. Projet qui n'augurait rien de bon pour Sa capitale frondeuse. Elle en vint même a caresser l'idée de fomenter un coup d'Etat contre Elle-même, au cours duquel Elle prononcerait la dissolution de la Chambre, fermerait les universités, suspendrait les journaux et les clubs littéraires pour en faire des casernes militaires, des fabriques de chaussures, des fermes d'élevage industriel de poulets ou d'auberges bon marché pour les paysans qui se rendent au souk hebdomadaire de la capitale.

Toutefois, après une âpre et longue discussion, Abou Qays La fit revenir sur Sa décision en Lui suggérant d'opter pour une autre solution, qui consisterait à déclarer la guerre aux scribouillards ingrats sur leur propre terrain avec leurs propres armes. Il Lui promit de tout mettre en œuvre, de faire appel à son savoir et à ses ruses pour assurer à Son Excellence, dès Son retour victorieux des campagnes militaires, d'autres victoires dans le domaine de la littérature et de l'art de la grandiloquence qui Lui permettraient de gagner sur deux fronts en même temps et de mériter amplement le titre de héros de deux jihad, franchissant ainsi les portes grandes ouvertes d'une entrée définitive dans l'Histoire, et sans risque de sortie. Il rappela également à Son Excellence qu'Elle devait avoir toujours présent à l'esprit qu'Elle était aux commandes d'une nation pour qui la langue est bien plus meurtrière que le glaive ou le baroud. Allah lui-même, pour la faire taire et au lieu des miracles avec lesquels il affronta d'autres nations, choisit le Verbe. C'est ainsi que le Signe décisif par la rhétorique fut pour les Arabes bien plus convaincant que la guérison de la lèpre, la résurrection des morts ou la marche sur l'eau…

Contrairement aux fois précédentes, la mission d'Abou Qays ne s'annonçait pas aussi facile qu'on pouvait l'imaginer, car Son Excellence hésitait à se mêler à cette histoire de guérilla sémantique à laquelle Elle ne comprenait du reste pas grand chose ; d'ailleurs Elle ne cessait de le réprimander de l'avoir compromis avec cet écrivaillon à l'allure étrange qu'Elle avait affublé du sobriquet de « rhétoriqueur », le tançant chaque fois avec plus de sévérité : « Abou Qays, fous-moi la paix, toi et tes dactylographes, veux-tu ! Cette fois-ci j'écrabouillerai moi-même leurs p… de mères, ma parole, je leur tiendrai le seul langage qu'ils comprennent. La poésie et la redondance, c'est terminé ! Parler comme les livres, c'est fini et on va voir ce qu'on va voir ! »

Vers la fin, Abou Qays réussit tout de même à La convaincre de se passer des services de cette faune experte en rhétorique ancienne – alors que Son Excellence l'interrompait à tout bout de champ pour lui rappeler sur le ton du reproche : « Ne t-ai-je pas dit que la figure de ce type ressemble à une paire de babouche usée ? » – en l'assurant de l'existence d'un programme concocté par ses soins, qui mobilisât toutes les ressources d'un langage moderne plein à ras bord de termes et de concepts qui venaient tout juste d'être traduits des langues les plus vivantes ; qui, en plus, recèlent un vocabulaire du genre progressiste, démocratique, libéral et laïque, qu'il pensait mettre à contribution lors de la rédaction du prochain discours au peuple, en veillant tout spécialement à mettre l'accent sur la dimension civilisationnelle et culturelle de notre nation.

« — … Notre nation glorieuse.

— … Et les dimensions humanistes de notre projet.

— Les dimensions humanistes profondes, euh… essaye de rajouter des mots, Abou Qays, quelque chose comme… originales, par exemple !

— Tout à fait, tout à fait ; les dimensions humaines profondes + enracinées dans nos êtres + à travers les siècles de notre glorieux passé + chargé des victoires…

— … De dignité, de fierté nationale, de… de tout, quoi ! jusqu'à ce que ces castrats des faiseurs de glose n'en peuvent plus. Et de société civile. N'oublie surtout pas les droits de l'homme, on m'a dit que les ONG et la presse internationale en raffolent.

— Tout à fait, Votre Excellence, ils adorent aussi des mots tels que libéralisme et mondialisation.

— Ouiii, c'est ça, mon-dia-li-sa-tion. Essaye aussi d'introduire quelque part, enfin n'importe où, des mots comme Village global, Tente commune, géopolitique, informatique etc.

— Tout, absolument tout, Monsieur le Président. On leur servira même la fin de l'histoire, l'écologie et l'environnement, la couche d'ozone, la biosphère, la génétique, le clonage et la linguistique, la biologie et l'hérédité, le complexe d'Œdipe et le sado-masochisme, le crime passionnel, l'Internet et les sites Web, le golf et le bridge, le gazon artificiel dans les stades de football, l'Etat de droit, la libération de la femme, la fin des idéologies, le pragmatisme, les orbites et les astres, le bing-bang, la radioactivité, la fission de l'atome, le Network, l'unité nationale et la privatisation. Nous armerons des escadres de synonymes, nous ferons plier les mots, nous lancerons contre eux une armée de dictionnaires modernes, Monsieur le Président, où se bousculeront toutes sortes de concepts culturels, philosophiques, laïques, postromantiques, surréalistes, mystiques, élitistes, féministes, physiques, biochimiques, bohristes, einsteinien et nietzschéen. Nous n'omettrons d'utiliser aucun concept, aucun terme de ceux qu'affectionnent les forts en gueule, qui usent et abusent avec emphase d'adjectifs redondants tels que progressiste ou révolutionnaire ; nous ne leur laisserons aucun mot qu'ils puissent retourner contre nous. Ainsi nous aurons réussi notre reforme politique qui consiste à assécher les sources du vocabulaire, à pomper l'eau qui fait pousser l'herbe sous leurs pieds. Ça sera un banquet littéraire fastueux où l'on trouvera de tout : du flamboyant, du sonnant, du bizarre, de l'attrayant, de l'assommant. Bref, une mixture épaisse de tout le gras et l'étincelant concentrés de la terre. En l'ingurgitant, ils attraperont une dyspepsie collective, un haut-le-cœur, un écœurement et que sais-je encore, une nausée telle qu'ils seront à jamais dégoûtés de la langue et des mots, alors ils la boucleront et se mettront sur-le-champ à la tâche. »

— A. S.

chronique

Abjections

Rudolf El-Kareh

Il y a *quelque chose* de vicieux, sur le fond, dans la question israélienne.

Et ce *quelque chose* de vicieux naît de la surdétermination profonde de l'Etat d'Israël par les abominations nazies et par la persécution des juifs, notamment en Europe centrale et en Russie. Ce *quelque chose* de vicieux se nourrit du décalage entre les crimes commis en Europe et les conditions iniques de la fondation de l'Etat d'Israël au détriment du peuple palestinien. Il se nourrit aussi d'une réponse qui n'a jamais été apportée à la question de savoir au nom de quelle morale les injustices et les souffrances infligées aux communautés juives d'Europe doivent être payées d'une injustice et de souffrances infligées au peuple de Palestine.

Ce *quelque chose* de vicieux se nourrit aussi de la confusion entre les appareillages militaires et idéologiques de l'Etat d'Israël ajoutés à leur instrumentalisation géopolitique, d'une part, et la persécution des juifs d'Europe et de Russie, d'autre part. Il se nourrit encore de la volonté de faire partager et assumer au peuple palestinien et aux peuples arabes en général, non seulement la responsabilité d'une histoire qui n'est pas la leur, mais aussi le sentiment de culpabilité consécutif aux abominations de la Deuxième Guerre mondiale, éprouvé en Europe puis plus tard aux Etats-Unis.

Il y a *quelque chose* de vicieux à faire admettre par la force à des générations palestiniennes et arabes détruites par la politique de l'Etat d'Israël, l'idée qu'elles doivent assumer par la contrainte ce sentiment de culpabilité. La voie du partage de la compassion et de la solidarité avec les victimes du nazisme aurait dû suivre en réalité un chemin parfaitement inverse à celui de la logique qui écrase aujourd'hui le peuple palestinien mais aussi ce qui est devenu la société israélienne : logique de la victime devenue à son tour bourreau, et qui sacrifie, en les reproduisant, aux mêmes actes de barbarie et de sadisme.

Au nom d'une histoire qui n'est pas la leur, les Palestiniens sont ainsi sommés de se contraindre et de se soumettre. Toute résistance à la domination coloniale et au déni, sera réduite avec la plus grande cruauté, selon une logique grotesque, au prétexte que les victimes – en l'occurrence du nazisme – et surtout leurs légataires proclamés, doivent se garder d'un retour potentiel de l'oppression historique subie par une oppression exercée, plus grande encore. Logique d'autant plus absurde et criminelle que la victime d'aujourd'hui, oppresseur potentiel supposé de demain, est totalement étrangère aux assassins d'hier.

C'est dans ce *quelque chose* de vicieux qu'il faut aussi rechercher les causes de la cruauté israélienne actuelle, de ses mots et de ses actes. Jour après jour les confusions intellectuelles et morales dont se trouve pétri le discours israélien officiel se manifestent par des dérapages qui prennent la forme d'une parole de plus en plus structurée, dont de nombreux actes barbares sont le prolongement.

Le racisme des rabbins ultras ou des politiciens d'extrême droite a investi désormais le discours politique gouvernemental et celui de fractions importantes de l'armée. Ce qui, en d'autres lieux et d'autres circonstances aurait provoqué d'immenses scandales, paraît tout à fait naturel à ceux-là même qui se saisissent de toute critique de la politique israélienne et de celle de ses protecteurs américains pour brandir incontinent et inconsidérément l'accusation d'antisémitisme.

Que l'on en juge.

Rapportés par le journal *Haaretz,* voici les propos d'un officier israélien présenté comme étant « *en charge des Territoires* » [toujours cette indéfinition qui exprime le déni de la Palestine] : « *Afin de se préparer convenablement à la prochaine campagne militaire, il est justifié et même vital de nous inspirer de toutes les sources possibles. Si notre mission est de nous emparer d'un camp de réfugiés densément peuplé ou de nous saisir de la casbah de Naplouse* [quel aveu du fait colonial que ce mimétisme avec la guerre d'Algérie !] *et si obligation est donnée à un officier de s'efforcer d'exécuter cette mission sans faire de victimes des deux côtés, ce dernier devra avant tout analyser et intégrer les enseignements des batailles passées, et même – aussi choquant que cela puisse paraître – analyser comment l'armée allemande a opéré dans le ghetto de Varsovie.* »

Le journaliste qui relate ces propos ajoute que « *l'officier en question n'est pas le seul à avoir cette approche. Beaucoup de ses camarades estiment que pour sauver des Israéliens, il est aujourd'hui légitime de tirer parti de nos connaissances sur les origines de cette guerre terrible dont les victimes étaient leurs familles* ». Propos terribles lorsque l'on sait que ces « *connaissances* » et cette « *expérience* » ont été consignées dans les détails par le général SS Jürgen Stroop qui réduisit la révolte du ghetto de Varsovie. On sait aussi que la « reprise en main » de ce ghetto s'est achevée par l'extermination de sa population. « *L'inspiration puisée aux sources* » signifie-t-elle que « *l'analyse et l'intégration des enseignements des batailles passées* » scelle le sort des réfugiés des camps et des habitants de la « *casbah de Naplouse* » ?

Trois semaines plus tard, dès la fin février, plusieurs camps de réfugiés ont été investis par la soldatesque israélienne. Les agences de presse rapportent que des rafles sont opérées notamment dans la ville de Toulkarm, dans le camp de réfugiés de Dhaishé, à Kalkilia et dans la bande de Gaza. Les télévisions internationales montrent des militaires juchés sur des blindés appelant par haut-parleur la population masculine « *de quinze à soixante ans* » à se rendre dans les cours des écoles. La même technique avait été déjà expérimentée, notamment dans les villages libanais lors de l'invasion de 1982.

La presse internationale rapporte également « *que les soldats israéliens avaient couvert la tête de chaque prisonnier d'un bonnet de couleur, noir pour les membres présumés des Brigades des martyrs d'Al-Aksa* […] *et rouge pour les membres présumés des Brigades du martyr Abou-Ali Moustapha, branche armée du Front populaire de libération de la Palestine* ». D'autres « détails » se précisent progressivement : les prisonniers raflés apparaissent les yeux bandés, les mains liées derrière le dos. On apprend surtout que les soldats israéliens inscrivent à l'encre « *des numéros sur les bras des Palestiniens arrêtés* ».

L'affaire apparaît au grand jour et se confirme lorsque l'on apprend aussi « *qu'à la demande d'un député du parti centriste Shinoui, Tommy Lapid, un rescapé du génocide juif, le chef d'état-major de l'armée israélienne Shaoul Mofaz a ordonné de ne plus inscrire de numéro sur le bras des Palestiniens faits prisonniers* ». « *J'ai dit au chef d'état-major que le fait d'inscrire des numéros sur le bras de détenus est insupportable pour quelqu'un qui a échappé à la Shoah.* » Tommy Lapid a peut-être conscience de la profonde immoralité du symbole. Mais le fond du problème demeure. Ce qui choque ce n'est pas la brutalité coloniale du comportement israélien, ce n'est pas que « *l'armée israélienne a tué des dizaines de Palestiniens désarmés, y compris des enfants et des personnels médicaux* », comme l'en accuse B'Tselem, l'organisation israélienne des droits de l'homme, ce qui est « grave », aux yeux des responsables gouvernementaux et militaires israéliens, ce sont les « *conséquence médiatiques* » des exactions, notamment les bombardements aériens des populations civiles. S'il faut les arrêter, ce n'est pas en raison de leur sauvagerie mais, comme le dit Shimon Pérès, « *parce qu'ils provoquent trop de dégâts pour notre image de marque* ». Peut-être aussi parce que le spectacle des F 16 piquant sur les villes palestiniennes rappelle un peu trop les Stukas plongeant sur Guernica.

Dans tous les cas, et c'est justement ce qui fait leur différence et leur gravité , les propos et les actes abjects ne sont pas tenus par des colons surexcités mais par des responsables gouvernementaux. Chaque jour qui passe apporte, sous une logique tribale, une démesure que l'on croyait indépassable la veille. Tel ministre du gouvernement Sharon « *préconise de couper le courant pendant deux semaines aux localités palestiniennes d'où proviennent les auteurs des attentats* » (Guidon Ezra, vice-ministre de la Sécurité intérieure). Tel autre, cité par France 2 (12 mars) affirme sans ciller : « *On ne peut pas se contenter de tuer les moustiques un à un. Il faut assécher le marais, et le marais c'est l'Autorité palestinienne.* » Comme celles de l'officier qui demande que l'on prenne exemple sur la Wehrmacht, ces insultes ignobles ne suscitent aucune réaction officielle. Chaque jour apporte là aussi, et au plus haut niveau, son lot d'infamie.

N'a-t-on pas entendu Uri Shani, le directeur de cabinet d'Ariel Sharon, tourner en dérision la levée du blocus imposé à Yasser Arafat (on sait ce qu'il en fut depuis, puisque l'effet d'annonce servit d'écran de fumée à l'occupation massive de Ramallah) : « *Arafat pourra passer d'une cage à l'autre, de Ramallah à Gaza* ». Dans la foulée de celui dont il porte la parole, et qui s'échine depuis le 11 septembre à comparer Arafat à Ben Laden, Shani rêve sans doute de transporter la Palestine à Guantanamo !

L'exemple magistral de l'abjection demeure cependant celui d'Ariel Sharon lui-même. Après avoir publiquement regretté de ne pas avoir assassiné Arafat en 1982, il a ouvert plus largement encore les vannes de la barbarie en affirmant ouvertement, le 5 mars dernier, qu'Israël devait infliger aux Palestiniens « *beaucoup de pertes* » et des « *coups très durs* ». Les journées qui suivirent furent les plus sanglantes de l'Intifada. Et dans le registre de l'ignoble, le ministre de la Justice – de la justice ! – israélien, Meir Shetrit, ajouta : « *J'approuve toute opération visant à punir les Palestiniens jusqu'à ce qu'ils implorent un cessez-le-feu.* »

La convergence « intellectuelle » (dans son immense indigence) entre les dirigeants israéliens emmenés par Sharon et George W. Bush ne doit plus étonner. Le président américain ne traitait-il pas ses adversaires réels ou supposés de « *parasites terroristes* » qu'il fallait « *faire disparaître* ». ?

En Israël même, si certains anciens hauts responsables militaires parlent « *d'une stratégie stupide […] qui ne fait que renforcer la haine* » (Avraham Tamir), si des experts en stratégie trouvent qu'elle « *est le signe d'un certain désespoir de l'armée* » (Martin Van Creveld), d'autres ne craignent plus de considérer « *que le faux consensus actuel et les atrocités quotidiennes dans les Territoires palestiniens font planer* [la menace] *de la montée d'un fascisme ordinaire* » (Ariel Bronfman). Haïm Hanegbi de *Maariv* écrit quant à lui : « *Quiconque suggère d'apprendre "comment l'armée allemande a opéré dans le ghetto de Varsovie" doit savoir que moins de deux ans plus tard, le Reich millénaire n'était plus que cendres et poussières.* »

Les dirigeants israéliens actuels sont, en fait des « calculateurs ». A l'instar de cet « *officier en charge des territoires* », ils se présentent, comme le général Stroop, en « *spécialistes de la solution des problèmes* ». Ces « spécialistes » sont mécaniques et fonctionnels.

Hannah Arendt les décrivait en ces termes : « *Les spécialistes de la solution des problèmes n'appréciaient pas, ils calculaient. Leur confiance en eux-mêmes n'avait même pas besoin de l'autosuggestion pour se maintenir intacte en dépit de tant d'erreurs de jugement car elle se fondait sur une vérité purement rationnelle et mathématique. Le malheur est que cette "vérité" était dépourvue de tout lien avec les données du "problème" à résoudre.* »

Hannah Arendt, dans une réflexion sur les documents du Pentagone qui menèrent les Etats-Unis au désastre vietnamien, peignait ainsi certains aspects du mensonge et des techniques d'intoxication. Elle parlait… du totalitarisme.

—R. El-K.
Mars 2002

chronique

De l'art d'agiter un épouvantail

Jean-Claude Pons

Coup sur coup, deux « Rebonds » dans *Libération*. Le premier, « Ariel Sharon a déjà été jugé », par Jean-Pierre Allali (membre du Crif, Conseil représentatif des institutions juives de France), mercredi 6 mars 2002, conteste à la justice belge le droit de poursuivre Ariel Sharon pour sa participation aux massacres de Sabra et Chatila. L'auteur juge « *surréaliste* » la loi dite de « *compétence universelle* » adoptée par la Belgique et qui permet à la justice de ce pays de poursuivre le Premier ministre israélien. Je ne me hasarderai pas à ferrailler sur le terrain juridique qui m'est étranger ; je me contenterai simplement de relever que l'argumentation de M. Allali repose essentiellement sur les premices suivantes : « *Outre le côté outrancier de telles accusations qui occultent la réalité des faits évoqués et oublient de pointer leur doigt vengeur sur les véritables responsables, il transpire de ces plaintes en cascade un mépris scandaleux pour les institutions judiciaires d'Israël, seule démocratie du Proche-Orient.* » Autrement dit, avant de développer plus avant son argumentaire, M. Allali prend vicieusement soin de coincer les lecteurs français auxquels il s'adresse et qui sont censés être forcément républicains, dans leur obligation d'accepter ce qu'a décidé, via la commission Kahane chargée en son temps de l'affaire, la « *seule démocratie du Proche-Orient* ». Sous-entendu : tous les autres pays du Moyen-Orient ne sont évidemment pas des démocraties et on ne peut évidemment pas être de leur côté. Sous-sous-entendu : on ne peut être de leur côté *en aucun cas* puisque, quoi qu'il puisse arriver, quoi qu'il ait pu arriver, Israël est une démocratie et les Etats arabes alentour, non.

« *On a accusé Israël d'avoir laissé faire, voire d'encourager ces massacres, poursuit Allali. Il n'en est rien. La commission Kahane a clairement montré que, de la position qu'ils occupaient, les Israéliens ne pouvaient rien voir, ni entendre ce qui se passait dans les camps. Mais, c'est un fait, les Israéliens ont péché par naïveté et pas excès de confiance : ils étaient persuadés que les Phalanges, dont ils escomptaient qu'elles avaient atteint une certaine maturité, sauraient se comporter humainement.* » Les Israéliens, naïfs ???!!! Les Israéliens, excessivement confiants ???!!! Et c'est un fait ???!!!

Je reviens au début du deuxième paragraphe, sommet de perversité et de bourrage-de-crâne-mine-de-rien : « *Ariel Sharon, qui n'hésite pas à affirmer que ce procès vise "le peuple juif en son entier", a pu, fin janvier, par avocat interposé, exposer son point de vue* [...] » M. Allali glisse dans une incise, c'est-à-dire subrepticement, comme une évidence qui n'a aucun besoin d'être prouvée, ce qui probablement lui importe le plus : convaincre le monde entier que toute opposition à la politique menée par Israël vis-à-vis des Palestiniens relève de l'antisémitisme. Le patron l'a dit, c'est le peuple juif en son entier qui est visé. Dire non à la poursuite de la colonisation, dire oui au démantèlement des colonies, c'est donc crier : « Mort aux juifs ! » Et, comme on sait, la France (dont le ministère des Affaires étrangères est occupé par le dangereux – pour ne pas dire plus – Hubert Védrine) est redevenue antisémite au point que Sharon a invité les juifs français à émigrer dare-dare en Israël où il leur assurera la sécurité et, au besoin, j'imagine, créera pour eux de nouvelles colonies...

Dans l'article du lendemain (« Israël, le refus de servir »), l'écrivain israélien Avraham B. Yehoshua expose les trois raisons pour lesquelles il s'oppose aux réservistes qui refusent de servir dans les territoires occupés. La première de ces raisons repose sur un raccourci vertigineux de l'histoire juive, sa réduction, « *pendant les siècles de l'exil* », à l'attente qu'Israël fut. On a l'impression, à lire Yehoshua, que tous les juifs de la Terre, tous, comme un seul homme, bien avant la Shoah, n'ont vécu pendant des siècles que dans l'attente de la création d'Israël, puisque tous étaient des exilés et se pensaient comme tels. Une pareille unanimité séculaire est pour le moins discutable. Et Yehoshua lui aussi s'appuie sur l'exemplarité de la démocratie israélienne, fût-elle, comme il le dit, « *imparfaite* », lui aussi fait de cette démocratie

un bien absolu qui ne doit être mis en péril sous aucun prétexte. Or, justement, ceux qui refusent de servir représentent « *une menace dangereuse* » pour « *cette trame démocratique, neuve et fragile* ». Peut-être. Mais quel besoin Yehoshua a-t-il de fonder cette menace sur l'argument trop rapidement expédié de l'exil séculaire des juifs si ce n'est celui d'agiter une fois de plus l'épouvantail de l'antisémitisme assassin ? C'est que la situation actuelle au Proche-Orient est ce qu'elle est : un pouvoir politique israélien qui n'a jamais respecté les accords de paix signés, une politique israélienne qui est de plus en plus contestée partout, les Palestiniens qui ne cessent de montrer au monde et à Israël qu'ils ne céderont jamais – il se trouve donc que le premier point de l'argumentaire de Yehoshua coïncide avec la vaste entreprise des juifs sionistes de tous pays de convaincre plus que jamais la Terre entière que l'existence des juifs est menacée, où qu'ils soient, et qu'il faut donc tous, juifs et goys non antisémites (s'il en reste encore...), se ranger derrière le pouvoir israélien pour que perdure le havre de sécurité qu'est Israël sous la « *férule* [1] » de Sharon...

Deuxième raison pour laquelle l'insoumission des réservistes est intolérable : la désobéissance pourrait faire, en quelque sorte, jurisprudence, et l'extrême droite, « *lorsque viendra le temps de l'évacuation des colonies, se réglera elle aussi sur sa conscience et refusera de collaborer aux injonctions du gouvernement* ». Yehoshua est peut-être un homme de gauche, mais là c'est de la gauche molle tendance Pérès dont il s'agit. Je ne peux m'empêcher de me souvenir que nous eûmes en France, en des temps où la menace d'extrême droite semblait devoir être sérieusement envisagée, un éminent Premier ministre socialiste qui disait (je cite de

---

1. Yehoshua emploie ce mot pour écrire que, « *pendant des siècles* », « *le juif était sous la férule d'un pouvoir non juif, mais jamais sous celle d'un autre juif* », laissant entendre (c'est ce que moi j'entends) que l'assimilation des juifs était de la foutaise et que la communauté juive tout entière faisait profil bas dans l'attente de l'Etat d'Israël, ce qui, bien entendu, explique et justifie *a posteriori* la création de cet Etat sur la terre des Palestiniens.

mémoire) que Le Pen « *posait de bonnes questions mais faisait de mauvaises réponses* ». Se coucher pour ne pas donner prise à l'adversaire (et éventuellement faire quelque bénéfice électoral) est une tactique qui peut se concevoir mais, dans le contexte actuel qui est celui d'une véritable guerre, elle n'apparaît pas comme un argument sérieux à opposer aux réservistes israéliens qui refusent d'aller casser du Palestinien précisément parce que, pour ces insoumis, les ennemis aujourd'hui sont plutôt, *de facto* et *de jure*, les colons d'extrême droite. Ce qui est menacé, pour Yehoshua, est moins la démocratie israélienne que l'Etat d'Israël en tant qu'il est censé représenter et sublimer toute l'existence du peuple juif depuis la nuit des temps. Par définition, une telle idole doit rester monolithique et tous doivent se plier à son culte.

Et nous en arrivons à la troisième raison, hélas consternante. Les « *officiers et les soldats* » n'ont « *raison qu'en partie* » quand ils refusent de « *se conduire de manière policière, cruelle et inhumaine contre des populations innocentes* » car ils oublient que l'adversaire évolue parmi elles comme un poisson dans l'eau ; la discrimination entre population civile et militants armés n'est donc pas de mise. Ils oublient surtout, ces réservistes insoumis, que les « *combattants palestiniens* », s'ils veulent « *à raison, se libérer de l'occupation israélienne* », veulent « *aussi éradiquer les Israéliens de leur patrie* ». La lutte armée que mène Israël « *n'est pas une lutte univoque pour les colonies et l'occupation, mais une lutte pour le droit élémentaire à l'existence d'Israël* ». Je disais plus haut que Yehoshua réduisait l'histoire séculaire des juifs. Là il ignore carrément l'histoire récente et anéantit les accords d'Oslo. Pas un mot pour rappeler, fût-ce pour les enterrer un peu plus, que ces accords – et d'autres – furent signés, et que c'était la première fois depuis au moins cinquante ans que Palestiniens et Israéliens se reconnaissaient enfin. Au niveau de réflexion où se situe Yehoshua, il me semble que ces accords, maintenant défunts, oui, mais ayant existé (sans être respectés par Israël), auraient

pu être considérés car ils ne comptent certainement pas pour rien dans l'estimation que font les réservistes israéliens insoumis de leurs missions armées dans les territoires occupés (notamment dans les territoires déclarés autonomes[2]). Mais non : évoquer les accords passés (pour en approuver ou pour en contester les termes), évoquer cette étape historique capitale, évoquer la paix qu'elle a permis d'entrevoir pour la première fois, évoquer la « reconnaissance mutuelle », ce serait atténuer l'« argument » massue selon lequel l'existence d'Israël est en danger dans son essence même (c'est ce que signifie l'épithète « *élémentaire* » accolée aux mots « *droit à l'existence* » qui auraient pu s'en passer) et le sera probablement toujours. Si c'est ça penser comme un homme de gauche...

Relisant l'article de Yehoshua, je tombe là-dessus, qui m'avait échappé : « *Il est clair que la majorité du public israélien est en faveur d'une séparation unilatérale et temporaire d'une partie des territoires.* » D'une partie des territoires... Yehoshua, l'Israélien de gauche, s'il ne dit pas approuver forcément l'expression de la majorité, prend cependant bien garde à ne pas s'en désolidariser.

—J.-C. P.
8 mars 2002

---

2. Il est frappant de constater que ni Yehoshua ni, d'ailleurs, la presse française, écrite ou télévisée, ne disent plus « territoires autonomes », n'y font plus que rarement référence, comme si non seulement ces territoires n'existaient plus ès qualités (ce qui est hélas exact sur le terrain) mais comme s'ils n'avaient jamais existé.

YOAV GELBER. *PALESTINE 1948. WAR, ESCAPE AND THE EMERGENCE OF THE PALESTINIAN REFUGEE PROBLEM.* BRIGHTON, SUSSEX ACADEMIC PRESS, 2001, 8 + 399 P.
SALMAN H. ABU-SITTA. *THE PALESTINIAN NAKBA 1948. THE REGISTER OF DEPOPULATED LOCALITIES IN PALESTINE.* LONDRES, THE PALESTINIAN RETURN CENTRE, SEPTEMBRE 2000, SECONDE ÉDITION RÉVISÉE, 65 P. (EN ANGLAIS) ET 23 P. (EN ARABE).
SALMAN H. ABU-SITTA. *THE END OF THE PALESTINIAN-ISRAELI CONFLICT. FROM REFUGEES TO CITIZENS AT HOME.* LONDRES, PALESTINIAN RETURN CENTRE & PALESTINE LAND SOCIETY, SEPTEMBRE 2001, 38 P.

L'orthodoxie sioniste encore et toujours

Le problème des réfugiés palestiniens a été au centre du conflit arabo-israélien depuis 1948. Traditionnellement, les Palestiniens et les pays arabes refusent de discuter un règlement général du conflit avant qu'Israël ne déclare qu'il accepte le principe du rapatriement des réfugiés et/ou leur droit à indemnisation, conformément à la résolution 194 (III) des Nations unies de décembre 1948. Cette résolution, qui est restée au centre de la position des Palestiniens sur la question des réfugiés, stipule que « *les réfugiés désirant retourner dans leurs maisons et vivre en paix avec leurs voisins devraient être autorisés à le faire le plus tôt possible* ». Pour les sionistes israéliens, cependant, le « droit au retour » des Palestiniens (stipulé par nombre de résolutions de l'ONU) suppose rien de moins, à terme, que la mort du sionisme. La position israélienne officielle a toujours été qu'il ne peut y avoir de retour des réfugiés dans les territoires israéliens et que la seule solution au problème est leur installation dans les Etats arabes ou quelque part ailleurs. Depuis 1948, Israël refuse d'endosser la responsabilité morale des réfugiés et estime que celle-ci revient aux pays arabes dans lesquels ils résident. Les Israéliens ne veulent les voir rentrer sous aucun prétexte ; ils ne veulent pas de leur retour parce qu'ils ont besoin de leurs terres pour les immigrants juifs. Un rapatriement de la population arabe remettrait en question, selon eux, le caractère juif-sioniste de l'Etat et, démographiquement parlant, en saperait les fondements.

Alors que la position palestinienne sur la question des réfugiés a évolué durant les dernières années, celle des Israéliens est restée étroitement liée à la vieille orthodoxie sioniste. Mieux : les universitaires israéliens bien en cour ont continué à propager le mythe selon lequel l'exode des réfugiés était une tactique de guerre mise au point par les Arabes qui, en 1948, avaient déclenché la guerre contre le yishouv. Dans les années récentes, pourtant, la nouvelle historiographie d'Israël-Palestine a révélé que certains des mythes fondateurs d'Israël avaient en fait été concoctés par le Comité du transfert, partie intégrante du gouvernement (secret) israélien, dans un rapport qui fut soumis au Premier ministre Ben Gourion en octobre 1948. Formulant les principales lignes de ce que sera la propagande israélienne dans les décennies suivantes, le Comité niait toute culpabilité ou responsabilité dans l'exode arabe – déniant, en fait, le rôle qu'avaient pu avoir ses propres membres ici et là... Il mettait aussi fermement en garde contre tout retour des réfugiés et proposait que le gouvernement favorise leur installation dans les pays arabes. Depuis, Israël a fait valoir que les réfugiés palestiniens constituaient un « échange de population » avec les juifs qui avaient quitté le monde arabe dans les années 50. Bien que l'argumentaire israélien soit aussi mensonger que fallacieux, les porte-parole de l'Etat hébreu ont continué à le propager à l'intérieur comme à l'extérieur.

Il existe des montagnes d'archives qui montrent l'évidence de la corrélation entre l'intention idéologique du « transfert » et les ordres d'expulsion de 1948. La nouvelle historiographie d'Israël-Palestine atteste que la politique d'expulsion a été discutée et adoptée en 1948, et qu'elle a été effectivement mise en œuvre. Les faits montrent de manière concluante la responsabilité directe des sionistes dans le déplacement et la spoliation des Palestiniens en 1948. Dans plusieurs livres publiés durant ces dernières années, Ben Gourion, vers la fin des années 30, apparaît comme l'avocat « obsessionnel » d'un « transfert compulsionnel » et le grand expulseur des

Palestiniens ; l'exode fut largement et délibérément voulu par les dirigeants juifs (principalement Ben Gourion) et les chefs militaires. Il était la conséquence d'une « pensée-transfert », une sorte d'état d'esprit sioniste. La guerre de 1948 fut simplement une opportunité et l'arrière-plan nécessaire à la création d'un Etat juif largement vide de population arabe ; elle focalisa l'esprit juif-sioniste et fournit l'explication et la justification militaire, stratégique et sécuritaire pour purger l'Etat juif.

Dans *Palestine 1948. War, Escape and the Emergence of the Palestinian Refugee Problem,* Yoav Gelber, directeur de l'Institut Herzl de l'université d'Haïfa, ressert réchauffés beaucoup de mythes fondateurs d'Israël. Sa principale allégation est la suivante : la direction sioniste, en 1948, non seulement n'avait pas l'intention d'expulser les Palestiniens de leurs villages et de leurs villes, mais elle ne les a en fait pas expulsés. Pour Gelber, l'exode fut simplement un désastre « auto-infligé » : « *les Palestiniens sont les victimes de leur propre folie et de leur agressivité, aussi bien que de l'incapacité de leurs alliés arabes* » (p. 4). La « fuite » des Palestiniens a étonné la direction israélienne, qui n'en comprenait pas la raison. Les tentatives d'explication du phénomène, écrit Gelber, « *a eu très tôt une influence considérable sur les travaux historiographiques traitant de ce sujet* » (p. 74). Ces « travaux historiographiques » (cités par Gelber) sont en réalité deux documents typiques de la propagande israélienne de cette époque : *The Arab Refugee Problem*, de Joseph Schechtman (New York, 1952), et un article de M. Syrkin, « The Arab Refugees, A Zionist View », paru dans *Commentary,* en 1966. Une chose que Gelber ne nous dit pas est que le tract de propagande de Schechtman était en fait payé par le Comité du transfert de 1948 du cabinet israélien. Bien que Gelber ait dû être au courant de l'existence de quantité d'archives disponibles auprès des comités de transfert officiels et semi-officiels qui ont opérés entre 1937 et 1949, il ne fait pas la moindre allusion, dans son livre, à leur existence, à leurs plans et à leurs activités en 1948, plans et activités dont la nouvelle historiographie a abondamment fait état. Pendant mes propres recherches dans les archives israéliennes, j'ai découvert, par exemple, qu'en août-septembre 1948 le Comité gouvernemental du transfert avait engagé Schechtman (un dirigeant sioniste d'extrême droite, proche compagnon de Vladimir Jabotinsky, qui avait beaucoup écrit sur les « transferts de population » en Europe) pour mener une étude sur la question d'un transfert des réfugiés palestiniens en Irak. En octobre 1948, Schechtman recevait un télégramme en provenance de Sharef, secrétaire du cabinet : « *Approuvons votre proposition réunir le matériel discuté. Danin* [et] *Lifschitz* [membres du Comité du transfert] *rembourseront les frais, cinq cents dollars*[1]. »

Comme il fallait s'y attendre, le livre de Gelber a reçu l'adhésion d'un autre historien bien en cour, Walter Laquer, qui suggère dans la préface que le règlement du conflit israélo-palestinien devrait être basé sur « *des concessions territoriales mutuelles* » et sur « *des transferts de population limités* » ; « *étant donné le fait qu'Israël est maintenant un pays surpeuplé, le retour d'un nombre important de réfugiés semble impossible* » (préface, page 7). Bien entendu, Laquer parle ici de « *surpopulation* » en pensant aux exigences des réfugiés palestiniens, sans évoquer l'absorption d'un million de « juifs russes » qui a eu lieu depuis 1990, ni les récentes déclarations d'Ariel Sharon où celui-ci envisageait de recevoir en Israël un autre million d'immigrants juifs[2] ! On doit ici préciser que l'argumentation de Laquer, Gelber et Cie ne tend pas seulement à la réhabilitation de l'orthodoxie sioniste ; elle vise surtout à discréditer les « nouveaux historiens » israéliens (Benny Morris, Avi Shlaïm, Ilan Pappe, Tom Segev) (p. 2-3). A première vue, Gelber se réfère à une impressionnante quantité d'archives ; en fait, il ne s'en sert que pour répéter *ad nauseam* les arguments habituels des partisans de l'orthodoxie israélienne (Shabtaï Teveth, Anita Shapira, Itamar Rabinovitch, Ephraïm Karsh, Shlomo Aharonson).

Comme il échoue dans sa tentative de ternir la réputation internationale des « nouveaux historiens » israéliens, on pourra toujours se souvenir de Gelber en tant que supporteur passionné du « Grand Israël », entretenant des liens étroits avec l'extrême droite et l'establishment sécuritaire israélien. Il était sur la liste du Tsomet à la Knesset, le parti d'extrême droite fondé en 1983 par le chef d'état-major Raphaël Eïtan pendant l'invasion du Liban. Le programme du Tsomet prévoyait l'annexion à Israël de la Cisjordanie et de la bande de Gaza, et le « transfert » des réfugiés palestiniens de ces territoires vers les pays arabes. La presse israélienne rend constamment compte des vues extrémistes de Gelber. Lors d'un symposium organisé par Rahavaam Zeevi à Tel-Aviv en février 1988, il avait déclaré que le « transfert » était une solution légitime : « *Quand j'en viens à considérer d'autres alternatives, je n'en vois décidément aucune qui soit plus commode que le transfert.* »

La nouvelle historiographie d'Israël-Palestine s'est penchée attentivement sur la destruction systématique de centaines de villages arabes en 1948-1949, qui furent complètement vidés de leurs habitants. Pour empêcher ceux-ci de revenir (et pour perpétuer le mythe sioniste selon lequel la Palestine était quasiment un « territoire vide » avant l'arrivée des juifs), leurs maisons furent dynamitées ou rasées au bulldozer. L'ouvrage monumental et exhaustif réalisé par une équipe de chercheurs – sur le terrain – et d'universitaires palestiniens sous la direction de Walid Khalidi, *All That Remains. The Palestinian Villages Occupied and Depopulated by Israel in 1948*[3], raconte en détails la destruction de chaque village, fournit un matériel statistique, historique, topographique, archéologique, architectural, photographique et économique, fait état des circonstances de l'occupation et du dépeuplement, et décrit ce qu'il reste. Cependant, il existe apparemment des divergences quant au nombre de localités palestiniennes dépeuplées et détruites en 1948. Dans *The Birth of the Palestinian Refugee Problem, 1947-49*, Benny Morris, s'appuyant sur des sources israéliennes (archives et autres), dresse la liste de

1. Voir, par exemple, la lettre d'Arthur Lourie's au ministre des Affaires étrangères Shertok (Sharret), datée du 15 octobre 1948 et consultable aux Archives de l'Etat israélien (ISA), ministre des Affaires étrangères, 2402/15 ; la lettre de Schechtman à Ezra Danin, assistant du ministère des Affaires étrangères, datée du 7 décembre 1948, consultable à l'Institut Jabotinsky, documents Schechtman, dossier F. 2/10/227 ; la lettre de Shertok à Schechtman, datée du 17 décembre 1948, ISA, ministère des Affaires étrangères, 2402/15.
2. *Maariv,* 23 février 1998, p. 12.

3. Washington DC, Institute for Palestine Studies, 1992.

369 villages et villes, et donne la date et les circonstances de leur dépeuplement. Le chiffre avancé par Walid Khalidi (418) est établi d'après les villages et les hameaux (seulement) qui sont répertoriés dans le *Palestine Index Gazetteer* de 1945 et qui se sont trouvés à l'intérieur des lignes d'armistice de 1949. Le chiffre de Khalidi, 418, représente la moitié de celui des villages palestiniens de la Palestine mandataire. Dans *The Palestinian Nakba 1948* (publié pour la première fois en 1998), Salman Abu-Sitta, après mise à jour, fournit le chiffre de 531 villages. Il inclut les localités répertoriés par Morris et Khalidi, et y ajoute celles des tribus du district de Beer Sheba. Cependant, même en considérant ces ajouts, la recension de Khalidi demeure la plus méticuleuse.

Les travaux d'Abu-Sitta ont d'abord retenu l'attention à travers les publications du Centre pour le retour des Palestiniens (Palestinian Return Centre), basé à Londres, qui a inlassablement cherché à informer le public sur les droits des réfugiés et à récuser l'orthodoxie sioniste. La préoccupation principale du travail d'Abu-Sitta (ingénieur dans le civil, il a été pendant longtemps membre du Conseil national palestinien) tourne autour des droits des réfugiés, les spoliations dont ils ont été victimes en 1948, les effroyables conditions qui leur sont faites aujourd'hui, et leur droit au retour. Essentiel dans les écrits d'Abu-Sitta, ce droit au retour est non seulement légitime mais réalisable. Dans *The End of the Palestinian-Israel Conflict,* Abu-Sitta estime, contrairement aux affirmations israéliennes, qu'il y a largement la place pour le retour des réfugiés dans leurs maisons et dans leurs villages (notamment en Galilée et dans le Néguev) ; à l'aide de statistiques détaillées et de cartes, il montre comment ce rapatriement peut être réalisé. Selon moi, cependant, le retour des Palestiniens ne passera de l'utopie à la réalité que si l'actuel rapport de forces entre Israël et les Palestiniens est radicalement modifié. Non moins important : il faut repenser le futur d'Israël-Palestine, peut-être en envisageant à long terme la binationalité. Il est impossible d'imaginer un retour en masse des réfugiés palestiniens en Israël si les structures actuelles de l'apartheid demeurent en place.

—Nur Masalha

ELIAS KHOURY. *LA PORTE DU SOLEIL.* ROMAN TRADUIT DE L'ARABE (LIBAN) PAR RANIA SAMARA. PARIS, ACTES SUD / SINDBAD-LE MONDE DIPLOMATIQUE, 2002, 629 P.

Parce que l'histoire de la Palestine n'est pas encore consignée dans une totalité, on a vite qualifié l'ouvrage imposant d'Elias Khoury, *La Porte du soleil,* de somme historique du peuple palestinien. Or l'auteur s'en défendait lors d'un entretien récent[1], considérant que « *le roman peut juste colmater des brèches. Il ne remplace pas l'écriture de l'histoire, et ce n'est pas son rôle de le faire… »,* ajoutant : « *Mon métier consiste à utiliser des histoires et à faire des recherches afin de créer un imaginaire. En littérature, nous œuvrons avec l'imaginaire, non avec la réalité ; la réalité est seulement en arrière-plan. »*

De cette distance entre l'Histoire comme science et les histoires organisées autour de l'imaginaire, *La Porte du soleil* témoigne à travers plusieurs aspects.

La première différence se situe entre le choix d'une objectivité historique, certes relative mais intentionnelle, et la subjectivité omniprésente dans les innombrables récits rapportés et recomposés ici. Tout d'abord, le narrateur qui, d'un bout à l'autre du roman, raconte, dialogue et écoute les autres, est l'un des acteurs de l'histoire de la dispersion palestinienne. Il a participé de près ou de loin à ses divers épisodes et surtout il est lié aux personnages qu'il évoque. De même, tous ceux dont il rapporte le témoignage ont plongé et plongent encore dans la tourmente des événements. Loin d'être neutralisée, l'affectivité est au contraire au premier plan. Elle conditionne le rapport intense entre le narrateur et un deuxième personnage qu'il s'acharne à vouloir maintenir vivant, un homme dans le coma, réduit à un état végétatif extrême. En fait, la dimension dramatique de toutes les histoires procède des liens entre les locuteurs et ceux dont ils se souviennent, parents, amis, voisins, morts pour la plupart.

Une énergie affective « vampirisée » par les défunts trop nombreux, trop mal enterrés ou des

---

1.In *Banipal, Magazine of Modern Arab Literature,* n° 12, automne 2001.

sentiments inquiets pour les survivants toujours en sursis, cette scène palestinienne que nous présente Elias Khoury est surchargée d'une émotion ravalée année après année derrière les préoccupations quotidiennes. D'où une seconde caractéristique du récit : ce ne sont pas les personnes qui polarisent l'attention, mais les événements. En première ligne, émergent des hommes et des femmes que chacun connaît et qui forment un réseau social dense marqué par des relations profondes, complexes et variées. Qu'est-il arrivé à Untel ou Unetelle ? La question posée personnalise l'Histoire tout en fragmentant toute vision globale de l'événement. De cette manière, s'anime une véritable fresque sociale dans les paroles des uns sur les autres. La dissémination de cette poignée de personnages, ceux de deux ou trois villages et du camp où vit le narrateur, donne l'impression que c'est l'ensemble du peuple palestinien qui est évoqué. D'autant que chaque trajectoire est unique dans cette tragédie collective, ou, plutôt, l'auteur, par ces gros plans sur les individus, parvient à nous sortir d'une perspective globale automatiquement simplificatrice. Le désastre fut certes celui de tous, mais il s'est décliné en fonction des déterminismes économiques, des situations et des choix malgré tout. Les témoignages des uns et des autres démontrent que les vaincus ne furent pas des victimes passives – ils furent les auteurs de bon nombre d'actes héroïques anonymes enregistrés dans les mémoires et fondateurs de la résistance. Cette prise de parole plurielle engage donc après coup la responsabilité des acteurs, humbles villageois ébranlés par la violence des expulsions.

En déroulant le fil tortueux de leurs souvenirs, les personnages se réapproprient peu à peu la capacité de juger, de décider et de choisir leurs héros. Car au regard de leur douleur et de leurs blessures, la possibilité de parler du passé fait de ce roman une catharsis. La fonction de ces prises de parole va même plus loin : sans arrêt, le texte insiste sur cette parole si difficile à assumer, si essentielle à la survie, si essentielle au repos des morts et des vivants. La difficulté à dire s'exprime par une syntaxe particulière, interrompue parfois comme si ce qui était dit surgissait d'un abîme de douleur et n'arrivait à se frayer un chemin vers

l'expression que rapidement, et non dans l'étendue d'une phrase.

Elias Khoury sait que certains lecteurs n'apprécient pas ces entorses à la langue arabe mais son ambition est de donner voix à la parole vivante d'une communauté ; le narrateur devient l'intermédiaire entre une épopée transmise oralement et un discours individuel qui cherche à « coudre » ces témoignages. Le roman porte donc la trace de cette oralité caractérisée par l'inachèvement, les nombreuses variantes, l'histoire possédant « *en fait des dizaines de versions différentes et, lorsqu'elle se fige en une seule version, cela ne mène qu'à la mort* ». Ainsi, il ouvre le texte à ce flux de paroles qui sortent des « tripes » et qui disent beaucoup par les silences, les pauses à respecter pour prendre la mesure de ce qui est arrivé – « *car nous ne pouvons pas nous débarrasser ainsi de nos souvenirs, nous n'avons pas le droit de nous souvenir à la va-vite* ».

Et puis, il y a cette capacité du récit à se régénérer au-delà des ruptures, indiquant que le flux de la vie n'a pas tari, que l'histoire n'est pas morte et qu'un peuple continue à construire et à se donner du sens. Symboliquement, le narrateur restitue cette parole au père spirituel, héros combattant d'hier, cette génération des pères qui étaient dans l'action n'ayant pu transmettre que des fragments ce qu'ils avaient vécu. Du coup, les fils s'égaraient dans la confusion : « *Je me perdais entre les deux femmes, à écouter des histoires que je prenais pour miennes. Je parlais de mon père comme si je parlais de moi-même et à travers le regard de ma mère, je l'imaginais en train de s'écrouler comme une masse.* »

Si la parole est à ce point essentielle dans *La Porte du soleil*, c'est aussi parce qu'elle nomme, et donc se réapproprie l'identité de tous ceux qui, transplantés ailleurs ou morts, ne sont plus perçus dans le réseau des relations sociales et dans les rapports de filiation. Voilà pourquoi la nomination se fait acte : dévider les noms des ascendants, c'est resituer ce que la dispersion géographique a brisé en éparpillant ici et là-bas les descendants d'un même village où tout le monde connaissait tout le monde. D'ailleurs, l'un des personnages les plus attachants, une véritable Mère courage palestinienne, recommande à sa fille de conserver les noms : « *Garde bien les noms, ma chérie, n'oublie jamais de les écrire et de les mettre dans le panier. Ce panier sauve les noms de la mort.* » D'autant plus que dans l'ampleur des désastres, la mort est souvent anonyme, comme à Sabra et Chatila : « *Pourtant, nous n'avons même pas réussi à recenser correctement les noms des victimes du massacre… Nous ne possédons même pas les noms de nos morts. Rien que leur nombre.* » Tandis que l'instabilité de l'identité s'exprime chez les vivants par les nombreux pseudonymes qu'ils se donnent, comme s'ils vivaient plusieurs vies. Cet éparpillement de soi entre plusieurs destins tous plus tragiques les uns que les autres et qui sont autant de séparations d'avec l'origine trouve son pendant dans ces noms et surnoms que se donnent les combattants.

La déflagration de la Nakba a disloqué le tissu social villageois, quand les hommes partaient combattre ou étaient tués. Séparations traumatisantes entre les survivants et les autres, ceux qui n'ont pu en réchapper : « *Les Juifs avaient enroulé plus de 70 hommes dans les draps blancs qu'ils portaient comme signe de leur reddition, ils leur avaient tiré dessus, le sang jaillissait des draps.* » Surtout, le chaos généralisé a entraîné la confusion entre les moments, les personnes, les noms et même entre les morts et les vivants : « *Tu me diras que vous étiez perdus, que vous voyiez les vivants morts et les morts vivants. Les choses s'étaient embrouillées pour vous. Vous aviez passé les premières années de la Nakba en essayant de tracer une ligne nette entre les morts et les vivants.* » De cette « contamination » de la vie par la mort, découle l'impossibilité d'oublier les êtres chers. Le travail du deuil est pour certains interminable comme, par exemple, pour cette femme ravagée parce qu'elle a dû enterrer son mari dans l'urgence et qui dit : « *Tout ce que je veux c'est pouvoir me rendre sur cette tombe pour m'assurer que je l'ai enterré convenablement…* »

On comprend que l'une des fonctions essentielles du texte d'Elias Khoury est d'ordonner, de séparer, d'organiser cet héritage marqué par le désordre. Ebranlée par l'ampleur de la catastrophe, la génération précédente n'a pas pu livrer des récits cohérents : « *Chaque fois que je demandais à l'un ou à l'autre ce qui était arrivé, vous vous mettiez à mélanger les événements d'une manière très*

arbitraire. » Contraints de retrouver les fils des histoires mais aussi celui des générations de familles disloquées, le narrateur et ses interlocuteurs procèdent par reconstitution à partir de points de vue différents ; comme dans une enquête policière, le personnage principal confronte les témoignages et découvre d'ailleurs que chacun raconte les choses à sa manière, ajoutant et imaginant pour combler les vides dans les biographies.

Ces récits nous renseignent surtout sur la mythologie particulière qui s'est développée chez les Palestiniens, sur leur capacité à intégrer leurs souffrances dans une épopée qui se continue. Récits chargés d'émotions, de colère, d'amertume et de douleurs qui laissent des blancs dans les voix et les paroles ; bribes toujours, fragments croisés qu'il y a urgence à recueillir pour reconstituer un texte fondateur pour l'ensemble des Palestiniens. Véritable travail de rassemblement et d'agencement qu'effectue déjà le narrateur à partir des paroles de son protégé dans le coma : « *C'était à moi de réunir tes phrases sporadiques, tes grognements pour en faire une histoire que je m'apprête à te raconter maintenant.* »

Le récit est supposé insuffler vie à ce corps fantomatique réduit à l'état léthargique d'un nourrisson ; on peut y voir un symbole du peuple palestinien exsangue après toutes les épreuves qu'il a traversées et qu'il traverse encore. Ni mort ni vivant, suspendu à une attente indéterminée où ni la vie ni la mort ne s'achèvent. La suspension est certes le contraire de la délivrance ; elle caractérise la situation de ceux qui sont retournés après la Nakba : « *Il a essayé de te faire comprendre que ceux qui réussissaient à rentrer ne pouvaient pas vivre dignement car ils étaient considérés comme présents et absents à la fois et ne pouvaient ni travailler ni se déplacer.* »

Ni ici ni là-bas, ni au présent ni au passé, ni époux ni non-époux, ni enfants ni vieux (à l'image de cet enfant dont les cheveux auraient blanchi d'un coup), la tragédie est dans le vertige de l'aller-retour, dans l'impossibilité de trouver une place pour les hommes et les femmes, pour leurs absents, un lieu où déployer une existence et délimiter les étapes de la vie. Le provisoire est devenu la cruelle norme, conférant un halo d'irréalité menaçant.

Le narrateur, qui fait semblant d'être infirmier, déroule son récit dans un semblant d'hôpital, « *un bâtiment blanc suspendu dans les airs* », dans un semblant de camp, dans un semblant de ville.. un Beyrouth qui a aussi explosé avec l'invasion de 1982, la guerre des camps, etc. Même les témoins qui se confient aux ONG font semblant d'avoir vécu certaines choses qu'ils savent toucher davantage les Occidentaux et se taisent sur leurs véritables désastres. Le manque de consistance et la perte de substance de la réalité caractérisent le présent ; le pays dans le camp est réduit à des images floues, avec la vidéo autour de laquelle se rassemblent les habitants.

Il n'y a plus de héros, martèle le narrateur. Fatigués, épuisés et meurtris sont les hommes d'aujourd'hui. Ceux d'hier sont devenus symboles. Il font partie de la légende car ils ont vécu des situations extraordinaires et furent contraints à des choix tragiques. Les contemporains font circuler le livre de ces légendes transmis par les villageois. Il y a l'histoire de ce vieux cheikh aveugle qui « *avait commencé à se laver avec de la terre* » ; ou bien celle de cet homme qui retourna solitaire dans son village dévasté pour protéger un arbre et qui finit par devenir un « saint » qu'on vient visiter en pèlerinage – « *Un homme blanc, à la barbe blanche, vêtu de blanc ; il gardait l'arbre et parlait aux branches.* »

Il s'agit des récits fondateurs d'une résistance tenace, celle des faibles, des héros sans armes dont le sacrifice hante les mémoires et renforce le lien social. D'où leur importance lorsque toutes les conditions de désespoir sont réunies pour que chacun ne pense plus qu'à ses malheurs. Mais ce que souligne Khoury, c'est surtout l'ambiguïté de ce rapport au passé. S'il est nécessaire pour la mémoire collective, il risque aussi d'emprisonner dans la nostalgie, comme cette grand-mère atteinte du « *gâtisme des fleurs* » : « *Ma grand-mère bourrait son oreiller de fleurs ; elle disait qu'en y posant la tête, elle avait l'impression de retourner dans son village.* »

En tout cas, le roman déploie les souvenirs des plus humbles des héros et héroïnes de l'ombre ; il accorde une grande part à la lutte invisible, quotidienne de ceux qui ont dû se débrouiller avec la misère, la faim et, pour ceux qui sont restés, les humiliations des Israéliens. C'est le cas de la femme du héros combattant, qui a enduré privations et brimades, ou celui de Oum Hassan, sage-femme du camp qui, dans sa longue vie, a perdu ses sept enfants mais a toujours consolé, soutenu et rassemblé les autres.

Les femmes sont aussi les inspiratrices d'un bonheur volé à l'époque, êtres énigmatiques dont les histoires intimes se révèlent peu à peu, éclairant un autre pan de l'histoire, d'autres résistances, d'autres luttes souterraines. Elles sont aussi, à travers leurs différents visages, les symboles de cette patrie tellement absente : « *La patrie n'est pas dans les oranges, les olives ou la mosquée Jazzar à Acre. La patrie, c'est tomber dans un gouffre, c'est te sentir une partie de tout, c'est mourir parce qu'elle est morte.* »

—SALOUA BEN ABDA

GEORGES NACCACHE. *LES FAITS DU JOUR. L'ORIENT. 1924-1972.* BEYROUTH, EDITION L'ORIENT-LE-JOUR & DAR AN-NAHAR, 2002, 185 P.

Georges Naccache, le tireur à l'arc

Bonne nouvelle : la publication aux éditions Dar An-Nahar d'un excellent recueil de textes de l'éditorialiste libanais Georges Naccache qui fut le plus brillant des chroniqueurs francophones de ce pays. Edités et choisis par Anne Frangié, préfacés par Ghassan Tuéni et par Amal Naccache, ces articles ont un double intérêt, historique et littéraire.

Ancien ministre et ancien ambassadeur, fondateur avec Gabriel Khabbaz du quotidien *L'Orient* en 1924, Naccache fut en effet un témoin exceptionnel, si partisans ou discutables aient été certains de ses choix. Né en 1902 à Alexandrie et mort à Beyrouth en 1972, il a connu et couvert, du mandat français à la mort de Nasser, quarante-huit ans d'histoire libanaise et régionale; un demi-siècle durant lequel « *ses éditoriaux furent récités en petit comité par des admirateurs* », comme l'écrit très justement sa fille qui, par pudeur, s'abstient de préciser qu'il ne comptait pas moins d'admirateurs parmi ses ennemis que parmi ses amis. On disait en arabe, « *Dieu vienne en aide à celui qui tombera sous la langue de Naccache* ». Naccache était un tireur à l'arc. Sa verve et son insolence décochaient les flèches, sa culture arbitrait, sa méchanceté et sa drôlerie faisaient le reste. Les victimes tombaient sans défense, les lecteurs en redemandaient. « Faites taire Monsieur Chamoun » – célèbre diatribe écrite en 1945 – fut un modèle du genre. Sous peine de « *passer pour un effronté menteur ou pour un demeuré* », le futur président de la République, alors ambassadeur en Grande-Bretagne, était sommé par son exécuteur de rendre la parole et d'y renoncer une fois pour toutes .

Pour le lecteur d'aujourd'hui, les écrits de Naccache ont ceci de remarquable qu'ils traitent d'une époque révolue dans une langue qui, elle, n'a pas pris une ride. Il partageait avec Schehadé – était-ce en raison de leurs attaches communes avec l'Egypte ? – ce sens du raccourci et de la concision que les moyen-orientaux de langue française ont souvent du mal à adopter. Caustique, mordant, éloquent, parfois lyrique mais sans emphase, Naccache écrivait à l'oreille, avec un tempo et une économie – économie d'adjectifs, économie d'adverbes – qui faisait de certains de ses articles de véritables bijoux truffés de bombes. Auteur de la fameuse formule « *Deux négations ne font pas une nation* », il disait dans ce même article, en date du 10 mars 1949 : « *Une constatation domine tout : Né dans la violence – né de la violence – le régime actuel de l'Indépendance est condamné, pour se maintenir, à une perpétuelle violence.* » Qu'aurait-il pensé, qu'aurait-il écrit de la guerre du Liban commencée trois ans après sa mort ? Sans doute lui aurait-elle donné la nostalgie de ses anciens adversaires.

Le 25 septembre 1945, alors que le président Truman se prononce en faveur de l'immigration de 100 000 juifs en Palestine, Naccache écrit : « *Tout le système démocratique américain subit, depuis un demi-siècle, cette lourde hypothèque de l'électorat juif, dont la Maison Blanche elle-même n'est pas complètement affranchie* [...] *A trente ans de distance, nous retombons dans le tragique imbroglio où la déclaration Balfour a jeté les liquidateurs des provinces arabes de l'Empire ottoman.*

On a signé deux chèques sur la même provision. » Vingt-cinq ans plus tard, lors du premier détournement d'avion effectué par le Front populaire pour la libération de la Palestine (FPLP), il fait preuve d'une lucidité qui confine à la vision. L'article intitulé « Direction Zarka... » aurait pu être, à peu de mots près, écrit aujourd'hui. Le voici :

« *On connaît ce mot d'un dictateur d'Amérique latine, agacé par les précautions excessives que le chef de sa garde multipliait autour de ses déplacements : —* "Faites votre devoir, mon ami, mais dites-vous bien une chose : le jour où il se trouvera un homme décidé à échanger sa vie contre la mienne, rien ne pourra l'arrêter."

Le mot ne s'applique-t-il pas à chacun de ces pirates de l'air contre lesquels toutes les polices et toutes les douanes déploient des forces et des ruses impuissantes ? Pour qu'un homme seul arrive à se rendre maître absolu du bord, à commander l'équipage, à juguler 100 ou 200 passagers, il faut qu'il ait mis d'avance "sa vie derrière lui", *qu'il ait décidé, au décollage, de se faire sauter avec la carlingue.*

Il ne s'agit pas ici de philosopher – ni de chanter les louanges des "terroristes de l'air". *Disons simplement qu'on ne peut pas appliquer au jugement de ces hommes les principes d'éthique et le code des bons usages établis par les nations bien-portantes. Et ceux qui brûlent au napalm des populations civiles et mènent des guerres depuis trente ans, où la seule règle est l'efficacité, sont assez mal venus de prêcher les bonnes manières à un peuple désespéré.* »

Naccache était un enfant de Péguy et de Victor Hugo, un admirateur de Maurras, (du moins en 1938), et un ami de Max Jacob. Il préférait Giraudoux à Morand et à Cocteau et il savait comment le dire : « *Morand s'est vidé en deux* Nuits. *Cocteau qui se prenait pour un avion, a fini en cheval de cirque. L'auteur de* Siegfried, *de qui nous doutions le plus, était celui qui avait le souffle le plus long.* » Son article « Il faut être hugophile », le 26 juin 1935, n'est pas moins passionné que ses écrits sur l'avenir du Liban. Ici encore, ses mots n'ont pas vieilli : « *A la hugolâtrie et aux panthéonades de l'autre siècle, a succédé une hugo-phobie non moins suspecte: une hugophobie de pions. Hugo agace, de la même façon que Corneille dé-rangeait Gustave Lanson. Le Français qui ne voit dans le merveilleux qu'une exagération, n'aime pas les hommes sommets : en littérature comme en poli-tique, une triste furie nivellatrice lui fait décapi-ter ses génies et ses héros. »* Il eut aimé cette phrase d'Emmanuel Berl : « *Les gens qui n'aiment pas Victor Hugo m'ennuient, même quand ils parlent d'autre chose.* »

Au chapitre des géants : Nasser. Naccache est marqué par sa rencontre avec le président égyp-tien qui le séduit, le désarçonne et l'inquiète – du moins est-ce ainsi que je l'ai perçu entre les lignes. De retour du Caire, il écrit : « *Un César de 6 pieds 3 pouces, ce n'est pas le gabarit ordinaire des dic-tateurs... Il n'y a d'ailleurs rien de césarien dans le personnage. Ce grand athlète chevelu, lucide, agile, rieur, qui est aujourd'hui le maître de l'Égypte, re-présente un type politique absolument nouveau.* » Au lendemain de sa mort, en septembre 1970, il apporte au portrait sa touche hugolienne : « *Vous êtes au Caire. On vous annonce que vous allez être reçu. Vous allez voir le Pharaon. Un pharaon qui, en plus, est un calife. Et voilà Ramsès devant vous; et c'est un homme tout simple, un homme comme tout le monde, un homme comme vous. Avec, seu-lement, cette chose en plus : le génie – et c'est une di-mension qui, justement, échappe à notre mesure.* »

Naccache n'était pas un sentimental, mais très certainement un homme d'affects et d'émotions. Il avait le don de l'écriture et la passion de l'his-toire, le sens de l'anecdote, un humour indéfec-tible, l'élan sans la pompe, le goût du ring et de l'arbitrage. En voyant sa photo sur la couverture du livre, un ami fit cette remarque : « *Il a une tête de coach* ». C'est vrai ; dommage qu'il ne soit plus là. On l'aurait bien vu sur le stade, attribuant des cartons rouges à Bush et Sharon ou, mieux en-core, leur ordonnant, sans palabres, de quitter la partie.

—DOMINIQUE EDDÉ

MONIQUE CHEMILLIER-GENDREAU. *DROIT IN-TERNATIONAL ET DÉMOCRATIE MONDIALE, LES RAI-SONS D'UN ÉCHEC.* PARIS, TEXTUEL, 2002, 270 P.

Le droit, pour entrer en résistance

Les années qui suivirent l'invasion du Liban, en 1982, par les troupes israéliennes du général Ariel Sharon furent, dans le sanglant conflit qui a déchiré ce pays, parmi les pires. Bousculée par des affrontements aux connotations et aux rami-fications régionales et internationales complexes, la société libanaise sombra progressivement dans le chaos. Celui-ci fut particulièrement aggravé par l'instrumentalisation partisane de l'appareil et des institutions de l'État, déjà fortement endomma-gés par les déchirements politiques et/ou com-munautaires. Le pouvoir qui avait surgi à la fa-veur du basculement provisoire des rapports de force, avait à ce point été aveuglé par ce qu'il considérait alors comme sa « victoire » (on sait ce qu'il en advint...) que ceux qui s'en étaient saisis s'étaient alors cru les maîtres du droit. A l'un de ses conseillers qui lui faisait remarquer l'illégalité et le caractère anticonstitutionnel de nombreuses mesures, l'homme qui occupait les fonctions présidentielles de l'époque avait ré-pondu : « *Eh bien, qu'à cela ne tienne, nous chan-gerons la constitution et les lois* » ! Taillés à la me-sure des intérêts d'une fraction partisane qui avait assimilé l'intérêt national à ses propres égoïsmes, les découpes des nouveaux habillages juridiques ne firent qu'exacerber les tensions et aggravèrent le chaos.

D'une certaine manière, il se passe aujourd'hui un phénomène semblable dans les relations des Etats-Unis dirigés par une équipe politique très intégrée au noyau fondamentaliste et/ou d'ex-trême droite le plus dur de son administration et de sa machine militaire. A cette différence près que l'échelle de la vanité démesurée est à la di-mension du monde. Ces qualificatifs sont loin d'être exagérés. Un haut responsable du Département d'Etat ne s'est pas gêné d'évoquer, dans le *New York Times,* « *le retour des tarés de l'extrême droite* » en parlant de Paul Wolfovitz, le numéro deux du Pentagone, l'adjoint de Donald Rumsfeld.

Toutes les règles édifiées tant bien que mal depuis le dernier conflit mondial sont tous les jours balayées par un président et son entourage acharnés à défaire le droit au profit de la force. Les idéologues, qui au milieu de la décennie écoulée prêtaient à sourire au lieu d'alarmer lorsqu'ils parlaient d'« hégémonie bienveillante » ou de « nation indispensable » (alors que les chantres de la « globalisation » prêchaient la fin des nations), sont désormais aux commandes, et leurs propos ne font plus rire. Conseiller du Pentagone, Richard Perle peut affirmer impunément : « *Les Etats-Unis ont un droit fondamental à se défendre comme ils l'entendent. Si un traité nous empêche d'exercer ce droit alors il faut passer outre.* »

Commentant devant la presse américaine ses entretiens avec les Européens sur le protocole de Kyoto (relatif aux mesures impératives nécessaires à la réduction de l'effet de serre), George Bush a pu affirmer tranquillement : « *Je maintiens notre position, car c'est bon pour l'Amérique* » ; l'un des porte-parole de la Maison Blanche s'était empressé d'assener avec beaucoup d'élégance : « *Une forte consommation d'énergie fait partie de notre mode de vie, et le mode de vie américain est sacré.* » Le résultat est connu. Désormais Washington jette aux orties toutes les dispositions internationales qui entravent sa marche hégémonique, des protocoles sur l'environnement aux missiles balistiques en passant par les dispositions, dont elle est pourtant elle-même à l'origine, en matière de commerce mondial.

Mais le plus grave est surtout la menace militaire que l'hyperpuissance, ivre de son impunité, fait peser sur la planète. Venue s'ajouter au projet de bouclier antimissile, la décision de rejeter la convention sur les armes bactériologiques (armes de destruction massive s'il en est), de ne pas ratifier le traité d'interdiction des essais nucléaires et, dans la foulée, d'annoncer sa volonté de procéder à des essais d'armes nucléaires tactiques en affirmant clairement son intention d'en faire usage, montre à quel point le comportement des Etats-Unis est aujourd'hui une traduction primaire de simples rapports de force. L'acharnement obstiné à empêcher l'avènement de la Cour pénale internationale en dit tout aussi long sur le nouveau rapport américain au droit international. Les « valeurs universelles » seront désormais « américaines », ou elles ne seront pas. Sous la houlette de la « nation indispensable », le monde entre désormais dans une phase de régression dangereuse. La « communauté internationale » identifiée par un alignement sur les Etats-Unis dans leur combat d'une douteuse géométrie variable contre un « axe du mal » dont George Bush a eu la « vision[1] » perd désormais progressivement les premiers et fragiles repères fondamentaux âprement forgés par des décennies de confrontations de tous ordres destinées à construire des relations internationales exprimant réellement une véritable communauté de nations, et non l'ordre cynique et injuste du monde. Empêcher les hégémonies, faire reconnaître une égalité souveraine entre les Etats, combattre l'impunité de la criminalité internationale, réduire la violence dans les relations internationales voilà quels étaient quelques-uns des enjeux de ces combats.

Avec sa longue pratique du droit dans les juridictions internationales, et des engagements qu'elle a menés sans complaisance pour « *ne pas laisser la loi du plus fort produire ses effets ravageurs* », Monique Chemillier-Gendreau a accompagné d'une réflexion suivie les combats qui ont secoué « *une société mondiale de fait* ». Ce recueil en est le fruit. L'Afrique, l'Irak, la Palestine tout autant que les questions théoriques, comme celles de la notion souvent galvaudée d'« Etat de droit », ont constitué autant de champs de réflexion. Leur association fait de cet ouvrage à la fois une référence essentielle et un repère fondamental pour ceux dont la motivation est « *la recherche obstinée d'une issue positive à la crise mondiale qui menace l'humanité dans son ensemble par le développement et l'application de mécanismes juridiques à valeur internationale* ». L'un des aspects les plus novateurs de l'approche de Monique Chemillier-Gendreau est celui d'une problématique du rôle du droit international qui « *invite à sortir le droit des cabinets feutrés des juristes et des enceintes internationales pour l'évaluer à l'aune de la fureur du monde et du fracas des*

1. Le président américain a des visions. C'est ainsi qu'il définit les représentations politiques qu'il se fait du monde. Et son vocabulaire semble déteindre aussi sur celui de l'ONU. Depuis la résolution 1397, le Conseil de sécurité en a aussi (2e alinéa : « *attaché à la vision d'une région...* »).

armes ». Rappelant ainsi que le droit n'est pas une nébuleuse isolée du réel mais la première expression « positive » de la connaissance sociale (celle des faits dans la réalité de leur expérience, une présociologie en quelque sorte), elle va s'attacher à en mettre à nu les mécanismes contradictoires et les paradoxes. Cet enracinement du droit dans le réel permet d'en mettre notamment en évidence l'aspect social et économique. L'analyse doit alors non seulement se garder de tourner en vase clos et se contraindre à une approche unidimensionnelle, mais elle doit faire émerger les interrelations.

Les relations internationales sous leur forme actuelle de plus en plus chaotiques sont tributaires « *d'un marché qui crée des rapports sociaux* ». Or ces derniers « *ne débouchent pas sur une communauté, c'est-à-dire sur des valeurs partagées, car ces rapports sociaux découlent des développements accélérés du capitalisme* [et] *le capitalisme* [...] *impose l'intensification des échanges* [...] *détruit la communauté* [...] *aiguise les rivalités, les convoitises, les trafics destructeurs d'humanité* [...] *encourage les guerres, même s'il tente d'en protéger son centre* ».

Monique Chemillier-Gendreau considère que « *deux questions reviennent aujourd'hui de manière obsédante : l'effacement des souverainetés (donc des lois nationales) et le triomphe du contrat dans une société internationale décentralisée, elle-même dépourvue de "loi". Alors que le capitalisme industriel et marchand avait eu besoin de l'Etat souverain et de la loi supérieure au contrat pour donner un cadre sécurisé aux échanges* [...] *le capitalisme financier devenu mondial est entravé par les Etats et leurs lois* [et] *joue alors leur affaiblissement* ».

La réponse à cette nouvelle donnée n'est pas le repli sur soi mais l'invention d'une réponse à la hauteur des défis. « *Le concept de souveraineté tel qu'il a été construit à l'aube des temps modernes et l'exclusivité des compétences qu'il supposait appartiennent à un passé révolu.* » Les pouvoirs d'Etat « *doivent être garantis, certes, mais ils doivent être complétés et aussi limités par le développement de règles internationales déterminant les droits et les obligations de tous les acteurs : Etats, individus, groupements.* »

Cette approche nous situe au cœur des dynamiques hégémoniques qui depuis le 11 septembre se sont singulièrement accélérées. Si le « *partage de l'humanité en peuples affirmant leurs identités respectives et leur indépendance dans des Etats n'est pas un horizon indépassable* », il n'en demeure pas moins que « *l'horizon d'aujourd'hui est dans la vérité de la démocratie comme principe universel* ». Mais voici que pointe ici l'une des questions fondamentales : « *Y a-t-il à l'adresse de toutes les sociétés partielles une injonction* interdisant qu'une partie se prenne pour le tout ? » (c'est nous qui soulignons). En voici également une autre : le droit est-il un « *outil de liberté* » ou « *un instrument de liquidation de la liberté* » ?

« *Il en va en effet du droit comme de l'Etat* », nous dit Monique Chemillier-Gendreau , « *le premier n'étant que la doublure juridique des principes d'organisation politique que représente le second* ». Or « *l'émancipation et la protection recherchées à travers l'Etat et son droit sont généralement confisquées par un petit nombre* ». Le droit international n'échappe pas à ce mécanisme, ajoute-t-elle, « *et le peu d'institutions et de normes qu'on y trouve aujourd'hui est instrumentalisé par quelques pouvoirs dominants* ». Pourquoi s'obstiner alors « *à souhaiter plus de règles dans l'espace international* » ? Parce que, répond-elle, « *pour imparfaites qu'elles soient, les normes juridiques sont la grammaire du social. Sans grammaire pas de langage. Toujours amendable, toujours critiquable, la règle est ce qui fait sens* ».

Tel est le paradoxe : « *c'est à partir des règles existantes qu'il est possible de réorienter le mouvement d'une société qui s'égare* ». La question des droits de l'homme en est un exemple. Parce que la société internationale a ignoré l'humain comme sujet, les droits de l'homme demeurent à usage sélectif. S'ils sont une « *réalité en progrès pour les populations averties des pays nantis, ils sont une rhétorique abusive pour les autres* ». Au-delà de leur instrumentalisation idéologique et politique, le combat doit être mené pour que dans les principes universels chaque individu trouve son compte.

C'est pour cette raison que la critique (au sens de la philosophie et des sciences sociales) de la démocratie constitue dans cet ouvrage un chapitre essentiel dont on lira également avec bonheur la partie consacrée à l'analyse des conséquences des logiques étatiques sur la condition des individus. La réflexion engagée sur les deux cas de tensions les plus fortes dans la société internationale demeurent fondamentaux.

Que dit Monique Chemillier-Gendreau ? Qu'en matière de démocratie les formes ont supplanté le fond. Que l'idée première, celle de l'émancipation et de la souveraineté d'un peuple dans l'égalité de ses membres, a été vidée de sa substance pour ne plus désigner que quelques mécanismes à la surface des relations politiques, que les procédures ne sont plus que des procédures car les normes cessent de remplir leur fonction sociale, que la démocratie est vénérée dans la seule persistance de ses rites, et qu'elle est même devenue un produit d'exportation doté d'une ingénierie gérée par le système des Nations unies, alors qu'une démocratie entre les nations reste à inventer. Que la séparation abusive entre l'économique et le politique est une erreur, que l'autodétermination et le « *droit des peuples à disposer d'eux-mêmes* » ne vise pas seulement « *la capacité pour des territoires autonomes de se séparer à un moment donné de la "mère-patrie"* », mais aussi « *la capacité pour tous de faire libre usage absolu de leur indépendance dans tous les domaines, économique; politique, culturel, religieux* », que les « brevets de démocratie » décernés « *par quelques grands pays occidentaux qui conditionnent désormais les transferts de richesse improprement appelés aide ou coopération, expriment en réalité la maîtrise du discours politique par quelques grands Etats et la maîtrise du discours idéologique par quelques grands médias internationaux* ». Que les faux multipartismes et les techniques du pluralisme illusoire imposés de l'extérieur, étrangers à la compréhension locale, obèrent la liberté et éloignent les perspectives réelles d'extension des valeurs universelles. Que les fameuses « procédures démocratiques », si elles couvrent des inégalités ou consolident des hégémonies, peuvent rendre la démocratie impossible. Qu'en ce qui concerne la perspective d'Etat de droit et de séparation des pouvoirs dans la société internationale, l'exercice d'un pouvoir incontrôlé par les Etats armés du droit de veto, cette perspective a été ruinée « *et, pire, le système en est ar-*

rivé à produire lui-même des violations des droits de l'homme », et du droit international tout court. L'analyse du cas irakien est exemplaire de la violation de la Charte des Nations unies par ceux qui en sont les dépositaires.

Concernant la Palestine, le chapitre intitulé « Le droit au secours de la paix » devra être considéré comme une référence juridique fondamentale de tout processus visant à construire une paix véritable et durable au Proche-Orient. Monique Chemillier-Gendreau construit son analyse à partir de la question suivante : « *Qui détient*, demande-t-elle, *de manière valide selon le droit international le titre juridique de souveraineté sur le territoire de l'ancienne Palestine mandataire ? Qui, c'est-à-dire quelle collectivité humaine ?* » Au-delà des faits, et notamment des faits accomplis, rien dans le texte de la Société des nations – rien donc, en droit – qui avait confié le mandat à la Grande-Bretagne, rien de ce texte « *ne fait disparaître le titre potentiel du peuple de Palestine à la souveraineté sur sa terre* ». Seul le peuple palestinien est, en droit, le « *véritable titulaire du titre de souveraineté* » et « *personne ne peut transférer le titre détenu par les Palestiniens au profit d'un autre peuple, même si on a conféré à ce dernier le caractère d'un Etat* ». « *La validité en droit international de la création d'Israël, dans les frontières de la résolution 181, ou dans les frontières d'avant la guerre de 1967 (ce point est évidemment aux mains des Palestiniens) dépend de l'acquiescement donné par le peuple palestinien et ses représentants, toujours détenteurs d'un droit inaliénable.* »

Il ne faut pas en conclure, que le peuple palestinien dispose aujourd'hui « *d'une libre détermination illimitée* » car la « *compétence des Palestiniens paraît aujourd'hui liée par la force de cinquante ans d'histoire effective de l'Etat d'Israël et par les positions palestiniennes relatives à la résolution 181* ».

Mais ce sont les conclusions qui demeurent essentielles : Le transfert de souveraineté n'a pas eu lieu et « *aucun acte unilatéral de quiconque ne peut en tenir lieu* ». Monique Chemillier-Gendreau ajoute, et là est le point fondamental : « *Il y faut un échange des consentements dans un traité marqué du sceau de la bonne foi. Là réside l'impérieuse nécessité d'un accord de paix dans un complet renversement de problématique. Ce ne sont pas les Palestiniens qui doivent attendre cet accord pour disposer de leur territoire, sur lequel ils ne deviendraient maîtres que par la volonté d'Israël. C'est Israël qui ne peut trouver sa pleine et définitive légitimité internationale qu'à travers un accord avec les Palestiniens, par lequel ceux-ci lui reconnaîtront solennellement ce dont Israël ne peut se passer, la transmission d'un titre dont eux seuls pouvaient disposer. »*

Faire savoir aux Israéliens, et faire accepter par ceux d'entre eux qui sont prêts à entrer dans la communauté internationale sur la base de règles objectives et universellement partagées, à quelles conditions ils bénéficieront d'une situation clarifiée au regard du droit international est la seule issue, nous dit Monique Chemillier-Gendreau, pour aider les deux peuples à sortir de la spirale d'échec dans laquelle ils s'enfoncent. Elle ajoute que cela suppose « *une réelle sécularisation du droit international. Les Israéliens doivent sacrifier leur orgueil théocratique et renoncer à l'idée dans laquelle ils se sont enferrés que leur terre leur aurait été donnée par Dieu. C'est par cette normalisation acceptée qu'ils aideront les Palestiniens à faire barrage à la montée chez eux de l'extrémisme et du fondamentalisme* ».

Cet horizon est-il accessible ? Le chemin en sera difficile au moment où Israël s'est doté d'un Premier ministre qui s'est fait une spécialité de bafouer toutes les formes du droit alors que la puissance hégémonique mondiale du moment, sa protectrice, s'est dotée, elle, d'un chef qui considère bénéficier d'un statut de droit divin.

Il n'est par indifférent que Monique Chemillier-Gendreau ait choisi de clore son ouvrage par un épilogue sur les « *gisements de barbarie à venir* ». La noirceur du tableau qu'elle brosse n'est en réalité qu'un appel à la résistance afin que le « *degré d'injustice inouï qui caractérise le monde d'aujourd'hui* » ne soit pas le signe annonciateur d'un « *degré de barbarie inouï pour demain* ».

Dans ce combat, qui est aussi une espérance, la réflexion de Monique Chemillier-Gendreau est un guide bien précieux.

—RUDOLF EL-KAREH

GAMAL GHITANY. *LES RÉCITS DE L'INSTITUTION.* ROMAN. TRADUIT DE L'ARABE (EGYPTE) PAR KHALED OSMAN. PARIS, SEUIL, 2001, 361 P.

« *Avant de parvenir à son destinataire, toute correspondance devait désormais franchir deux barrages successifs. Tout d'abord, on la passait dans des appareils relevant du département Sécurité, afin de s'assurer qu'elle ne comportait ni produit explosif ni matière toxique ni tract hostile.* » Non, ces phrases ne sont pas tirées d'un journal commentant les dernières mesures prises face à la menace de propagation de l'anthrax. Elles furent écrites, voici plus de cinq ans, par Gamal Ghitany dans son roman traduit récemment chez Seuil sous le titre *Les Récits de l'institution*. Prémonitoire ou simplement attentif aux réalités nouvelles qui se dessinent dans n'importe quelle institution à travers le monde, ce roman se révèle terriblement actuel par bien des aspects. Par exemple, il saisit à travers le parcours de quelques personnages l'irrémédiable changement de valeurs qui précipite un pays dans l'ère de l'ambition et de l'avidité tous azimuts. Ou encore, il révèle, au niveau local d'une organisation, les enjeux d'une mondialisation qui possède ses propres mécanismes occultes. Tout cela à travers des récits multipliant les anecdotes, les rebondissements et les portraits savoureux d'hommes et de femmes typiquement égyptiens. La description précise des rouages, qui conditionnent le fonctionnement de ce microcosme social, n'empêche donc pas un déferlement d'histoires individuelles où les passions sont vécues souvent en secret. La narration évolue aussi par dévoilements progressifs des raisons qui poussent les uns et les autres à des comportements bizarres, comme, par exemple, se transformer en agent de la circulation pendant ses heures de loisirs, ou encore diffuser des rumeurs injustifiées.

Comme souvent chez Ghitany, le mystère fait partie inhérente de tout personnage, qu'il soit au sommet du pouvoir ou simple factotum préposé à l'accueil des visiteurs. Et le lecteur profane est peu à peu initié aux arcanes des vies qui s'entrecroisent dans ce lieu quasi fantastique que représente l'institution et qui comporte tant de couloirs, de pièces et de souterrains inexplorés. Symbolique, la construction, qui abrite un Etat dans l'Etat, s'est établie au bord d'une fosse étrange et insondable, un abîme de forces obscures qui sont celles d'un passé et d'une histoire prodigieux. La disposition architecturale, les bâtiments et leurs aménagements racontent à leur manière l'organisation d'une société hiérarchisée, fortement ritualisée, où les gestes et les attitudes correspondent à un code complexe que le lecteur déchiffre au fur et à mesure. Et l'on comprend que le pouvoir et l'ambition se nourrissent de manœuvres occultes, de décisions obscures et de manipulations impénétrables. Chacun des fonctionnaires évoqués pourrait faire sienne cette phrase de l'un d'entre eux : « *Quelque chose était certainement en train de se tramer contre lui... mais il n'avait aucun moyen de savoir quoi.* »

Provoquant la curiosité et relançant le suspense, l'auteur raconte à la manière des conteurs d'autrefois qui promettent à leurs auditeurs des révélations toujours reportées vers d'autres détails. D'ailleurs, le texte doit beaucoup à l'oralité par cette façon de tenir en haleine l'amateur d'histoires mais aussi par cet anonymat de l'origine des récits ; ceux-ci semblent vivre leur propre vie, leur source se perd à travers la pluralité des locuteurs et des points de vue. Multipliant la forme impersonnelle, évoquant les rumeurs, conjectures et allégations, Ghitany met en avant une parole collective, une polyphonie où nulle vérité ne sera avérée. Ainsi, il se situe au plus près de la voix de l'opinion publique, véritable maîtresse de l'information car « *chacun sait que derrière chaque rumeur se cache une part de vérité, aussi ténue soit-elle* ».

Sans doute peut-on supposer que Ghitany se donne ainsi une marge de manœuvre plus large pour énoncer des vérités inavouables sur la réalité égyptienne. Pots-de-vin, corruption, toute-puissance des services de sécurité, l'intérêt de l'ouvrage consiste à démontrer les relations entre les fraudes et un système policier qui contamine tous les individus, poussant à « *cette propension tant chez les hommes que chez les femmes, à recenser les liaisons, à les classer par catégories et à en suivre les péripéties* ». Le voyeurisme, qui n'est pas sans rappeler le comportement des téléspectateurs avides de feuilletons à scandale, conduit à des situations cocasses, et les limites entre l'imagination débridée et la supposition réaliste sont étroites. En ce sens, ce texte met au jour de nombreux fantasmes d'une société où quelques individus ont tendance à prendre leurs désirs pour des réalités. Le ton ironique de l'auteur s'attaque à ces manœuvres et à ces contorsions d'un personnage nommé le Professeur pour obtenir le « Plip », symbole phallique pour celui qui « *se débrouillait pour que sa veste glissât légèrement, découvrant le plip à la vue de ses invités qui ne manquaient pas de l'interroger : il leur répondait tantôt brièvement, tantôt avec force détails, selon leur degré d'intimité avec lui* ».

L'humour sarcastique côtoie un certain attendrissement pour des personnages porteurs de valeurs nobles et qui tentent de survivre dans un univers en déréliction : Amm Siddîq, qui refuse de préparer le café au président parachuté ; Gawhari, fidèle transmetteur des volontés du fondateur et Hânem, la dame, évincée et humiliée par la maîtresse rusée du nouveau président.

L'histoire des cinquante dernières années de l'Egypte se trouve en fait résumée dans celle de cette institution qui se dépouille peu à peu de son humanité pour entrer dans l'ère des télécommunications, de l'anonymat et du triomphe de l'économie par-delà toutes les frontières.

—S. B. A.

RACHID EL-DAIF. *LEARNING ENGLISH*. TRADUIT DE L'ARABE (LIBAN) PAR YVES GONZALEZ-QUIJANO. PARIS, ACTES SUD, 2002, 183 P.

On savait déjà que le Liban est, par excellence, le pays des juxtapositions de religions, de langues et de temporalités. Rachid El-Daïf, qui porte sur les événements de son temps un regard ironique et désabusé, expose ici la dualité entre tradition et modernité à l'intérieur même d'une conscience « éclairée ». Dans un monologue qui se déroule le temps d'une journée, nous sommes entraînés dans les méandres des relations entre un monde tribal et cet animal bizarre courant après sa liberté qu'on désigne comme individu moderne. Le narrateur, dont Rachid El-Daïf joue de l'identité en semant des indices faisant croire à un personnage autobiographique, vit une (petite) vie tranquille de professeur d'université ; il aime le confort procuré par les objets de la technologie, ne désire guère faire de vagues et se dit partisan d'une neutralité paisible : « *Ce qui m'importe maintenant, c'est d'être ici : je mange, je bois, je travaille, j'aime, j'ai du bonheur, je joue, je me fatigue, je me repose, je suis triste, je suis heureux. J'ai survécu à la guerre, sain de corps et d'esprit. Je ne parie pas, je ne bois pas, je ne me drogue pas, je n'ai pas été gravement blessé, pas été enlevé, aucun milicien n'a occupé ma maison en m'obligeant à m'enfuir.* »

Cependant, cette organisation est subitement ébranlée suite à l'annonce de l'assassinat du père « *à la suite d'une vengeance entre familles rivales* ». Nouvelle lue dans un journal et non pas communiquée par les oncles ou la mère du narrateur. A partir de là, hypothèses et suppositions s'accumulent sur les circonstances, les causes de ce crime, ainsi que sur les raisons du silence des membres de la famille qui n'ont pas pris la peine d'avertir le fils unique.

Et surtout, le héros est ramené contre sa volonté à tenir le rôle séculaire de celui qui doit venger la victime. Les vendettas et leurs conséquences ont des scénarios divers, mais tout aussi catastrophiques les uns que les autres. Par exemple, l'assassin peut s'en prendre à la personne la plus proche de la victime, pour prévenir la vengeance. Peut-on dans ce cas considérer que code et valeurs font partie d'« *une vie antérieure* » ? se demande le narrateur, lui qui semble s'être entouré de tous les accessoires de la communication, Internet, téléphone portable, répondeur ; peut-il se « déconnecter » de cet univers tribal codifié à l'extrême ? En fait, ce système clanique et ses valeurs surgissent dans la vie du narrateur comme un retour du refoulé, par surprise, voire à son insu. L'édifice rationnel, équilibré, sur lequel il avait bâti sa vie à Beyrouth en est complètement bouleversé. Pour le lecteur, ce qui est frappant, c'est le bond temporel existant entre la vie au village et le quotidien à Beyrouth, entre les discours de là-bas et ceux circulant dans la capitale ; c'est ainsi que l'amante du personnage principal raconte ses aventures, elle qui « *une fois, tranquillement, comme en passant,*

[lui] *a raconté qu'elle avait voulu être enceinte d'un homme qu'elle avait aimé alors qu'elle vivait encore avec son mari* ». A mille lieues dans le temps, au village natal, les désirs enfouis, les regards omniprésents et un code de la virilité pointilleux règnent en maître. La solidarité dans la fratrie, pour sauvegarder l'honneur des hommes, peut aller jusqu'au crime assumé ensemble : « *Rien au monde n'aurait pu les séparer, rien n'aurait pu les obliger à ne pas être solidaires les uns et les autres.* »

Les femmes sont les premières victimes de ce clanisme d'un autre âge. Les souvenirs d'enfance émergent peu à peu, découvrant les failles d'un système où l'individu s'écrase devant les règles du groupe. Le narrateur revoit la vie gâchée de sa mère qui a dû payer une erreur de jeunesse, une mère qui ne s'embarrasse pas pour confier ses déceptions en présence de son enfant. C'est avec un ton à la limite du cynisme qu'elle est évoquée : « *En vérité, même si elle était visitée par de semblables visions qui traduisaient son envie de se débarrasser de moi, ma mère était loin de me détester. Il ne s'agissait que de rêves qui échappaient à sa volonté, qui lui venaient sans qu'elle l'ait souhaité, simplement à cause de la vie épouvantable qu'elle menait, sans trêve ni repos… Ce que ma mère détestait en moi, c'était seulement que j'étais le fils de mon père.* »

Amours déçues, sexualité bâclée, le passé explique en partie les choix de la génération du narrateur qui a voulu organiser sa vie autour de choix personnels, hors des contraintes et des engagements redoutés. Cet hédonisme léger contraste totalement avec la dureté des lois de la communauté. En fait, l'individu apparemment détaché de tout, qui vit à sa guise à Beyrouth, peut-il se comprendre sans cet arrière-plan des particularismes, des valeurs transmises sans discussion depuis des générations ? On mesure la portée des ruptures au sein des familles. Face au clan qui fait corps, toute aventure individuelle paraît étrange. Etranger chez soi, ainsi se découvre celui qui a rêvé de se débarrasser des appartenances familiales pour se lancer dans la modernité et même la « postmodernité ». Rejeter par-dessus l'épaule sa communauté d'origine et ses valeurs est loin d'être si simple ; on ne se débarrasse pas de son enfance et de ses doutes en un tour de main. C'est ce dont témoigne *Learning English*, qui se moque aussi bien des « traditionnels » que des « modernes ». L'intérêt du roman réside dans le dialogue ouvert entre les uns et les autres par le biais des questions qui assaillent le narrateur.

Faisant partie de cette génération charnière qui, grâce aux études, a vécu un bouleversement des mentalités, le personnage du narrateur, double probable de l'auteur, est à la fois encore pris dans un texte ancien tout en se réclamant du discours de la modernité. L'apprentissage de l'anglais est pour lui le moyen d'accéder à une ouverture encore plus grande s'opposant au monde étouffant de son enfance : « *Mon rêve, mon obsession, c'est de pouvoir rencontrer toutes sortes de gens avec qui j'entrerai en contact, faire la connaissance de personnes que je ne connais que de nom, que j'estime, dont j'apprécie les idées et avec lesquelles j'ai l'impression de partager un même espace, un même temps, un même territoire, les mêmes valeurs.* »

—S. B. A.

ABDUL KADER EL JANABI, (ED.). *LE SPLEEN DU DÉSERT, PETITE ANTHOLOGIE DE POEMES ARABES EN PROSE*. PARIS-MÉDITERRANÉE, 2001, 78 P. & *LE VERBE DÉVOILÉ, PETITE ANTHOLOGIE DE LA POÉSIE ARABE AU FÉMININ*. PARIS-MÉDITERRANÉE, 2001, 94 P.

Les deux petites anthologies de poésie que nous livre Abdul Kader El Janabi, lui-même traducteur, poète et directeur de plusieurs revues d'inspiration surréaliste, découvre au lecteur des pans inédits de la production arabe contemporaine ; d'une part des poèmes en prose, d'autre part une poésie au féminin, émergence de voix (et de voies) nouvelles qui se déploient dans la liberté du poème non versifié.

Le Spleen du désert, tel que s'intitule le premier recueil, propose les textes de dix-sept poètes contemporains, dont certains ne sont plus à présenter : Adonis, Ounsi El Hage, Sargon Boulos… El Janabi considère que s'il existe une « *véritable*

tradition arabe du vers libre », en revanche, le poème en prose, tel qu'il est apparu en Occident au XIXe siècle, n'existe pas à proprement parler. Cependant, s'appuyant sur les trois critères de sélection « *brièveté, intensité, gratuité* », il a réuni des fragments qui se tiennent et qui ne sont pas des morceaux choisis prélevés sur des longs poèmes. La fulgurance du trait, ainsi que la concision du style, caractérisent effectivement la majorité d'entre eux. Il est remarquable que cette rapidité dans la forme, qui l'apparente parfois à la formule, s'oppose à l'ampleur des périodes évoquées. Soit les paradigmes sont renversés par un souffle novateur correspondant à la fois à une situation de la poésie et du monde, comme dans « La Cène » de Youssef El Khal, Libanais, fondateur de la revue *Shi'r* : « *Notre dieu est mort, que vienne un autre dieu pour nous. Nous sommes fatigués du Verbe. Nos âmes envient la niaiserie de la race* » ; soit le poète conjugue une thématique de la durée séculaire et du mouvement instantané à travers cette image saisissante des toiles d'araignée dans le canon d'un obus abandonné : « *Elles restent animées en attente de visiteurs ou de victimes.* »

Cette image du chasseur guettant sa proie revient comme un leitmotiv dans plusieurs de ces poèmes. Et c'est sans doute une figure du temps, maître ultime des réalités. Il est cet invisible qui jette ses rets sur les choses depuis des temps immémoriaux, « *lorsque tu découvres que les choses ne sont plus ce qu'elles étaient naguère, que la lumière est plus vive…* » Il peut être dans une vision tourmentée, un double du poète qui l'entraîne dans les pièges. Ou bien le rapt est le geste d'un regard, qui saisit et emporte la totalité de l'intérieur et de l'extérieur, abolissant les frontières entre l'immensité et l'espace intime, renversant les oppositions : fermé/ouvert, dehors/dedans…

Parfois, certains poèmes témoignent de coïncidences extraordinaires entre un état d'âme et une image extérieure. Ainsi, dans « Le mur de Vermeer » d'Ahmad Beydoun, « *les fissures pourraient être ma douleur de maintenant* »…

L'insolite des images provient également de la dissémination des points de vue ; à l'évidence, la perspective n'est plus celle de l'être humain uniquement mais, dans un monde polyphonique, celle d'un objet, d'un animal ou d'une plante. Voilà pourquoi, surprenants et mystérieux, ces courts textes nous transportent dans les méandres de l'inimaginable, comme dans des rêves pris au sérieux.

Du côté féminin, les poèmes non versifiés, réunis ici sous le titre *Le Verbe dévoilé*, sont quelques-unes des nombreuses expériences poétiques qui ont vu le jour depuis une vingtaine d'années. Les treize poétesses choisies sont originaires de tous les pays arabes : Soudan, Yémen, Maroc, Libye… Certaines vivent dans des pays occidentaux. Elles rompent toutes avec les clameurs et la forme codifiée dont leurs aînées usaient dans les années cinquante. Ainsi décantent-elles la réalité de la gangue de la rhétorique et d'un merveilleux suranné.

« *Mille et une nuits ?*
Quelle saleté !
Je remercie Dieu qui m'a créée maintenant
En ces temps glorieux : Boum. »

Les femmes inventent un langage nouveau, forme et contenu liés pour explorer un quotidien et des sensations en dehors de toute idéalisation. La poésie habite la variation des nuances, l'importance des détails inhabituels et la fragilité de l'humain assumée contre les fausses gloires. Si l'Autre est omniprésent dans son absence même, parfois il reste accessible, amant, ami ou double énigmatique, avec ses failles et sa fougue inattendue. Et si désir de libération il y a, il dépasse le cadre du rapport homme-femme et tout ce qui peut rappeler les revendications féministes ; c'est plutôt une soif existentielle de sortir de soi, de donner libre cours à ces possibles en gestation :

« *J'ai tellement voyagé*
En femelle
Grosse d'un fleuve agité
Que l'herbe a poussé. »

Poésie du clair-obscur qui ne croit pas aux lumières éblouissantes et préfère recueillir le murmure de tristesses légères, les douleurs de la guerre ou la poussière d'une jarre brisée. Nous sommes loin des rêves grandioses et de l'ampleur des idéaux d'autrefois :

« *La petite fille*
Doit serrer la bourse de ses rêves prête à s'envoler
…
Elle doit dormir debout comme tous les arbres. »
—S. B. A.

MALEK ALLOULA. *LE HAREM COLONIAL*. PARIS, SÉGUIER, 2001, 99 P.
ALGER PHOTOGRAPHIÉE AU XIXE SIECLE. PARIS, MARVAL, 2001.
BELLES ALGÉRIENNES DE GEISER. EN COLLABORATION AVEC LEYLA BELKAID. PARIS, MARVAL, 2001, 120 P.

Fantasmes coloniaux

Depuis la parution, en 1978, de *L'Orientalisme*, du grand essayiste palestino-américain Edward Saïd, notre rapport à cette discipline a été complètement changé. Dans son livre-somme, Saïd nous proposait rien moins qu'une archéologie sur la manière dont le savoir européen a conçu et continue de concevoir les sociétés arabes et musulmanes – autrement dit : comment l'Occident a créé l'Orient.

D'autres auteurs se sont attelés depuis lors, avec plus ou moins de bonheur, à confirmer ces thèses dans des domaines particuliers, tels le roman, le récit de voyage ou la peinture, etc. *Le Harem colonial* de Malek Alloula est une analyse très stimulante d'une série de cartes postales sur les femmes algériennes à l'époque coloniale. Le sous-titre suggestif du livre – *Images d'un sous-érotisme* – résume très bien l'objectif de ces photographies. Car l'Algérie, entre autres pays arabes, représentera au début de la colonisation, c'est-à-dire à partir de 1830, un Orient proche, dont les fantasmes, les rêves et les délices seront alors accessibles au commun des mortels, occidental bien entendu. Or, comme le dit si bien Malek Alloula, si la carte postale est « *la bande dessinée de la morale coloniale* », elle est aussi violence, viol, violation de l'intime. Car pourquoi ces dizaines de femmes nues offertes aux regards concupiscents ? Pourquoi la femme algérienne a-t-elle bénéficié d'un traitement spécial, alors qu'« *il n'y a pas historiquement d'exemple de société où les femmes furent autant photographiées dans l'intention d'être livrées au regard public* » ?

On ne photographie jamais une femme voilée seule, mais en groupe, et c'est ce qui frustre – au sens sexuel du terme – le photographe qui se retrouve rejeté de ce harem tant rêvé qui lui semblait pourtant à portée de main. « *Ces îlots blancs* [les femmes drapées de voiles blancs], *qui ponctuent le paysage, sont bel et bien des agrégats d'interdits, des extensions mouvantes d'un harem imaginaire, dont l'inviolabilité hante le voyeur-photographe.* »

Mais pour répondre au défi involontaire qui lui est lancé par la société algérienne, en particulier par ses femmes, le photographe va répondre par « *une double violation. Dévoiler le voile et figurer l'interdit, ainsi pourrait se résumer son unique programme ou plutôt sa revanche symbolique sur une société qui continue de lui refuser tout accès et met en cause la légitimité de son désir* ».

Pour trouver des succédanés à ces femmes inaccessibles, le photographe se tournera vers des modèles rétribués, recrutés dans les marges de la société. Violence d'autant plus grande que le résultat était de les pousser vers la prostitution, souligne l'auteur. Le harem avec toutes ses représentations sexuelles, ses déviances, homosexualité féminine – saphisme, eunuques, odalisques, lien sans phallus – est figuré alors en négatif : c'est le fantasme, inventé par le photographe.

Nous ne pourrons nous arrêter ici sur tous les genres de cartes postales présentés dans le livre et si bien analysés par l'auteur : soulignons seulement que le texte d'Alloula a gardé la saveur, l'intelligence, la justesse, mais aussi la colère, la lucidité d'il y a vingt ans. La première édition de son *Harem colonial* date de 1981. Elle était devenue introuvable. Il était urgent de rééditer le livre.

Saluons par la même occasion la parution simultanée de deux autres livres de Malek Alloula, auteur par ailleurs de deux très beaux recueils de poésie parus chez Sindbad *(Rêveurs/Sépultures,* 1982, et *Mesures du vent,* 1984).

Les deux nouveaux livres d'Alloula renouent partiellement avec le projet du *Harem colonial.* Le premier est *Alger photographié au XIXe siècle* ; le second, écrit avec Leyla Belkaïd, est *Belles Algériennes de Geiser,* Jean Geiser étant justement ce photographe dont on retrouve des cartes postales dans *Le Harem colonial.* Dans l'essai qui ouvre le livre, Alloula traque le regard du photographe *« aussi acéré que celui du prédateur »,* qui ne peut contrôler son désir. Il sauve malgré tout les photographies de Geiser et les différencie de ces amas de cartes postales qui offrent un érotisme de bas étage contre lequel Alloula s'était élevé avec véhémence dans son premier livre sur la photographie coloniale. Des textes de Leyla Belkaïd accompagnent chacune des cartes postales de Geiser d'un commentaire au plus près de l'image, apportant des précisions sur les costumes, bijoux et parures portés par les modèles du photographe, selon la région d'Algérie à laquelle elles appartenaient.

Alger photographié au XIXe siècle nous offre des photographies de la ville blanche, d'une beauté époustouflante. Nombre des lieux proposés à notre regard ont désormais disparu. Le beau texte littéraire d'Alloula nous entraîne, à travers ses souvenirs, par une « *étrange force motrice qu'avaient éveillée* [en lui] *deux syllabes dont il m'apparut aussitôt que le pouvoir ne pouvait être réduit à la simple et mécanique remémoration* ».

Après ces deux très beaux textes, ainsi que la réédition du *Harem colonial,* osons espérer un retour du grand poète au meilleur de sa forme, après son long silence.

—Mohamed Saad Eddine El-Yamani

DEUX HORS SÉRIES DE LA REVUE D'ÉTUDES PALESTINIENNES

WALID KHALIDI

L'HISTOIRE VÉRIDIQUE
DE
LA CONQUÊTE
DE LA PALESTINE

Traduit de l'arabe par Elias Sanbar

JEAN GENET
ET LA PALESTINE

JEAN GENET
Quatre heures à Chatila

Une rencontre avec Jean Genet
Entretiens Rüdiger Wischenbart et Jean Genet

FÉLIX GUATTARI
Genet retrouvé

ALAIN MILIANTI
Le fils de la honte

EDWARD SAID
Les derniers écrits de Jean Genet

JUAN GOYTISOLO
Le poète enterré à Larache

chaque numéro 8,99 euros
En librairie ou disponible à la Revue d'études palestiniennes
Les éditions de Minuit
7, rue Bernard-Palissy - 75006 Paris
Réglement libellé à l'ordre des éditions de Minuit

l'observatoire de la colonisation

Cette rubrique, consacrée aux développements de la colonisation israélienne dans les territoires occupés, est publiée conjointement avec le *Journal of Palestine Studies*. Elle se base sur le bulletin bimensuel *Report on Israeli Settlements in the Occupied Territories*, publié à Washington par la Fondation pour la paix au Moyen-Orient.

Traduit de l'anglais par Jean-Claude Pons.

LE DÉPART DES COLONS SUITE À L'INTIFADA

Selon le Yesha, 3000 colons – soit 1,5 % de leur population totale, 200 000 – de Cisjordanie (non compris Jérusalem-Est) et de la bande de Gaza ont quitté les colonies durant l'année dernière. Bien qu'il y ait eu une nette augmentation du nombre de colons durant la première moitié de l'année 2001(2561 personnes), le chiffre de ceux qui sont partis est environ deux fois supérieur à celui annoncé par le député de l'opposition, Mossi Raz, à la fin du mois de juin. Les grandes vacances scolaires de l'été sont traditionnellement l'époque durant laquelle le plus d'Israéliens changent de résidence. Le 12 août, *Haaretz* a rapporté que le taux des départs avait atteint 5 % – soit 10 000 personnes –, alors que le taux annuel normal est de 1 %.

L'objectif essentiel du soulèvement palestinien était de contraindre les Israéliens à abandonner les colonies, même si des assauts soutenus ou coordonnés contre celles-ci aient été rares. Cependant, contrairement à la première Intifada de la fin des années 80 et du début des années 90, les Palestiniens armés d'aujourd'hui ont transformé les déplacements à partir ou en direction de beaucoup de colonies en affaire de vie ou de mort. Leurs attaques ont exacerbé les difficultés économiques de quelques colonies, particulièrement dans la vallée du Jourdain, et ont nettement fait chuter le pourcentage des résidents dans les petits avant-postes isolés où la sécurité n'a jamais été garantie.

Durant les six premiers mois de 2001, 44 colonies perdaient une partie de leur population tandis que 100 autres voyaient augmenter le nombre de leurs habitants. Plus de la moitié de cette augmentation, soit 2561, était due à celle relevée dans trois colonies religieuses : Beitar, au sud-ouest de Jérusalem, Tal Zion (Kochav Yaacov), en bordure du côté nord-est de Jérusalem-Est, et Modin Ilit, sur la « ligne verte » entre Tel-Aviv et Jérusalem, la population de cette dernière colonie ayant augmenté de 18 % pour atteindre le chiffre de 19 000 habitants.

Settlement Report, novembre-décembre 2001.

POPULATION DES COLONIES DANS LES TERRITOIRES OCCUPÉS

CONSEIL DES COLONIES	1972	1981	1986	1991	1993	1996	1999
Alfé Ménashé			1 680	2 860	3 720	4 310	4 400
Ariel		880	4 480	9 050	11 800	14 300	15 100
Bet Arieh		210	590	1 120	1 630	2 070	2 300
Bet El		420	1 450	2 300	2 910	3 460	3 800
Betar			20	1 220	3 940	7 530	12 700
Efrata			1 170	3 030	4 050	5 730	6 200
Elkana		650	1 390	2 360	2 600	2 950	2 900
Givat Zeev		480	2 950	5 580	6 380	7 830	10 000
Har Adar					1 420	1 430	1 500
Hébron (Kiryat Arba)				575	400	400	480
Emmanuel			1 730	2 900	3 240	3 480	3 200
Kaddoumim			1 240	1 850	2 050	2 380	2 500
Karneï Shomron		520	1 970	3 770	4 330	5 230	5 600
Kiryat Arba (+ Hébron)		3 100	3 600	4 670	5 070	5 300	6 200
Kiryat Sefer						5 669	13 000
Maale Adoumim		370	10 300	14 600	16 900	20 200	23 800
Maale Efraïm			1 100	1 700	2 100	1 590	1 700
Megillot			700	700	700	800	855
Oranit		620	2 580	2 930	3 160	3 850	4 800
CONSEIL RÉGIONAL							
Benjamin (37 colonies)			5 800	14 300	18 600	23 000	23 200
Etzion Bloc (18 colonies)			3 400	5 300	6 400	7 500	9 200
Gaza District (19 colonies)	700		2 150	3 900	4 800	5 400	6 600
Jordan Valley (18 colonies)			2 000	2 800	3 000	2 700	3 400
Mount Hébron (16 colonies)		700	1 600	2 200	3 200	4 500	
Shomron (42 colonies)			8 800	10 300	10 500	13 100	17 150
TOTAL POPULATION CISJORDANIE ET GAZA	**1 500**		**57 840**	**99 065**	**121 900**	**153 409**	**186 835**
JÉRUSALEM-EST							
Atarot				15 000	15 000	14 800	
Talpiot-Est	100	14 900	12 200	15 000	15 000	14 800	13 300
French Hill	2 400	8 800	9 100	9 100	9 000	8 500	
Gilo		25 100	30 200	30 200	30 300	27 100	
Jewish Quarter	300	1 800	2 200	2 300	2 300	2 400	
Neve Yaacov, Pisgat Zeev			16 600	27 100	34 600	47 500	
Ramot Allon	100	16 800	23 800	37 200	37 200	40 200	
Ramot Eshkol	4 000	16 700	14 900	16 500	15 600	16 700	
TOTAL JÉRUSALEM-EST	**6 900**	**59 000**	**103 900**	**137 400**	**144 900**	**160 400**	**170 400**
TOTAL GÉNÉRAL	**8 400**		**161 740**	**236 465**	**268 311**	**313 809**	**357 335**
Augmentation comparée à l'année précédente (%)					6,99	4,66	6,21

Sources : Bureau central israélien des statistiques, www.cbs.gov.il ; *Israel Statistical Abstract*, 1996, 1999 ; Yesha ; La Paix Maintenant ; *Haaretz* du 11 août 1993 et du 16 septembre 2001. Ce tableau, préparé par Tobias Van Assche, est paru sur le site de la Fondation pour la paix au Moyen-Orient, www.fmeb.org.

L'armée israélienne a observé avec inquiétude le départ des colons, craignant, selon un rapport, que celui-ci « *ne prouve aux Palestiniens que la terreur est payante et qu'il ne les encourage à continuer dans cette voie jusqu'à ce qu'ils atteignent leurs objectifs par la force* ».

Dans un entretien donné à la plus importante publication du Yesha, *Nekuda,* le général-major Yitzhak Eïtan, chef du commandement central de l'armée israélienne, qui inclut la Cisjordanie, a estimé que la baisse de la population des colons n'était pas significative. « *Au plan spirituel, les colons sont très forts, avec une idéologie puissante, et cela rend les choses plus faciles pour l'armée.* »

Les chefs du bloc d'Etzion, qui ont vu les communications vers Jérusalem via la route du Tunnel devenir moins sûres, suite à des tirs d'armes à feu dès le déclenchement de la dernière Intifada, prévoient un taux de départs de 20 %, « *mais nous avons maintenu un équilibre et même un peu plus, ce qui me surprend en bien* », observe Shaül Goldstein, chef du conseil local.

Avec l'exhortation : « Sauvez les colonies de Samarie ! Venez maintenant ! » les colons, en même temps que les autorités et le gouvernement, ont adopté une série de programmes incitatifs et, dans le cas de l'armée israélienne, ont pris des mesures militaires destinées à soutenir l'ensemble des résidents actuels et à venir. Cependant, d'après *Haaretz,* « *si l'Etat décidait de les aider financièrement pour qu'ils déménagent en deçà de la ligne verte [vers Israël], un dirigeant de colons a déclaré que 15 à 20 % de colons saisiraient l'opportunité* ».

Les colonies ont été frappées durement par les départs, notamment dans les petits avant-postes du nord de la Cisjordanie, Ganim et Qadim, qui ont perdu chacun 10 familles, et Mevo Dotan et Hermesh, qui chacun a vu partir 20 familles. A Homesh, 7 familles sur 50 ont quitté la colonie. Selon un article paru dans *Yediot Aharonot* le 17 août, il ne resterait aucune famille dans la colonie de Sanour, au nord de la Cisjordanie. Près de Ramallah, dans la colonie religieuse de Neve Tzouf où deux résidents avaient été tués et dix-huit personnes blessées lors de plusieurs incidents, au moins 14 familles sont parties. Cependant, d'autres colonies religieuses de la région ont accueilli de nouveaux arrivants. Har Brakha et Elon Moreh près de Naplouse se sont respectivement agrandi de 11 et de 10 familles. Keddoumim a perdu 9 familles mais en a gagné 64. En général, les locataires partent plus facilement que les propriétaires de longue date mais quelques-uns de ceux-ci, qui disposent de moyens, ont aussi fermé leurs maisons dans les colonies et ont rejoint Israël.

Ce dernier phénomène s'est particulièrement vérifié dans quelques-unes des colonies de la vallée du Jourdain, où plus de 50 familles sont parties. Yafit a vu partir depuis avril plus du quart de ses résidents. « *Partir est devenu un phénomène infectieux pour lequel il ne semble pas y avoir de remède* », écrit *Haaretz* dans un article du 5 octobre. Ces avant-postes, implantés à l'origine par le Parti travailliste, ont très longtemps dû faire face à de dures contraintes économiques et à l'incertitude politique. Ils sont maintenant au bord de la faillite, directement ou indirectement en raison de la rébellion palestinienne. Cependant, la colonie de Hemdat s'est agrandie de 5 familles, ce qui représente une augmentation de 50 %. Six autres colonies ont enregistré chacune l'arrivée de quelques nouvelles familles.

Considérée dans son ensemble, la population des colonies telles qu'Efrat, Elkana et Kiryat Arba est restée stable. La population de Maale Adoumim, la plus grande des colonies de Cisjordanie, continue à s'accroître de plus de 6 % par an, trois fois la moyenne nationale israélienne. Oranit, une colonie située sur la « ligne verte », est en passe de tripler sa population (5000 habitants) durant les trois prochaines années. A Negohot, dans la région d'Hébron, 8 nouvelles familles sont venues rejoindre les 12 déjà sur place ; à Otniel, 15 ; à Sousia, 6 ; et à Carmel, 3. Dix familles ont quitté Livna, située dans la zone frontalière avec Israël et qui devait être transférée à l'Autorité palestinienne selon les accords mort-nés de Taba, et quatre familles sont parties de Adoura.

Dans la bande de Gaza, où les affrontements ont été les plus violents et les plus soutenus, les 17 colonies ont connu un petit mais net accroissement de leur population. Netzarim s'est agrandie de 9 familles, Morag de 7 et Kfar Darom de 6. Neve Dekalim, située à l'opposé de Khan Younis, a perdu 8 familles, une perte compensée par l'arrivée de nouveaux étudiants à l'école religieuse de la colonie.

LES FAITS COLONIAUX EN CISJORDANIE ET DANS LA BANDE DE GAZA

Ces informations proviennent du Settlement Report, novembre-décembre 2001 ; du Miftah (Palestinian Initiative for the Promotion of Global Dialogue and Democracy), « Fact Sheet », 6 octobre 2001, site Internet www.miftah.org ; de l'ARIJ (Applied Research Institute Jerusalem) « Monitoring Israeli Colonizing Activities in the West Bank and Gaza », site Internet www.poica.org ; de PASSIA, « Settlements », mars 2001, site Internet www.passia.org ; et de La Paix Maintenant, « Aerial Survey Finds Ten New Settlements in West Bank, Additional Structures at Earlier Sites », 4 octobre 2001, site Internet www.peacenow.org.

• La Cisjordanie, y compris Jérusalem-Est, couvre une surface de 5854 km², la superficie de la bande de Gaza étant de 365 km²

• Selon des données israéliennes, il existe 141 colonies en Cisjordanie et dans la bande de Gaza. Cependant, des images satellite montrent 282 zones juives construites en Cisjordanie (y compris Jérusalem-Est) et 26 dans la bande de Gaza, sans tenir compte des sites militaires. Ces zones construites couvrent une superficie de 150,5 km².

• Une observation aérienne menée par le mouvement La Paix Maintenant en octobre 2001 montre que au moins dix nouveaux sites d'implantations, comportant un total de 65 structures, ont été établis durant les mois de juillet à septembre 2001. Une étude similaire conduite par La Paix Maintenant en mai 2001 avait repéré l'établissement de 15 nouveaux sites entre février et mai 2001. En dépit des nombreuses promesses du ministre de la Défense Benjamin Ben-Eliezer, la nouvelle étude montre que seulement l'un de ces 15 sites a été démantelé, et que 39 nouvelles structures ont été installées dans les 14 autres depuis mai, ce qui porte à 119 le total des structures.

• Depuis l'élection du Premier ministre en février, un total de 25 nouveaux sites de colonies ont été établis. Ce chiffre n'inclut pas la bande de Gaza.

Croissance des zones d'implantations en Cisjordanie

ANNÉE	ZONE (KM²)	CISJORDANIE
1997	108.9	1.9 %
1999	147.8	2.6 %
2000	150.5	2.7 %
2001	222.2	4.0 %

• Des chiffres récemment publiés par le ministre de la Construction et du Logement montrent la construction de 1943 unités d'habitation dans les territoires occupés au cours de l'année 2000, alors qu'Ehoud Barak était Premier ministre. C'est le chiffre le plus élevé depuis qu'Ariel Sharon occupait lui-même ce ministère en 1992 (*Haaretz*, 5 mars 2001).

• La moyenne du taux d'augmentation de la population juive en Israël est de 2 % par an (elle est de 2,5 si l'on inclut les non-Juifs). La population des colonies juives augmente, elle, de 8,5 % par an, soit quatre fois plus.

Croissance de la population en Israël

ANNÉE	POPULATION	CROISSANCE
ISRAEL		
1993	5 327 600	
1994	5 471 500	3 %
1995	5 612 300	3 %
1996	5 757 900	3 %
1997	5 900 000	2 %
1998	6 041 400	2 %
JUIFS SEULEMENT		
1993	4 335 200	
1994	4 441 100	2 %
1995	4 522 300	2 %
1996	4 616 100	2 %
1997	4 701 600	2 %
1998	4 785 100	2%

COLONIES*

1993	116 000	
1994	128 000	10 %
1995	133 000	4 %
1996	147 000	11 %
1997	160 200	9 %
1998	172 200	7 %

* Non compris Jérusalem-Est

• En sept ans, de 1992 à 1999, la superficie des colonies juives en Cisjordanie est passée de 77 km2 (soit 1,3 % de la Cisjordanie) à 150 km^2 (soit 2,6 %).

• Quelque 100 000 Israéliens, soit 50 % de la population des colons, résident dans huit colonies. La moyenne de la population des les 140 autres colonies est de 714.

• De janvier à juillet 2001, 238 unités d'habitation financés par le gouvernement israélien ont été vendues dans les territoires occupés, contre 466 durant la même période de l'année précédente.

• De janvier à mai 2001, 609 unités d'habitation, financées par des fonds publics et privés, ont été vendues, contre 862 durant la même période de l'année précédente.

• Il y a eu 339 débuts de construction d'unités d'habitation de janvier à juin 2001, contre 1943 durant l'année 2000.

• De janvier à juin 2001, 789 adjudications ont été lancées dans les colonies, alors que 2423 étaient lancées en Israël (32,6 %).

SAMEDI 30 JUIN

• Après deux jours de conférence à Lisbonne, **l'Internationale socialiste** adopte un projet de résolution ratifié par la majorité, qui réaffirme qu'une paix juste, globale et permanente au Proche-Orient suppose d'être fondée sur le respect de la légalité internationale, dont les **résolutions 242 et 338**. Le président **Yasser Arafat** plaide en faveur de l'envoi d'observateurs internationaux en Palestine, et pour l'application des recommandations du rapport **Mitchell et Tenet** ainsi que celles de l'initiative jordano-égyptienne. (*Al-Hayat al-Jadida*)

DIMANCHE 1er JUILLET

• Trois cadres du **Jihad** assassinés à Naplouse et Jinîn par des tirs d'hélicoptères Apache israéliens. Mort d'un adolescent à Gaza. Voitures palestiniennes brûlées par des colons près d'Hébron. (*Al-Hayat al-Jadida*, Voice of Palestine)

• Explosion à **Yehoud**, près de Tel-Aviv. Blessés mineurs. Mais pour Israël, il s'agit d'une violation du cessez-le-feu, qui retarde le décompte des « *sept jours de calme total* » exigés par **Ariel Sharon**. (Israël Radio)

• **Nahoum Barnea** dans *Yediot Aharonot* : « *Sharon demande que l'Autorité palestinienne collecte toutes les armes, jusqu'à la dernière Kalachnikov, arrête les membres du Hamas et du Jihad et introduise un régime de zéro incident et zéro violence. Ce sont des demandes maximalistes. Elles sont ancrées dans les accords d'Oslo et moralement justifiées, mais ne peuvent être appliquées. Elles sont les jumelles identiques de la demande palestinienne d'un gel réel – et non un bluff israélien – des colonies. Cette demande ne peut être appliquée non plus.* ». (*Yediot Aharonot*)

• Pour **Saeb Erekat**, Sharon fait de cette « *semaine de calme* » une condition impossible pour échapper à l'obligation de geler les activités de colonisation et ne pas revenir à la négociation. (Voice of Palestine)

• Justifications dans la presse israélienne du raid israélien **contre un radar syrien au Liban** la veille : il s'agirait de « *messages* » aux « *maîtres* » du Hezbollah libanais qui a tiré au mortier deux jours plus tôt sur les fermes disputées de **Chebaa**. (**Oded Granot** dans *Maariv*, **Zeev Schiff** dans *Haaretz*).

LUNDI 2 JUILLET

• Réunion tempétueuse entre responsables israéliens et palestiniens de la sécurité à **Tel-Aviv**. Aucun accord. (*Al-Ayyam*)

• Peu avant le séjour en France d'**Ariel Sharon**, Paris condamne l'assassinat de Jinîn et le principe de ces assassinats hors cadre juridique. **Kofi Annan**, secrétaire général de l'ONU, appelle les deux parties à faire de leur mieux pour éviter la faillite du cessez-le-feu. **Yasser Arafat** dénonce ces opérations comme une violation flagrante et un crime terrible. (*Al-Hayat al-Jadida, Al-Ayyam*)

• **Un Palestinien tué** d'une balle dans la tête près de Naplouse. **Une femme décède** à un check-point en ne pouvant se rendre à l'hôpital. (*Al-Hayat al-Jadida*)

• **Attaques dans la presse israélienne contre** le soutien d'**Azmi Bishara** à l'Intifada, exprimé en Israël et à Damas. Azmi Bishara est député (Balad) à la Knesset. (*Maariv*).

• Le défenseur des droits humains **Abdel Rahman al-Ahmad** voit sa période de « *détention administrative* » prolongée de six mois par les services israéliens. **Amnesty International** l'a adopté comme prisonnier de conscience. (JMCC)

MARDI 3 JUILLET

• En conclusion de sa rencontre avec le secrétaire général de la Ligue arabe, Amr Moussa, au Caire, **Yasser Arafat** accuse **Ariel Sharon** d'écraser le peuple palestinien par des moyens militaires. Deux semaines ont passé depuis le cessez-le-feu, sans résultat. (*Al-Ayyam*)

• Durant la visite à Paris d'Ariel Sharon, la France annonce qu'elle insistera sur le rapport Mitchell, sur le rôle que la France et l'Union européenne peuvent jouer pour l'appliquer, sur le fait que le président Arafat est un partenaire et ne doit pas être affaibli. (*Al-Ayyam*)

• Le **cabinet de sécurité israélien** décide de poursuivre sa **politique d'assassinats** de militants palestiniens malgré les critiques de Washington. (*Al-Ayyam*).

• **Khalil Toufakji**, géographe à la Maison d'Orient, annonce que le **gouvernement israélien** a confisqué, depuis 1967, 35 % de la terre de Jérusalem, et utilise 40 % de la Ville sainte comme « *zones vitales* » pour l'expansion des colonies. **Jérusalem** compte 180 000 colons. (*Al-Hayat al-Jadida*)

• La Commission Or qui enquête sur la mort de 13 Palestiniens d'Israël en octobre 2000 se concentre sur les événements de Nazareth. (*Al-Ittihad*)

MERCREDI 4 JUILLET

• Selon une étude réalisée fin juin publiée dans *Haaretz*, 52 % des Israéliens soutiennent l'idée d'**évacuation des colons** si nécessaire, même si la majorité des sondés éprouve de la sympathie pour leurs besoins de sécurité. (*Haaretz*)

• Le gouvernement israélien a décidé d'intensifier sa politique répressive dans les territoires palestiniens. L'Autorité nationale palestinienne considère que cela s'oppose au plan du directeur de la CIA, Tenet. Le **cabinet de sécurité israélien** ratifie une liste d'**assassinats** possibles de 26 Palestiniens, dont **Marwan Barghouti**, secrétaire général du Fath. (*Al-Hayat al-Jadida*).

JEUDI 5 JUILLET

• Dans un entretien à un journal allemand, **Yasser Arafat** annonce que l'Autorité palestinienne a arrêté plusieurs militants qui ont violé la trêve. Il condamne toute forme de terrorisme d'où qu'elle vienne. « *En premier lieu,* je m'oppose au terrorisme contre mon peuple ; l'occupation est une violence ; les colonies sont illégales ; le siège est une violence. Aussi je ne peux demander à mon peuple de supporter la souffrance quotidienne et supporter le lourd fardeau de l'occupation.* » L'Autorité nationale palestinienne lance une campagne diplomatique en faveur de pressions sur Israël pour que soit mis fin à l'agression et pour l'application des recommandations Mitchell. (*Al-Hayat al-Jadida*)

• Après Berlin, **Ariel Sharon** est attendu à **Paris**. Le *Yediot Aharonot* rappelle qu'Ariel Sharon, avant d'être Premier ministre, était en France *persona non grata*, mais que cette visite est importante : la France a des relations particulières avec la Syrie et l'Allemagne avec l'Iran. Alors qu'une plainte est déposée en Belgique contre Ariel Sharon pour sa responsabilité dans les massacres de Sabra et Chatila, l'homme de droite **Elyakim Haetzni**, dans le même journal, établit un parallèle entre la responsabilité « *indirecte* » d'Ariel Sharon à Sabra et Chatila, car il n'a pas lu ce qui était dans les têtes des phalangistes, et celle de Shimon Pérès qui n'a pas anticipé les projets de Yasser Arafat : « *le fossé de culture et de civilisation entre eux et nous ne peut simplement pas être comblé* »...

• En Allemagne, le chancelier **Shroeder** appelle Ariel Sharon à faire preuve de flexibilité concernant les colonies. En France, **Jacques Chirac** met en garde **Ariel Sharon** sur les risques d'un affaiblissement de Yasser Arafat. Plusieurs manifestations en France (plusieurs milliers de personnes à Paris) contre la visite d'Ariel Sharon, pour l'envoi d'une force de protection internationale, pour des pressions sur Israël (suspension de l'accord d'association entre l'Union européenne et Israël) et pour une solution politique fondée sur le droit international. Ont appelé à ces manifestations des associations de solidarité, des organisations politiques (LCR, Verts, PCF) et syndicats. (AFP, *Al-Ayyam*)

• Une patrouille israélienne investit le terrain de jeu d'une école d'al-Bireh et ouvre le feu. Un mort (un homme de 39 ans) et un blessé grave. Tirs de roquettes par des chars à Rafah. Trois enfants blessés. (*Al-Hayat al-Jadida*)

• Selon une source militaire israélienne, les **centres de détention** et d'interrogatoires sont surpeuplés et ne peuvent recevoir davantage de prisonniers palestiniens. (*Al-Hayat al-Jadida*)

• Des **extrémistes israéliens** attaquent le bâtiment du consulat belge à **Jérusalem** pour protester contre le procès prévu d'Ariel Sharon au nom de la compétence universelle à juger les crimes de guerre et les crimes contre l'humanité. (*Al-Ayyam*)

VENDREDI 6 JUILLET

• **Lionel Jospin** rappelle lui aussi à Ariel Sharon, comme Jacques Chirac, que Yasser Arafat est « *un interlocuteur* ». Ariel Sharon affirme être inquiet de l'antisémitisme en France. Vives réactions du Président et du gouvernement français.

• Ben Caspit révèle dans *Maariv* l'existence d'un document du service général de **sécurité**, préparé à la demande de l'ancien Premier ministre Ehoud Barak, sous le titre : « *Arafat – un avantage ou un fardeau* ». Le document conclut qu'Arafat est un danger sérieux pour la sécurité d'Israël, les désavantages de sa disparition sont inférieurs aux désavantages s'il reste en place. Le rapport envisage les différents scénarios d'un **après-Arafat** dans l'intérêt d'Israël.

• Sondage Gallup pour *Maariv*. 58 % des Israéliens sont satisfaits en général **d'Ariel Sharon** ministre. 42 % sont satisfaits de son efficacité en matière de sécurité, contre 51 %, inversant la tendance du précédant sondage. Dans le domaine socio-économique, seuls 29 % sont satisfaits. 82 % ne croient pas à un prochain cessez-le-feu. Mais s'il existait, 56 % sont favorables au gel total des colonies comme stipulé dans le rapport Mitchell. 73 % estiment qu'Israël doit « *répondre à une attaque terroriste dans les territoires avec la même sévérité qu'à une attaque terroriste en Israël* ».

• Menacé de poursuites judiciaires pour « *collaboration avec l'ennemi en temps de guerre, maintien de contact avec un agent étranger d'un pays avec ennemi, sédition, soutien à une organisation terroriste* » le député Azmi Bishara avertit que si le procureur général donne suite, il pourrait porter l'affaire devant un Tribunal international. Le 27 juin, la police avait mené un interrogatoire préliminaire. (*Le Monde*)

SAMEDI 7 JUILLET

• Le négociateur palestinien **Saeb Erekat** commente le document publié la veille dans *Maariv*. Pour lui, cela montre la volonté claire d'Israël de détruire le processus de paix et l'Autorité nationale palestinienne. Alors qu'Israël intensifie sa politique d'assassinats, Saeb Erekat appelle une protection internationale. (*Al-Hayat al-Jadida*)

• Dans la presse allemande, **Marwan Barghouti**, secrétaire général du Fath, affirme que l'**Intifada** se poursuivra jusqu'à la fin de l'occupation. Il ajoute que l'Intifada a montré que les colonies sur le territoire palestinien ne font pas partie d'Israël : elles sont devenues des bases militaires que les colons envisagent de quitter. (*Al-Hayat al-Jadida*).

• L'éditorialiste d'*Al-Qods* se satisfait de ce que, durant sa tournée en Europe, Ariel Sharon n'ait pu faire adopter à ses interlocuteurs le point de vue israélien. Lourdes inquiétudes, en revanche, quant au risque d'une vaste offensive israélienne en Palestine. L'analyste Hasan al-Kashef, dans *Al-Hayat al-Jadida*, considère qu'Ariel Sharon préfère la guerre aux droits nationaux palestiniens.

• A **Rafah**, un enfant de 11 ans tué d'une balle dans la tête et deux autres sérieusement blessés. Un char a ouvert le feu alors que les enfants jouaient. (*Al-Hayat al-Jadida, Al-Qods*)

DIMANCHE 8 JUILLET

• Le président **Yasser Arafat**, qui participe au sommet africain en **Zambie**, regrette le peu d'investissement des Etats-Unis dans le conflit, alors que l'on craint une escalade. (*Al-Qods*)

• Le **Hamas** et le **Jihad** envisageront une éventuelle participation à un gouvernement d'union nationale mais sous conditions. (*Al-Qods*)

• Les troupes israéliennes entrent à Nabi Saleh, village au nord de Ramallah. Elles transforment une maison en poste militaire après en avoir expulsé les habitants. Nombreux blessés dans le village sous couvre-feu. Poursuite du siège de Bourqa. 1500 oliviers déracinés et 200 dunums de cultures détruits. 25 ordres de démolitions de maisons dans l'agglomération de Jérusalem. (*Al-Hayat al-Jadida*)

• Rencontre d'intellectuels et universitaires palestiniens et israéliens pour un dialogue de paix près du check-point de Ram. (JMCC)

LUNDI 9 JUILLET

• **17 maisons** palestiniennes démolies par la municipalité israélienne de Jérusalem à Shoufat avec 10 bulldozers, des forces de police et des gardes-frontières. L'UNRWA condamne l'opération, et aide les familles. Yasser Abed Rabbo considère que cela détruit tous les efforts pour calmer la situation. (*Al-Qods*)

• L'association **Miftah** de Hanan Ashrawi condamne la politique de purification ethnique à Jérusalem.

• L'association **Law** appelle à une intervention internationale pour faire respecter la 4ᵉ Convention de Genève.

• Cinq blessés palestiniens, dont un sérieusement, durant l'invasion israélienne du camp de réfugiés de Rafah et de la « *Porte Salah al-Din* » (route sud de Rafah). Plusieurs maisons démolies. Raid sur le village de Silwad. (*Voice of Palestine*)

• Les Nations unies annoncent qu'elles ne fourniront pas à Israël la **cassette vidéo** réalisée par un casque bleu peu après l'enlèvement de trois soldats israéliens par le Hezbollah au hameau de Chebaa, en octobre 2000. Vive polémique contre les Nations unies en Israël, accusées de partialité. Dans *Yediot Aharonot*, Dore Gold accuse la Finul d'être « *sous le contrôle du Hezbollah* ». L'affaire sert d'argument contre l'envoi d'observateurs internationaux en Palestine. (*Al-Qods, Maariv, Yediot Aharonot, Jerusalem-Post, Haaretz,* AFP)

MARDI 10 JUILLET

• La direction palestinienne appelle le Conseil de sécurité des Nations unies à intervenir pour mettre un terme à l'agression israélienne, qui se poursuit malgré les recommandations internationales et la réponse positive palestinienne à ces recommandations. (*Al-Hayat al-Jadida, Al-Ayyam*).

• Les troupes israéliennes détruisent vingt maisons et sept boutiques dans le camp de Rafah, faisant une incursion de 100 mètres dans la zone autonome. (*Al-Hayat al-Jadida*)

• Trois soldats israéliens blessés à Rafah. Le secrétaire du cabinet israélien, Gideon Saar, annonce notamment une opposition à toute internationalisation du conflit. (*Mideast Mirror*)

MERCREDI 11 JUILLET

• Trois Palestiniens, dont un bébé, sont tués en Cisjordanie.

• Une charge explosive est trouvée à Afoula, dans le nord d'Israël.

• Début d'une tournée en **Europe** de **Nabil Shaath**, ministre de la Planification et de la Coopération internationale. Il rencontre les ministres des Affaires étrangères de France, d'Allemagne et de Hollande. « *Ces rencontres ont pour but de faire le point sur la situation et de presser l'Europe à agir en particulier après le retrait des Etats-Unis laissant Sharon décider si nous respectons nos obligations en matière de cessez-le-feu* », dit-il. Il rencontre aussi Javier Solana à Bruxelles. (Voice of Palestine)

• Yasser Arafat reçoit à Ramallah **Miguel Angel Moratinos**, envoyé spécial au Proche-Orient. Il demande aux parlementaires arabes en conférence à Sana de soutenir la demande principale de protection internationale. (Voice of Palestine)

• Dans *Maariv*, Ben Caspit avance que Yasser Arafat a ordonné de tuer un colon par jour, ce que dément le Président. A l'issue d'un entretien avec le député à la Knesset Ahmad Tibi (ancien conseiller d'Arafat) qui, dans *Maariv*, proteste contre les destructions de maisons, Meron Isakson écrit que seuls devraient être membres de la Knesset ceux qui sont loyaux à servir Israël. (*Maariv*, *Al-Hayat al-Jadida*)

• Nouvelles démolitions de **maisons** : 24 sont détruites à Midya (près de Ramallah). A Rafah, ceux qui ont perdu la leur organisent un **sit-in** et demandent à la communauté internationale une protection. L'Autorité nationale palestinienne contact et l'**UNRWA** et les pays donateurs pour aider ces nouveaux réfugiés. Selon la Maison d'Orient, la municipalité de Jérusalem entend confisquer de nouvelles propriétés palestiniennes pour construire une voie de transport souterrain. Le secrétaire général de l'ONU et la Russie demandent à Israël d'interrompre ces démolitions. Le ministère des Affaires étrangères canadien se dit inquiet des risques d'escalade mais ne souhaite pas blâmer une partie plus que l'autre. (*Al-Hayat al-Jadida*)

• La députée **Hanan Ashrawi** accepte de devenir la porte-parole de la **Ligue arabe**. (*Al-Ayyam*)

• Israël rejette cinq noms de religieux nommés pour la direction spirituelle du Patriarcat orthodoxe. (Voice of Palestine)

JEUDI 12 JUILLET

• Réunion de la **direction palestinienne** présidée par Yasser Arafat et avec des membres du comité exécutif de l'OLP, à Ramallah. Elle demande l'envoi d'observateurs internationaux. Le secrétaire général de l'ONU, Kofi

Annan, est favorable à ces observateurs pour favoriser les recommandations du rapport Mitchell.

• Shimon Pérès nie l'existence d'un plan global contre l'AP, évoqué la veille dans la presse britannique.

• Israël impose le **couvre-feu** à **Hébron**. Tirs sur plusieurs quartiers depuis des tanks. Nombreux blessés durant un affrontement armé, dont deux colons. Des Palestiniens attaquent une voiture de colons (près de la colonie de Brakha). L'armée tire sur Naplouse : un mort. (*Al-Ayyam*)

• A un check-point, des enfants parviennent à s'emparer d'une liste de 186 noms de « Palestiniens recherchés ». (*Al-Qods*)

SAMEDI 14 JUILLET

• Dans un entretien au *Washington Post*, **Colin Powell** critique les mesures israéliennes : « *lorsque vous commencez à démolir des maisons au bulldozer, n'attendez pas que les gens ne se vengent pas ; lorsque vous annoncez de nouvelles colonies, cela ne crée pas les conditions pour que l'autre partie montre des réactions moins sévères et violentes.* » (*Washington Post*, *Al-Ayyam*)

• Pour le troisième jour consécutif, **Hébron** est bombardée. Neuf blessés dont sept enfants. Raid à Bourqa (région de Naplouse). Tirs sur le village de Urtas (région de Bethléem). Le ministre israélien de la Défense, Benyamin Ben Eliezer, en fait porter la responsabilité à Yasser Arafat, disant qu'il peut « *arrêter les attaques palestiniennes en deux jours* » mais « *conduit son peuple à une destruction totale* ». (*Al-Hayat al-Jadida*, *Voice of Palestine*)

DIMANCHE 15 JUILLET

• Rencontre au Caire, à l'initiative d'Hosni Moubarak, entre Shimon Pérès et Yasser Arafat. Sans résultat. (*Al-Hayat al-Jadida*)

• Israël envahit **Hébron**, dont la plupart des quartiers sont bombardés par les mortiers. Nombreux blessés.

• L'ambassadeur américain en Israël, **Martin Indik**, dans le *Washington Post*, rend Yasser Arafat responsable du cycle de la violence, arguant qu'« *il s'est retrouvé dans une mauvaise situation après le sommet de Camp David* ». (*Al-Ayyam*)

LUNDI 16 JUILLET

• Deux soldats tués, et onze personnes blessées dans un **attentat-suicide** à **Tel-Aviv**, revendiqué par les « brigades al-Qods » (Jihad). L'auteur aurait voulu venger la mort de son cousin. La direction palestinienne condamne l'attentat, appelle à arrêter tous actes de violence d'où qu'ils viennent. Elle affirme son engagement pour le cessez-le-feu et demande l'application rapide des recommandations Mitchell et de l'initiative de paix jordano-égyptienne. (*Al-Hayat al-Jadida*)

• **Marwan Barghouti**, secrétaire général du Fath en Cisjordanie, dit, dans un entretien au *Monde*, qu'il est favorable au cessez-le-feu depuis les zones contrôlées par l'Autorité palestinienne mais défend le principe de la résistance dans les zones occupées. Il s'attend à une grande offensive israélienne. (*Al-Hayat al-Jadida*, *Le Monde*)

• Les **tanks** israéliens tirent sur plusieurs régions palestiniennes : Hébron, Betounia, Jinîn, Toulkarm, Bayt Sahour, al-Qarara (à Khan Younis). Vingt-deux blessés à **Hébron**. (*Al-Hayat al-Jadida*)

MARDI 17 JUILLET

• Malgré l'interdit par le ministre de la Sécurité intérieure **Uzi Landau** de la cérémonie de commémoration du décès de Faysal Husseini, à la **Maison d'Orient**, malgré un important déploiement de fortes institutions de Jérusalem, députés palestiniens et députés arabes de la Knesset commémorent le quarantième jour du décès et rappellent que Faysal Husseini était homme de dialogue. (JMCC)

• **Benyamin Nétanyahou** souhaite que la Knesset adopte une loi annulant les accords d'**Oslo** et les accords suivants. Il veut aussi une réoccupation d'Hébron. *(Maariv)*

• A **Bethléem**, les troupes israéliennes appuyées par des avions de guerre tuent quatre Palestiniens et en blessent plusieurs. Les quatre hommes tués s'apprêtaient à recevoir leurs frères pour leur sortie de prison. *(Al-Hayat al-Jadida)*

MERCREDI 18 JUILLET

• De retour du Caire où il a participé à la réunion du comité de suivi arabe face à l'escalade israélienne, Yasser Arafat appelle à la tenue urgente d'un **sommet arabe**. Le comité décide d'une aide financière de 45 millions de dollars par mois aux Palestiniens. *(Al-Hayat al-Jadida)*

• Les forces d'occupation renforcent leur présence dans les zones urbaines et les principales routes de Cisjordanie. Des troupes sont rassemblées à **Gilo** pour être ensuite déployées sur le reste du territoire. Pour le chef de cabinet de l'Autorité nationale palestinienne Ahmad Abdul Rahman, cette **escalade** a pour but de faire exploser la situation. *(Al-Hayat al-Jadida)*

• Plusieurs capitales **européennes** (Paris, Londres, Rome, Moscou...) s'inquiètent de l'escalade. Moscou, Paris et Rome plaident pour l'envoi d'**observateurs neutres,** ce que les Etats-Unis jugent prématuré. *(Al-Hayat al-Jadida)*

JEUDI 19 JUILLET

• A l'occasion du **G8** (Rome, les 18 et 19 juillet), les ministres des Affaires étrangères rendent publique une *« déclaration sur le Moyen-Orient »,* s'alarmant *« de la situation au ».* Ils réaffirment *« que le rapport Mitchell dans sa totalité constitue le seul moyen de progresser pour sortir de l'impasse, mettre un terme à l'escalade et relancer un processus politique [...] il est essentiel de s'opposer à l'extrémisme et au terrorisme [...] tous les engagements pris en vue de*

faire cesser la violence doivent être scrupuleusement respectés. Chacune des parties doit s'abstenir de tout acte de provocation ou d'incitation, aucune des parties ne doit prendre des mesures qui affaiblissent l'autre » et appellent à *« une surveillance par des tiers accepté par les deux parties ».*

• L'**Egypte** et la **Jordanie** accueillent avec satisfaction la position du G8. Israël rejette toute internationalisation du conflit. (Site Web du ministère des Affaires étrangères, AFP, *Voice of Palestine*)

• En visite à **Londres, Shimon Pérès** assure qu'Israël renforce le déploiement de ses troupes en Cisjordanie mais n'a pas l'intention de réoccuper la région : *« c'est hors de question »,* dit-il. Le ministre de la Défense, Benyamin Ben Eliezer, affirme lui aussi, à la radio Galei Zahal, que le gouvernement israélien n'y aurait aucun intérêt. *(Yediot Aharonot)*

• Les forces israéliennes cernent trois villages palestiniens après des tirs sur un bus de **colons** près d'Ariel. *(Mideast Mirror)*

• **Amnesty International** appelle la communauté internationale à presser Israël de lever les blocus, que l'organisation désigne comme une *« punition collective ».* (*Mideast Mirror*)

• La presse israélienne se fait l'écho de ce qu'Ariel Sharon envoie son fils Omri rencontrer Yasser Arafat : vives attaques de la droite. *(Yediot Aharonot)*

• Des **colons** à 200 mètres d'un check-point **assassinent** trois membres d'une famille d'Idna (région d'Hébron), dont un bébé de quatre mois et blessent quatre autres personnes dont un bébé de six mois. Selon plusieurs témoins, le crime a été commis sous la protection de l'armée. L'attaque est revendiquée par un *« comité pour la protection des routes ».* **Yasser Abed Rabbo,** qui demande une protection internationale d'urgence, accuse l'armée de collaborer avec les colons. *« Toutes ces années, les autorités [...] ont fait preuve d'un laxisme extraordinaire*

vis-à-vis du terrorisme juif », déclare à l'AFP la députée **Zahava Gal On** (Meretz). Pour **Yossi Sarid** (Meretz) *« la Bosnie est arrivée en Israël ».* Le ministre de la Défense **Benyamin Ben Eliezer,** sur Radio Israël, évoque *« un meurtre détestable [...] A mes yeux [...] il n'y a pas de différence [...] entre le meurtre et ceux commis par le Tanzim, le Hamas ou le Jihad »,* ajoute-t-il. *« C'est exactement ce dont [les colons qui vivent là] n'ont pas besoin. De graves répercussions sont à craindre. Cela va susciter une escalade en Israël et dans les territoires. »* Il craint que cela n'accélère l'envoi d'observateurs. *(AFP, Le Monde, Libération, Al-Hayat al-Jadida, Voice of Palestine,* Radio Israël, *Mideast Mirror)*

• Parution dans *Courrier International* d'une enquête de Joseph Algazy (*Haaretz*) sur les **jeunes détenus** palestiniens. Ceux de la prison de Talmond (environ 80) ont entamé début juillet une grève de la faim.

• **Sondage** de l'institut Dahaf pour *Yediot Aharonot.* 77 % des Israéliens interrogés considèrent le Premier ministre comme crédible. 61 % considèrent qu'une guerre pour une petite communauté de colons, c'est comme une guerre pour Tel-Aviv. 49 % approuvent les rencontres entre Shimon Pérès et Yasser Arafat, contre 47 % qui désapprouvent. Selon un sondage Gallup pour *Maariv,* le Likoud progresserait en cas d'élections (43 sièges contre 19 actuellement), le Parti travailliste restant stable (24 au lieu de 23, avec des variations selon qui le représenterait). *(Yediot Aharonot, Maariv)*

VENDREDI 20 JUILLET

• **Nabil Shaath**, dans *Maariv,* adresse une *« Lettre ouverte à mes amis israéliens ».* *« Il n'y a pas d'alternative au retour à la table des négociations »,* souligne-t-il.

• Les propos de **Moshé Shofat,** chef de l'Autorité pour l'éducation des Bédouins, font scandale. Il aurait affirmé dans un entretien au *Jewish Week* : *« Les Bédouins sont des gens assoiffés de sang qui pratiquent la polyga-*

mie, ont trente enfants, étendent illéga-
lement leurs implantations sur des terres
d'Etat. » Shofat affirmera par la suite
qu'il n'évoquait « qu'un groupe de Bédouins » des villages non reconnus
dans le Néguev. Plusieurs commentateurs demandent son départ, s'il est
bien l'auteur de ces propos. Le Conseil
régional des villages non reconnus menace d'intervenir auprès de la Cour suprême. (*Kull al-Arab, Al-Ayyam*)

• Conférence de presse du **Centre
juridique** pour les **droits de la minorité arabe en Israël**, à propos de la
Commission Or qui vient de finir la
première phase de ses travaux sur les
treize Palestiniens d'Israël morts en octobre 2000. Pour le Centre, il y a bien
eu une politique de « tirer pour tuer ».
(*Kull al-Arab*)

SAMEDI 21 JUILLET

• A **Gaza**, près de la colonie de
Netzarim, les militaires ouvrent le feu
à la mitrailleuse lourde sur une zone
résidentielle. A Naplouse, deux militants du FPLP sont blessés, dont un
grièvement, par une explosion. (*Al-
Hayat al-Jadida*, Voice of Palestine)

DIMANCHE 22 JUILLET

• **Jacques Chirac** annonce que les
dirigeants des pays du **G8** ne sont pas
d'accord avec la décision israélienne de
lier les pourparlers de paix à un arrêt
total des attaques palestiniennes. Les
Etats membres du G8 attendent de
l'Autorité nationale palestinienne
100 % d'efforts pour empêcher le terrorisme. La position israélienne, ajoute
Jacques Chirac, pèse sur les Etats
arabes modérés. (*Al-Qods*)

• Israël accepterait l'augmentation
du nombre d'observateurs de la CIA.
(*Al-Qods, Mideast Mirror*)

• Selon une étude dirigée par Ya-
cov Shamir, de l'Université hébraïque,
et Khalil Shiqaqi, du Centre palestinien
d'études et de recherches politiques,
50 % des Palestiniens et 68 % des Israéliens soutiennent la décision de
leurs gouvernements d'accepter le plan
Mitchell. 63 % des Palestiniens et 66 %

des Israéliens sont pour un retour aux
négociations. (*Al-Qods*)

• Une ceinture d'explosifs est découverte dans le centre-ville d'Haïfa
grâce aux indications d'un Palestinien
interpellé. (*Le Monde*, AFP, Reuters)

LUNDI 23 JUILLET

• **Javier Solana** entame une tournée au **Proche-Orient** qui doit le mener en Israël, en Palestine, au Liban, en
Syrie, en Egypte et en Jordanie. (*Le
Monde*, AFP, Reuters, *Al-Hayat al-Jadida*)

• Les **unités spéciales israéliennes**
assassinent un cadre du Jihad islamique, **Moustafa Yousef Yasin**,
29 ans, du village d'Anin proche de la
« ligne verte ». Tirs d'obus de chars israéliens contre des postes de police et
des habitations à Rafah, où des centaines de Palestiniens sont coincés ; un
adolescent de 15 ans est tué par
balles, deux enfants blessés par des tirs.
Tirs à l'arme lourde contre un poste de
la sécurité palestinienne à Khan Younis. Près de Naplouse, une bombe explose au passage d'une voiture militaire, selon les sources israéliennes qui
mentionnent également des tirs contre
des postes israéliens près du bloc de
Goush Katif. (*Al-Ayyam, Le Monde*,
AFP, Reuters)

• Une vingtaine de Palestiniens armés des comités de résistance populaire tirent à proximité de la maison
d'un responsable des services palestiniens. (*Al-Ayyam*)

• Selon le Bureau central de statistiques palestinien, 70% des foyers palestiniens (81,4 % à Gaza, 56 % en Cisjordanie) vivent en dessous du seuil de
pauvreté. 14,2 % des familles n'ont
plus de revenus. (*Al-Ayyam*)

MARDI 24 JUILLET

• Retour à Gaza de **Yasser Arafat**
après une tournée dans les pays arabes.
Il critique le refus israélien d'observateurs internationaux. (*Al-Qods*)

• La Chambre des représentants
américaine envisage des sanctions
contre les Palestiniens si le cessez-le-
feu n'est pas respecté. Elle suggère de
qualifier l'OLP ou l'une de ses composantes d'organisation terroriste, ou
bien de réduire l'aide à la Cisjordanie
et à la bande de Gaza, ou bien de fermer le bureau de l'OLP à Washington.
(*Le Monde*)

• Un an après l'échec de la négociation de Camp David sur le statut final, **Robert Malley**, conseiller de
William Clinton, publie avec l'universitaire Hussein Agha un article dans la
New York Review of Books où il décrit
comme fausse et dangereuse l'idée ré-
pandue selon laquelle cet échec serait
imputable à Yasser Arafat et à la partie
palestinienne. Selon Robert Malley, il
n'y a pas eu « d'offre israélienne » sur
aucun des dossiers centraux du conflit.
Ehoud Barak aurait « brisé tous les ta-
bous » mais rien formulé de concret, se
situant dans une perspective du « tout
ou rien ». Il considère que les Palestiniens n'ont su ni formuler de contre-
propositions ni accepter les idées américaines, mais en exigeant des accords
clairs ils se sont montrés disposés à négocier les modalités d'application de
leurs droits, notamment concernant les
réfugiés. Robert Malley estime que les
négociateurs américains ont manqué
de neutralité. Les négociations de
Taba, en janvier 2001, plus proches du
droit international, montrent en creux
combien les propositions israéliennes
de Camp David ne constituaient pas
« une offre généreuse », remarque-t-il.
Enfin, toujours selon lui, Ehoud Barak
n'aurait permis à Camp David qu'une
alternative : contraindre les Palestiniens
à accepter la formule israélienne ou
bien ouvrir la voie à la confrontation.
(*Le Monde*)

• **Marches de solidarité** avec les
prisonniers palestiniens à l'appel des
forces nationales et islamiques. Rafah
sous les tirs des tanks ; plusieurs blessés. Le corps d'un jeune Israélien de la
colonie de Pisgat Zeev est retrouvé
dans la région de Ramallah. (Voice of
Palestine, *Al-Qods*)

MERCREDI 25 JUILLET

• Plusieurs personnalités politiques et intellectuelles palestiniennes et israéliennes (Yasser Abed Rabbo, Nabil Amr, Hanan Ashrawi, Sari Nusseibeh, Gabi Baramki, Salim Tamari, Yossi Beilin, Haïm Oron, Yair Tsaban, Amos Oz, David Grossmann...) appellent ensemble à « *mettre un terme à l'occupation des territoires, à faire cesser le bain de sang, à la reprise immédiate des négociations, à la mise en œuvre de la paix entre nos deux peuples* ». Les signataires appellent à la mise en œuvre des résolutions 242 et 338, à la coexistence de deux Etats « *séparés par les frontières du 4 juin 1967 et avec Jérusalem pour capitale* ».

• Un militant du **Hamas** est tué à **Naplouse** par une roquette israélienne tirée sur sa voiture. Son corps est retrouvé déchiqueté. Le Hamas menace de le venger. L'armée israélienne affirme qu'il serait impliqué dans des attentats. Depuis novembre 2000, une quarantaine de militants palestiniens ont été ainsi assassinés au nom d'une politique confirmée le 18 juillet par le cabinet de sécurité israélien. L'Autorité nationale palestinienne transmet aux Etats-Unis une liste de colons responsables d'actes contre les Palestiniens. (*Al-Hayat al-Jadida*, *Le Monde*)

• Manifestation de soutien à Yasser Arafat à Gaza à l'appel du Fath. Des milliers de participants. (*Al-Hayat al-Jadida*)

• Raid israélien sur les villages de Kifel Hares et Dayr Istiya (district de Salfit) ; nombreuses arrestations. Dans la bande de Gaza, les forces israéliennes pénètrent à Rafah et démolissent un bâtiment des forces de sécurité jusque là soumis aux tirs des colons. (Voice of Palestine)

• Plusieurs politiciens de droite comme de gauche en Israël craignent qu'un envoi d'**observateurs** internationalise le conflit. **Shimon Pérès** à la radio Galeï Zahal : « *Les observateurs ne sont pas le problème. Ils n'ont pas une importance particulière. Le problème est* entre la tentative du côté arabe d'internationaliser le conflit et notre refus de l'internationaliser. Aussi, s'il y a des observateurs américains, peu importe sous quelle direction, il n'y a pas de danger d'internationalisation.* »

JEUDI 26 JUILLET

• Les **tanks** israéliens tirent sur les postes de sécurité et les quartiers résidentiels de **Ramallah**, **al-Bireh** et **Betounia**. A Qalandiya, dans le nord de Jérusalem, tirs de soldats israéliens sur des enfants. Parallèlement, un Israélien est tué dans sa voiture près de la colonie de Pisgat Zeev, au nord de Jérusalem.

VENDREDI 27 JUILLET

• Les chars israéliens bombardent un poste de sécurité de la Force 17. Une bombe est désamorcée dans un autobus à Jérusalem (AFP)

• *Kull al-Arab* fait part d'un projet de loi du député **Michael Klainer** (Herout) visant à inciter les Palestiniens à émigrer vers les pays arabes, avec indemnités à la clé, pour laisser leurs propriétés et leurs terres à Israël. (JMCC)

DIMANCHE 29 JUILLET

• Les forces israéliennes assassinent six Palestiniens, cadres du Fath, à Farah, en Cisjordanie.

• 41 blessés et 31 jeunes arrêtés aux abords de l'esplanade de la mosquée al-Aqsa ; ils se sont rassemblés là avec des membres arabes de la Knesset et des membres du Conseil législatif palestinien pour protester contre les provocations des extrémistes israéliens ; la **Ligue arabe** et l'**Organisation de la conférence islamique** condamnent l'incident. (Voice of Palestine, *Al-Hayat al-Jadida*, *Al-Qods*)

• Deux **soldats blessés** dans une embuscade près de Sourda, un autre près de Jérusalem ; un officier blessé à Hébron. (*Al-Hayat al-Jadida*)

• La Jordanie transmet à l'Autorité nationale palestinienne des cartes relatives aux propriétés des Palestiniens en Cisjordanie (*Al-Qods*)

LUNDI 30 JUILLET

• **Des hélicoptères tirent des roquettes** sur l'académie de police de Gaza : 4 blessés. A Rafah, les tanks stationnent et ouvrent le feu : trois blessés dont deux enfants. Trois soldats israéliens blessés à Toulkarm dans une embuscade. (*Al-Ayyam*)

• Le nombre de chômeurs en Israël augmente de 3,7 %, atteignant 8,6 % de la population active, alors que le PIB chute de 0,6 % au premier semestre. Secteurs les plus touchés : le tourisme et les entreprises de high-tech. (*Le Monde*)

MARDI 31 JUILLET

• **Massacre** dans la ville de **Naplouse**. Les tirs de roquettes depuis des hélicoptères Apache font huit morts, dont deux dirigeants du Hamas, deux journalistes et deux enfants ; il y a 15 blessés. Les roquettes atteignent aussi le Centre d'études et des médias de la ville. Deux autres Palestiniens sont tués dans la bande de Gaza. **Yasser Arafat** appelle à l'envoi d'observateurs internationaux dans les territoires palestiniens, c'est-à-dire à la rapide mise en œuvre de la décision du sommet du G8.

Le mouvement **Hamas** fait savoir qu'Israël en paiera le prix, ayant dépassé toutes les « *lignes rouges* ».

Le coordinateur spécial des **Nations unies** pour le Proche-Orient (Unsco) condamne fermement ces attaques. **Washington** condamne le massacre, considérant qu'il s'agit d'une dangereuse escalade du gouvernement israélien. **Paris** et **Londres** condamnent également. (JMCC)

MERCREDI 1 AOUT

• 150 000 personnes participent aux funérailles des 8 martyrs de Naplouse. Des marches ont lieu à Gaza. Un Palestinien est tué à Hébron et plusieurs blessés dans de nombreuses villes. (JMCC)

• Le gouvernement israélien confirme sa détermination à poursuivre les assassinats ciblés.

• Avant son séjour en Italie, **Yasser Arafat** rencontre **Hosni Moubarak**, qui considère qu'un sommet arabe ne serait pas opportun. Mais il dénonce le choix israélien de tuer des militants et dirigeants palestiniens. Il réitère sa demande d'envoi d'observateurs internationaux, insistant pour que Washington et l'Union européenne interviennent afin de forcer Israël à accepter les recommandations du G8. Yasser Arafat renouvelle, à Rome, sa demande d'observateurs internationaux. Il rappelle que des forces internationales ont été par le passé envoyées en Macédoine et au Liban sans l'accord des parties. Les **Emirats arabes unis** pressent les Nations unies d'intervenir immédiatement pour protéger le peuple palestinien. **Yasser Abed Rabbo**, ministre de l'Information et de la Culture, et **Hanan Ashrawi**, députée palestinienne et porte-parole de la Ligue arabe, blâment l'insuffisante réaction de l'administration américaine à l'issue du massacre de Naplouse. Le secrétaire d'Etat américain, **Colin Powell**, déclare que l'attaque israélienne sur le bâtiment du Hamas à Naplouse est un pas de plus dans l'escalade de la violence au Proche-Orient. (*Al-Hayat al-Jadida*).

• **Shimon Pérès**, selon un communiqué officiel, a accepté la proposition égyptienne d'une présence américaine à Rafah, au sud de la bande de Gaza. Le bureau d'**Ariel Sharon** a démenti cette affirmation. (*Al-Ayyam*)

• Une rencontre entre officiers de sécurité israéliens et palestiniens avec des représentants de la **CIA** a été annulée la veille au soir à Tel-Aviv. (*Al-Hayat al-Jadida*)

• Le JMCC et Reporters sans frontières créent un comité spécial pour enquêter sur les violations par les forces israéliennes des droits des journalistes dans les territoires palestiniens. (JMCC)

• L'armée israélienne dévoile son nouveau modèle d'avion espion sans pilote, le **B-Hunter**, de conception belgo-israélienne, indétectable à l'œil nu. (*Le Soir*, Bruxelles)

JEUDI 2 AOUT

• De retour à Gaza de son voyage à Rome, **Yasser Arafat** appelle à la fin de toutes les sortes de violences et à l'envoi de forces internationales. A Gaza, des tanks israéliens ont bloqué les voies de passage du président palestinien. (*Al-Hayat al-Jadida*)

• La commissaire générale des Nations unies pour les droits de la personne, **Mary Robinson**, demande l'envoi **d'observateurs internationaux** pour mettre un terme aux confrontations sanglantes entre Palestiniens et Israéliens. La présidence de l'Union européenne exprime sa plus profonde préoccupation devant la détérioration de la situation au Proche-Orient et la nouvelle escalade de violence les jours précédents. L'Union européenne presse les parties de faire preuve du maximum de retenue. Insistant sur l'urgence de la mise en œuvre totale des recommandations du rapport Mitchell, la présidence réitère le rejet des « *assassinats ciblés* » et exhorte l'Autorité nationale palestinienne à intensifier ses efforts contre la violence extrémiste et le terrorisme. (*Al-Hayat al-Jadida*, JMCC)

• Un homme de 23 ans est tué par balles sur une route de contournement près de Naplouse. La région est sillonnée de tanks et véhicules militaires et survolée par les hélicoptères. Plusieurs blessés. (*Al-Hayat al-Jadida*)

• La **municipalité de Jérusalem** ordonne la **démolition** de huit maisons palestiniennes à Ras Shihada, proche du camp de réfugiés de Shoufat. La Maison d'Orient appelle la communauté internationale à intervenir, conformément à la 4e Convention de Genève.

• La Haute Cour de sûreté palestinienne condamne à mort un Palestinien convaincu de collaboration. (*Al-Qods*, AFP)

VENDREDI 3 AOUT

• Rapport du **Conseil de sécurité des Nations unies**, à la suite d'une enquête interne, sur une cassette réalisée par les casques bleus juste après l'enlèvement de trois soldats israéliens par le Hezbollah au hameau de Cheba en octobre 2000. Israël réclame la cassette. (AFP)

SAMEDI 4 AOUT

• Le secrétaire du Fath en Cisjordanie, **Marwan Barghouti**, échappe à un attentat. Un hélicoptère Apache israélien a tiré des roquettes sur des voitures à proximité du bureau du Fath à al-Bireh. Muhammad Abou Halaweh, membre de la Force 17, est grièvement blessé. Un communiqué des forces nationales et islamiques condamne la politique d'assassinats ciblés du gouvernement israélien. Il appelle les Etats arabes à isoler Ariel Sharon. (*Al-Hayat al-Jadida*, JMCC)

• Pour le quotidien *Al-Hayat*, basé à Londres, les **Etats-Unis** auraient fixé à **Ariel Sharon** une **ligne rouge** : la sécurité de **Yasser Arafat** et l'Autorité nationale palestinienne à laquelle il n'y aurait pas d'alternative.

• **Hosni Moubarak** s'adresse à **George W. Bush** pour une intervention susceptible de mettre un terme à l'agression israélienne. Yasser Arafat appelle de nouveau à l'envoi d'observateurs internationaux. Le ministre palestinien de l'Information, **Yasser Abed Rabbo**, alerte le secrétaire général de la Ligue arabe, **Amr Moussa**, et les autorités des pays arabes concernant la circulaire du directeur de la BBC Malcolm Downing, à ses reporters : il a accepté la demande israélienne de remplacer le terme d'« assassinat » par « exécution ciblée » pour les meurtres de militants palestiniens par Israël dans les territoires palestiniens. (*Al-Ahram Weekly*, JMCC, *Al-Qods*, *Al-Hayat al-Jadida*)

• A Tel-Aviv, plusieurs milliers de personnes manifestent à l'appel de la Coalition de la paix, avec pour mots d'ordre : « La paix oui, l'occupation non ». **Yossi Sarid**, du Meretz, demande au gouvernement d'accepter un tiers international et de reprendre la négociation. (*Le Monde*)

• **Pascal Boniface**, directeur de l'Institut des relations internationales et stratégiques (IRIS) publie dans *Le Monde* une « Lettre à un ami israélien ». « *De nouveau tu vis dans la peur* », souligne-t-il, se demandant si la politique choisie par Ariel Sharon est la meilleure pour la sécurité. « *Le peuple juif a subi le plus horrible des sorts avec la Shoah. Alors que le mot est de plus en plus galvaudé, lui seul a subi un véritable génocide, avec l'intention de l'exterminer pour des raisons racistes* [...]. *Israël représente un sanctuaire, la certitude que cela ne recommencera jamais. L'Etat démocratique d'Israël – même si une partie de la population n'a pas les mêmes droits que l'autre pour des raisons ethniques – est entouré de régimes autoritaires, si ce n'est dictatoriaux. Il a dû lutter pour faire admettre son indépendance par ses voisins. La défense d'Israël a prévalu sur toute autre considération. Ces faits peuvent-ils pour autant justifier que la victimisation lui donne une sorte de droit – pour ne plus être victime – d'opprimer à son tour un peuple ?* [...] *Aujourd'hui, les principales victimes sont les Palestiniens, pas les Israéliens* [...]. *On ne peut mettre sur le même plan l'occupant et l'occupé* [...]. *On ne luttera pas contre l'antisémitisme en légitimant l'actuelle répression des Palestiniens.* » Vivement attaqué (notamment par Elie Barnavi) pour ses propos, Pascal Boniface s'interroge peu après sur le droit de critiquer Israël sans subir l'anathème ou l'accusation de racisme.

DIMANCHE 5 AOUT

• Assassinat à **Toulkarm** d'un militant du Hamas par des roquettes tirées d'un hélicoptère Apache. L'attaque fait plusieurs blessés. Le siège de la région de **Gaza** se poursuit. Un Palestinien du nord de Jérusalem tire sur des bâtiments du ministère israélien de la Défense à Tel-Aviv : huit soldats blessés ; les brigades des Martyrs d'al-Aqsa revendiquent l'attaque. Selon des sources israéliennes, une attaque contre

des colons a fait quatre blessés et tué une femme près de Qalqilya. Israël publie une liste de sept Palestiniens « recherchés », membres des diverses forces de la résistance. (*Al-Hayat al-Jadida*, JMCC)

• Avant la visite d'Ariel Sharon à Ankara, Yasser Abed Rabbo demande à la Turquie de limiter ses relations avec Israël. (*Al-Hayat al-Jadida*, JMCC)

LUNDI 6 AOUT

• La **Maison Blanche** demande aux Israéliens et aux Palestiniens de mettre un terme aux actes de violence qui ne peuvent conduire qu'au désastre. Le ministre égyptien des Affaires étrangères, **Ahmad Maher**, dénonce le gouvernement israélien comme un « *gang qui assassine* », sa politique violant toutes les règles et lois internationales, ce qu'aucun système moderne et civilisé ne peut accepter. Il s'étonne du peu de fermeté américaine contre Israël. **Nabil Shaath** appelle les Etats-Unis à forcer Ariel Sharon à mettre en œuvre les recommandations du document Tenet et du rapport Mitchell. L'Autorité nationale palestinienne rejette la liste de sept Palestiniens qu'Israël considère comme « recherchés ». Elle a remis à Israël une liste de 60 membres israéliens des « brigades de la mort » ou du « comité pour la sécurité des routes » qui opèrent « *sous la direction du Shin Beth* » et « *ont commis des meurtres et des actes terroristes* ». (*Al-Ayyam*, JMCC, *Al-Hayat al-Jadida*, AFP, Reuters, *Le Monde*)

• Un accord de financement à hauteur de 4 millions d'euros est signé entre la **Commission européenne** et le ministère palestinien de la Planification et de la Coopération internationale. Il s'agirait notamment d'améliorer les conditions sanitaires et l'environnement de la population de Gaza, avec un système de management évitant les gaspillages. (JMCC)

• Lors d'une conférence de presse, **Marwan Barghouti** demande des pressions internationales contre Israël comme il y en eut contre l'Afrique du

Sud de l'Apartheid. Il appelle de ses vœux la formation d'un nouveau gouvernement palestinien restreint, avec toutes les composantes de la résistance. Il rejette les rencontres sécuritaires israélo-palestiniennes tant qu'Israël continue de bombarder villes et villages palestiniens. (*Al-Hayat al-Jadida*, JMCC)

• Les forces israéliennes capturent à Anabta un blessé palestinien. Ils restituent son cadavre quelques heures plus tard. (Voice of Palestine, JMCC)

• Dans un entretien à *Libération*, **Joseph Alpher**, ancien responsable du Mossad et ancien conseiller d'Ehoud Barak, considère qu'**Ariel Sharon** « *aimerait éliminer Arafat* » mais « *est pragmatique. Pour des raisons sécuritaires, il veut qu'Israël garde le contrôle militaire de la Cisjordanie grâce aux colonies et aux points stratégiques dans la vallée du Jourdain, qui doivent fragmenter le futur Etat palestinien* ». Selon lui, il ne lance pas l'assaut contre les territoires palestiniens pour quatre raisons : « *il ne veut pas que le gouvernement d'union nationale éclate* [...], *il ne veut pas perdre le soutien américain* [...], *il ne veut pas être celui qui provoquera la rupture avec la Jordanie et l'Egypte. Enfin* [...] *que faire après la réoccupation de la bande de Gaza et de la Cisjordanie ?* » Pour lui, « *détruire l'Autorité palestinienne serait arrêter un conflit pour en ouvrir un autre* ». Pour autant, « *le pire scénario peut arriver demain* ».

MARDI 7 AOUT

• Le nouvel ambassadeur américain à Tel-Aviv assure que le **Département d'Etat** a commencé à travailler sur les détails d'un mécanisme de supervision en Cisjordanie et dans la bande de Gaza que dirigeraient les représentants de la CIA à Tel-Aviv. (*Al-Ayyam, Al-Qods*)

• A **Amman**, alors que Yasser Arafat est en visite officielle, un diamantaire israélien est tué par balles. Un groupe alors inconnu revendique l'assassinat, déclarant que l'homme était un agent du Mossad. Pour Amman, il s'agirait d'une affaire criminelle. (*Al-Hayat al-Jadida*)

• Dans *La Croix*, Agnès Rotivel décrit comment « *la vie de la famille al-Aidi* », qui vit « *le long de la route qui mène du carrefour de Netzarim à la zone industrielle de Karni* », colonies dans la bande de Gaza, « *a basculé dans l'absurde* » depuis que sa maison est occupée par l'armée israélienne. « *Les soldats vivent à ses frais* » et « *aucun membre de la famille ne peut entrer ou sortir sans leur autorisation* ». D'où, notamment, des traumatismes profonds de plusieurs des enfants, âgés de deux à quatorze ans.

MERCREDI 8 AOUT

• Sollicité par **Yasser Arafat** pour participer activement au dialogue national pour renforcer l'unité palestinienne, le **Conseil législatif palestinien** accueille favorablement cette initiative. (*Al-Hayat al-Jadida*)

• L'université de **Birzeit** dénonce le harcèlement des forces d'occupation, qui ont fait irruption les jours précédents, « *se livrant à diverses formes d'intimidation à l'encontre d'étudiants et du personnel* ».

• **Reporters sans frontières** poursuit l'enquête sur les **violations des droits des journalistes** dans les territoires palestiniens. Deux journalistes palestiniens ont été tués à Naplouse, le 31 juillet, lors de l'attaque de l'armée israélienne contre des militants supposés du Hamas. Une quinzaine d'autres journalistes, palestiniens et étrangers, ont été blessés ou victimes de harcèlement de l'armée ; des cassettes ont été saisies.

• A l'occasion de sa visite à Ankara, **Ariel Sharon** déclare que « *Jérusalem ne sera jamais divisée et restera la capitale éternelle d'Israël* ». Le Premier ministre turc considère irréaliste la demande israélienne de calme total avant la reprise de toute négociation avec les Palestiniens. Israël accuse l'Autorité nationale palestinienne de fabriquer des armes dans six usines de Gaza, proches d'écoles et de zones résidentielles, et menace de les détruire. Le porte-parole du **Département d'Etat américain** affirme que l'utilisation par Israël d'armements américains ne viole pas les lois internationales concernant l'exportation de ces armements, ces lois stipulant que les armes ne peuvent être vendues que dans un objectif d'autodéfense. L'opposition américaine aux exécutions ciblées se fonde sur des préoccupations politiques et non juridiques, dit-il. (*Al-Qods*, JMCC, *Al-Hayat al-Jadida*)

JEUDI 9 AOUT

• **Attentat-suicide** palestinien dans une pizzeria à **Jérusalem-Ouest**. 18 morts et 90 blessés. L'auteur de l'attentat, originaire du village d'Aqaba (région de Jinîn), était membre des brigades Ezzedine al-Qassam, branche armée du **Hamas**. Pour le Hamas, il ne s'agirait que de la première d'une série d'opérations. Yasser Arafat dénonce l'attentat au nom de l'Autorité nationale palestinienne et appelle Israël à une déclaration commune de cessez-le-feu global, à la mise en œuvre des recommandations du rapport Mitchell sous supervision internationale, ce que rejette **Ariel Sharon**. (*Al-Hayat al-Jadida*, *Al-Khalij Daily*, JMCC)

• Durant la nuit du 9 au 10, les troupes israéliennes occupent la Maison d'Orient, confisquent les dossiers, arrêtent les gardes, retirent le portrait de Faysal Husseini et hissent le drapeau israélien. La Maison d'Orient date du XIXᵉ siècle, elle appartient à la famille Husseini et abrite la Société des études arabes. Elle est le symbole de la présence palestinienne à Jérusalem. Lors de la signature des accords d'Oslo, Israël s'était engagé, par la voix de Shimon Pérès, à préserver les institutions palestiniennes à Jérusalem-Est. (*Al-Hayat al-Jadida*, *Al-Qods*, AFP)

• Réoccupation de la ville d'Abou Dis. Bombardement à Ramallah, incursion dans les zones autonomes de Gaza. L'armée renforce sa présence dans plusieurs villes. (*Al-Hayat al-Jadida*, *Al-Qods*, AFP)

VENDREDI 10 AOUT

• Dans un communiqué, la **Maison d'Orient** considère que l'opération « *porte un coup mortel à tous les accords de paix et efforts de parvenir à la paix et à la stabilité au Proche-Orient* » et « *appelle la communauté internationale à intervenir pour protéger les acquis du processus de paix* ». Pour **Sari Nusseibeh**, directeur de l'université Al-Qods, **Ariel Sharon** fait savoir qu'« *il n'y a plus de chance pour la paix* ». **Yossi Sarid**, président du Meretz, juge cette occupation « *négative* ». Les représentants de neuf consulats généraux se sont réunis avec les délégués de la Maison d'Orient. Richard Boucher, porte-parole du **Département d'Etat américain**, estime que ces fermetures « *constituent une escalade politique [...] et augmentent le risque de détérioration de la situation* ». Pour le Quai d'Orsay à **Paris**, « *la fermeture de la Maison d'Orient [...] est contraire aux engagements d'Israël qui avaient accompagné les accords d'Oslo* ». Manifestation non loin de la Maison d'Orient, au cours de laquelle des militants israéliens et des volontaires étrangers des missions civiles demandent « *sa réouverture et l'envoi d'une force internationale de protection* ». (*Al-Hayat al-Jadida*, *Al-Qods*, AFP, Reuters, *Libération*, *Le Monde*)

• Selon un sondage publié dans *Maariv*, 76 % des Israéliens soutiennent la politique de « *liquidation des terroristes palestiniens* ». Mais 62 % estiment qu'Israël ne doit pas mener une offensive d'envergure allant jusqu'à la réoccupation des territoires palestiniens.

SAMEDI 11 AOUT

• Manifestation pacifique israélo-palestinienne et de volontaires civils internationaux à Jérusalem contre l'occupation de la Maison d'Orient : répression sévère de la police, plusieurs dizaines de blessés, onze arrestations. La police empêche **Hanan Ashrawi**, parlementaire palestinienne et porte-parole de la Ligue arabe, d'accéder à la Maison d'Orient. **Yasser Arafat** s'adresse au secrétaire général des Nations unies, aux dirigeants américains, russes et européens, leur demandant d'intervenir pour mettre fin à l'occupation de la Maison d'Orient.

• Plusieurs quartiers de la ville de **Rafah** et le camp de réfugiés sont soumis à de nouvelles agressions des forces israéliennes ; plusieurs maisons détruites. Un bébé palestinien de deux ans, de la région de Rafah, meurt à l'hôpital après que les troupes d'occupation l'ont empêché ainsi que sa mère de franchir un barrage militaire. Tirs israéliens dans les quartiers résidentiels de Bayt Jala et de Bethléem. (*Al-Hayat al-Jadida*, Voice of Palestine)

DIMANCHE 12 AOUT

• Attentat-suicide en Israël à Kiryat Motskin, dans la banlieue de Haïfa. 21 blessés dont cinq grièvement. Les brigades Al-Qods, (**Jihad islamique**) revendiquent l'attentat. (AFP, *Al-Qods*)

• **Ariel Sharon** donne le feu vert à **Shimon Pérès** pour reprendre les négociations sur un cessez-le-feu avec les Palestiniens, mais pose deux conditions : pas de rencontre avec **Yasser Arafat**, et Shimon Pérès doit être en permanence accompagné d'un général. Shimon Pérès accepte mais il critique la politique sécuritaire d'Ariel Sharon, qu'il juge inefficace.

• **Mousa Abou Hmeid**, directeur général des hôpitaux de Cisjordanie, informe que ceux-ci commencent à souffrir de pénuries de médicaments et d'équipements médicaux. (*Al-Hayat al-Jadida*, JMCC)

LUNDI 13 AOUT

• Incursion des chars israéliens dans la ville de **Jinîn**, survolée par les hélicoptères ; tirs depuis les tanks à l'intérieur des maisons du quartier résidentiel de Zahra ; affrontements entre l'armée israélienne et les forces de sécurité et les combattants palestiniens. Deux Palestiniens tués ans la région de Ramallah, dont un militant du Fath tué par une roquette lancée sur sa voiture. L'armée israélienne tente de pénétrer en zone A à Bethléem et à Bayt

Jala ; affrontements avec les forces palestiniennes, en présence d'une cinquantaine de volontaires internationaux. Une fillette de sept ans est tuée par balles à Hébron, dans la zone occupée où vivent 400 colons et 20 000 Palestiniens ; sa grand-mère meurt d'une crise cardiaque pendant le transfert à l'hôpital. (*Al-Ayyam*, *Le Monde*, JMCC)

• Arrivée en Palestine et Israël du secrétaire d'Etat adjoint pour le Proche-Orient, **David Satterfield**. (JMCC)

• Selon *Yediot Aharonot*, le bureau de presse du gouvernement israélien a l'intention de retirer leur carte de presse à des dizaines de journalistes palestiniens et arabes, au prétexte que leurs articles servent les intérêts des médias palestiniens.

• Au cours de la nuit du 13 au 14, les **blindés israéliens**, accompagnés, d'hélicoptères, entrent dans la ville autonome de **Jinîn**, après de nombreuses incursions en zone autonome. Israël prétend riposter à l'attentat de Haïfa. **Yasser Abed Rabbo** considère qu'il s'agit d'une « *déclaration de guerre* ». Un membre de la Force 17 est blessé dans sa voiture à Ramallah par des tirs d'obus israéliens ; un jeune Palestinien est tué à un barrage. A Hébron, six blessés par balles. (Voice of Palestine, JMCC)

MARDI 14 AOUT

• Les **Etats-Unis**, la **Russie** et la **France** condamnent l'invasion de Jinîn. Ils appellent les deux parties à prendre des mesures pour mettre un terme à la violence. **George W. Bush** renouvelle son appel à Yasser Arafat pour qu'il prenne des sanctions contre ceux qui exécutent des attentats-suicides, et à Israël pour qu'il fasse preuve de retenue dans ses ripostes. La présidence belge de l'**Union européenne** déclare que la fermeture de la Maison d'Orient ne sert pas la paix et ne peut qu'affaiblir la direction palestinienne au moment où elle doit combattre l'extrémisme. L'Union européenne exprime son espoir que la Maison

d'Orient soit rouverte et que lui soient restitués ses documents. **Ahmad Maher**, ministre égyptien des Affaires étrangères, rejette la proposition de Shimon Pérès d'un Etat palestinien à Gaza et condamne la fermeture par Israël de la frontière à Rafah pour trois jours (*Al-Hayat al-Jadida*, JMCC, *Al-Qods*, *Al-Ayyam*)

• Rencontre entre **David Satterfield** et **Yasser Arafat**. Shimon Pérès est prêt à rencontrer Yasser Arafat « *si le besoin s'en fait sentir* ». Il dispose d'un mandat gouvernemental pour négocier un cessez-le-feu, l'arrêt des incitations à la violence et le redéploiement de l'armée. Shimon Pérès affirme que la réouverture de la Maison d'Orient sera envisagée après six mois. (*Al-Qods*, *Al-Hayat al-Jadida*)

• Campagne pour la paix lancée par les patriarches et responsables d'Eglises de Jérusalem. Ils offrent leur médiation entre Yasser Arafat et Ariel Sharon. Une délégation des Eglises doit rencontrer les autorités américaines, russes, européennes. (*Al-Qods*, JMCC)

• Plusieurs villages (zone B) de la région de Bethléem ainsi que les zones résidentielles de Rafah et de Khan Younis sont envahies par les chars. Plusieurs blessés. **Grève générale** à Jérusalem-Est, en Cisjordanie et dans la bande de Gaza contre la fermeture de la Maison d'Orient. Une femme colon blessée par des tirs sur une route près d'Hébron. (JMCC, AFP)

MERCREDI 15 AOUT

• **Assassinat à Hébron** d'un homme de 25 ans, devant sa maison, par les troupes israéliennes. Plusieurs autres blessés. L'armée se retire de la région de Bethléem ; on y a dénombré une quarantaine de chars et autres véhicules militaires. (*Al-Qods*, JMCC)

• Le bureau de la Maison d'Orient et l'organisation **Miftah** (Initiative palestinienne pour la promotion d'un dialogue global et de la démocratie), dans un communiqué, pressent la communauté internationale de réagir contre l'occupation illégale de la Maison d'Orient. Ils demandent notamment aux gouvernements européens de boycotter les rencontres officielles avec les autorités israéliennes jusqu'à sa réouverture et d'assurer une protection internationale dans les territoires palestiniens occupés, y compris Jérusalem-Est ; d'assumer leur rôle de médiateurs dans le processus de paix au Proche-Orient et d'agir conformément à la Déclaration de Berlin de 1999.

• Manifestations au **Danemark** contre la nomination du nouvel ambassadeur d'Israël, **Carmi Gillon**, ancien chef du Shin Beth. Il avait justifié à la télévision danoise les « *pressions physiques* » lors des interrogatoires de Palestiniens suspectés d'être impliqués dans des actes de terrorisme, avant l'arrêt de la Cour suprême israélienne, en 1999, les interdisant. Carmi Gillon s'était prononcé pour la levée de cet arrêt. Le 3 août, **Amnesty International** avait demandé au gouvernement danois de diligenter une enquête et, le cas échéant, des poursuites. (*Le Monde*, AFP)

JEUDI 16 AOUT

• Huit cadres du Fath et un enfant de six ans blessés dans deux explosions, dont l'une par téléphone portable, près de Naplouse. Tirs israéliens dans des maisons dans la région d'**Hébron**. Poursuite de l'occupation des entrées de Bethléem, Bayt Jala et Bayt Sahour. Siège de Ramallah. Un Palestinien de 51 ans, d'un village proche de Naplouse, tué par un jet de pierre par un colon ; les six passagers du véhicule qu'il conduisait sont blessés. Nombreux blessés par balles. (Voice of Palestine, *Al-Qods*)

• Selon les prévisions de l'état-major de l'armée israélienne, le conflit pourrait se prolonger jusqu'en 2006. Shimon Pérès affirme sur une chaîne américaine que l'objectif militaire israélien n'est pas de réoccuper la Cisjordanie. (*Haaretz*, *Le Monde*)

• Le député à la Knesset **Azmi Bishara** (Balad, Alliance nationale démocratique) est l'objet de deux accusations du procureur général Elyakim Rubinstein. Le premier concerne des propos tenus à Oum al-Fahm en juin ; le second concerne un discours tenu à Damas. Dans les deux cas, il appelait à appuyer l'Intifada palestinienne. Elyakim Rubinstein l'accuse de soutenir la violence et une organisation terroriste. (*Al-Hayat al-Jadida*)

• Un F16 israélien viole « par erreur » l'espace aérien de la Syrie. (*Al-Qods*)

Pour un conseiller politique d'Hosni Moubarak, la logique qui consiste à laisser les parties assumer seules la responsabilité de la situation a failli. Selon lui, **Yasser Arafat** exerce 95 % des efforts possibles pour prévenir les attaques contre des Israéliens, mais un nombre croissant de Palestiniens sont gagnés par le doute quant à la possibilité de reprendre le processus de paix avec Israël. Inquiet du risque du fondamentalisme dans la région, il appelle les Etats-Unis à agir sur le terrain. (*Al-Ayyam*)

• **Andrei Vidovine**, envoyé spécial de la Russie au Proche-Orient, rencontre **Yasser Arafat** à Ramallah pour discuter des initiatives que pourrait prendre Moscou. (Voice of Palestine)

• Plainte de Palestiniens victimes de torture contre l'ambassadeur israélien au Danemark. (Al-Qods)

• **Amnesty International** demande au Royaume-Uni d'arrêter l'exportation d'armes en Israël. (*Al-Qods*)

VENDREDI 17 AOUT

• Quelques dizaines de militants du **Likoud-France** et du Betar se rassemblent à Jérusalem en faveur de la fermeture de la Maison d'Orient. (*Le Monde*)

SAMEDI 18 AOUT

• **Shimon Pérès**, ministre israélien des Affaires étrangères, annonce des **contacts secrets** avec les Palestiniens sur les modalités d'un cessez-le-feu.

Selon un officiel palestinien, il s'agirait d'un dialogue politique, en rupture avec l'orientation israélienne officielle. **Ahmad Qorei**, président du Conseil législatif palestinien, a fait savoir qu'aucune rencontre israélo-palestinienne n'aura lieu tant que la Maison d'Orient et autres institutions seront fermées. (*Al-Hayat al-Jadida*, JMCC)

• Plusieurs blessés dans les régions de Jinin (dont deux bébés et un militant du Fath ayant échappé à un attentat), de Ramallah et dans la bande de Gaza. Deux Israéliens blessés à une station de bus entre les colonies de Pisgat Zeev et Neve Yakov. Selon des sources palestiniennes, une majorité de colons de Brakha, près de Naplouse, auraient quitté la colonie avec l'Intifada. (*Al-Hayat al-Jadida*, JMCC)

• Le *Washington Post* rapporte des « *récits de torture* » relatés par des militants israéliens des droits de la personne.

• **Oussama al-Baz**, conseiller politique de Hosni Moubarak, a conduit une délégation aux Etats-Unis où il s'est entretenu avec **George Tenet**, **Colin Powell** et **Richard Cheney**. Il insiste sur la nécessité d'appliquer les recommandations du rapport Tenet. (JMCC)

DIMANCHE 19 AOUT

• La Présence temporaire internationale à Hébron (**TPIH**) décide de se retirer provisoirement de la ville du fait des attaques répétées de colons contre leurs véhicules. Selon **Karl Henrik Sjursen**, chef de la TPIH, cette décision sera valide tant que les patrouilles ne bénéficieront pas d'une protection adéquate et ne seront pas en mesure d'exercer leur mission en toute sécurité. Dans son communiqué, la TPIH déclare : « *Dans un article de l'AFP, le ministre sans portefeuille Dany Naveh affirme que la TPIH est malintentionnée et qu'il y a eu collusion entre elle et les terroristes. Plus loin* [...]*, il est mentionné qu'Israël a fréquemment accusé la TPIH de transmettre des informations aux militants palestiniens* [...]*. Pour l'information du ministre Naveh,* *ce n'est pas seulement la TPIH qui nie ces accusations, mais les autorités israéliennes elles-mêmes [...]. Le général Gilad, le coordinateur israélien pour les activités du gouvernement dans les territoires, a dit que les accusations sur des observateurs donnant au Tanzim des informations sensibles sur les forces de défense et les colons étaient fausses. »* (*Haaretz* du 14 août)

• Selon un officiel palestinien, aurait eu lieu une réunion du Haut Comité aux négociations, dirigé par **Yasser Arafat**. Celui-ci serait prêt à une rencontre avec Shimon Pérès si elle porte sur l'application des recommandations de la commission Mitchell. (JMCC)

• Six morts dont deux enfants et de nombreux blessés lors de tirs de l'armée dans plusieurs villes de Cisjordanie. (*Le Monde*)

LUNDI 20 AOUT

• Washington s'oppose à un projet de résolution que les Palestiniens souhaitent voir soumis au **Conseil de sécurité** des Nations unies appelant à l'adoption d'un mécanisme d'observation pour assister les parties palestinienne et israélienne dans la mise en œuvre des recommandations du rapport Mitchell. Il s'agissait de la première session publique du Conseil de sécurité depuis le 27 mars, où les Etats-Unis avaient opposé leur veto à une décision d'envoi d'observateurs internationaux dans les territoires palestiniens. Les quatre autres membres permanents du Conseil de sécurité (Grande-Bretagne, France, Russie, Chine) n'ont pas souhaité débattre du projet palestinien, mais ont exprimé leur soutien aux recommandations du comité Mitchell. (*Al-Qods*)

• Début d'une tournée de **Joschka Fischer**, ministre allemand des Affaires étrangères, au Proche-Orient ; rencontre avec ses homologues égyptien au Caire et israélien à Tel-Aviv. **Shimon Pérès** envisagerait un cessez-le-feu graduel avec les Palestiniens, secteur par secteur, et l'allégement du blocus en échange du « *calme* ». Il au-

rait refusé d'en commenter les détails avant de rencontrer Yasser Arafat. (*Al-Hayat al-Jadida*)

• La **municipalité de Jérusalem** détruit au bulldozer deux bâtiments d'habitation à Bayt Hanina, sous la protection de nombreuses forces de police et de sécurité. Le Conseil de sécurité de Jérusalem, que dirige Ouzi Landau, considère qu'un millier de maisons sont construites chaque année sans autorisation. (*Al-Qods*)

• En Israël, le Parti du centre entre dans le gouvernement d'union nationale. **Dan Meridor** (qui avait participé à la négociation de Camp David) devient ministre sans portefeuille chargé des Affaires stratégiques et Roni Milo, ministre de la Coopération régionale. (*Le Monde*)

• *Haaretz* publie des précisions sur l'avenir démographique en Israël à l'horizon 2025. Principale question : l'évolution démographique, défavorable aux juifs, contexte du débat politique sur la « séparation unilatérale ».

• Rencontre de personnalités druzes à Amman, avec **Walid Joumblatt**. Elles décident d'affirmer leur opposition au service militaire obligatoire en Israël (pour les citoyens druzes d'Israël). (AFP)

MARDI 21 AOUT

• **Joschka Fischer**, en tournée au Proche-Orient, notamment pour contribuer à la mise en œuvre du plan Mitchell, s'est entretenu avec **Shimon Pérès** et **Yasser Arafat**. Il les invite à se rencontrer. La rencontre pourrait avoir lieu à Berlin. Aucune date n'est précisée. (AFP, Reuters, *Le Monde*, *Al-Qods*)

• Le directeur du PECDAR, Muhammad Abou Shatayye, annonce que le siège et les bouclages accroissent le **chômage** à 51 % dans la population active. (*Al-Qods*)

• Le capitaine israélien Dan Tamir (**Yesh Gvoul**) condamné à 28 jours de prison pour refus de servir dans les

territoires palestiniens. (*Al-Hayat al-Jadida*)

MERCREDI 22 AOUT

• Alors que Shimon Pérès est supposé rencontrer Yasser Arafat la semaine suivante, l'ancien ministre **Yossi Beilin** affirme, sur Radio Israël : « *Du fait que nous n'avons pas en face de nous un Etat ou une armée, nous ne pouvons sérieusement attendre quelque ordre permettant un total cessez-le-feu s'il n'y a pas d'horizon diplomatique qui permette à Yasser Arafat de tenir des négociations avec les diverses factions de son camp pour prévenir la terreur et la violence à notre encontre.* » Yossi Sarid (Meretz) estime dans *Yediot Aharonot* : « *si ce qu'il adviendra avec la rencontre n'est pas clair, ce qui adviendra sans elle est absolument limpide : la détérioration va se poursuivre, l'escalade ne peut qu'empirer* ».

• Massacre à Bayt Eiba, près de Naplouse : quatre morts, dont un enfant de 15 ans. Trois autres Palestiniens tués à Rafah. (*Al-Hayat al-Jadida*)

JEUDI 23 AOUT

• Yasser Arafat se dit prêt à rencontrer des officiels israéliens qui ont mandat pour prendre des décisions. Il arrive à Pékin, après Istanbul, pour des visites officielles. (*Al-Hayat al-Jadida*)

• La population et les membres des forces de sécurité parviennent un temps à repousser les chars israéliens qui tentent d'envahir **Hébron** et **Deir al-Balah**. A Khan Younis, un enfant de 13 ans est tué par un sniper. Une femme et un enfant de 3 ans meurent à des check-points sur le chemin de l'hôpital. (*Al-Hayat al-Jadida*)

VENDREDI 24 AOUT

• L'armée israélienne réalise sa plus importante incursion à **Hébron** dans la nuit du 23 au 24, avec une quinzaine de chars. Incursion à Gaza où un enfant de onze ans est tué par balles. Tirs de missiles à Naplouse. (Voice of Palestine, *Le Monde*)

• **Sondage** israélien réalisé par Dahaf pour *Yediot Aharonot*. A la question : « *Pensez-vous qu'il est possible d'aboutir à un accord de paix avec les Palestiniens ?* », 59 % répondent que c'est impossible, 38 % que c'est possible. 75 % contre 23 % jugent qu'Ariel Sharon est un Premier ministre crédible.

SAMEDI 25 AOUT

• Le **FDLP** revendique une opération audacieuse contre une position militaire israélienne dans la région de Goush Qatif (bande de Gaza). Trois soldats sont tués, sept blessés. « *Il s'agirait d'une nouvelle forme de témérité militaire que nous n'avons pas constatée jusque-là* », notre le major général Doron Almog. (JMCC, *Libération, New York Times*)

• Israël tire deux missiles contre le quartier général de la police palestinienne à Gaza, à Deir al-Balah et sur Salfit, village proche de Naplouse. Blessés et dégâts lourds.(JMCC)

• Les Etats-Unis accusent l'Autorité nationale palestinienne de poursuivre les violences dans les territoires palestiniens occupés. (*Al-Qods*)

DIMANCHE 26 AOUT

• **Yasser Arafat** rejette les déclarations américaines qui blâment l'Autorité nationale palestinienne. Il en appelle à l'envoi d'observateurs et à la protection du peuple palestinien. Il ajoute que cette proposition jouit d'un soutien international et veut rappeler à George W. Bush que le sommet américano-européen a approuvé l'initiative jordano-égyptienne, les rapports Mitchell et Tenet. (*Al-Qods*)

• Série de raids aériens israéliens contre des postes de sécurité palestiniens en Cisjordanie et dans la bande de Gaza. Les hélicoptères attaquent Toulkarm et la zone est déclarée zone militaire fermée. Sept blessés. Un enfant tué à Gaza. Des bâtiments militaires israéliens ouvrent le feu sur des pêcheurs à Gaza. Un blessé grave. (*Al-Hayat al-Jadida*, Voice of Palestine)

• **Nabil Chaath** annonce à Damas la prochaine visite (prévue les 12 et 13 septembre) de Yasser Arafat en Syrie. (AFP)

LUNDI 27 AOUT

• L'armée israélienne revendique l'assassinat par tirs de missiles, dans son bureau, d'**Abou Ali Mustafa**, élu le 8 juillet secrétaire général du FPLP, avocat d'une orientation « pragmatique » et considéré comme modéré. Une cinquantaine de dirigeants palestiniens ont été ainsi assassinés depuis le 9 novembre 2000. Mais c'est la première fois depuis le début de cette Intifada qu'Israël tue un dirigeant de ce niveau. L'ANP dénonce le crime, l'aile militaire du FPLP promet une riposte « rapide et douloureuse ». Plusieurs manifestations ont lieu aussitôt (25000 personnes à Gaza). **Yossi Sarid** (Meretz) dénonce la « *liquidation d'un responsable politique palestinien* » comme une dangereuse escalade. Condamnations internationales.

• Les **Etats-Unis** déclarent que les assassinats de dirigeants palestiniens par Israël ne font qu'attiser le conflit. Ils appellent Israël à diminuer « *les pressions, les épreuves et les humiliations* » de la population palestinienne. (AFP)

• **Jacques Chirac** (qui s'était entretenu par téléphone le 24 avec Shimon Pérès, le 27 avec Yasser Arafat), devant les ambassadeurs de France à Paris, évoque une situation « *grave au point de menacer la stabilité de la région* ». La reconnaissance d'un **Etat palestinien** est pour lui la clé de « *la sécurité à long terme d'Israël* », sur la base des résolutions 242 et 338 de l'ONU. Il considère que la paix doit être « *globale* » pour être « *durable* ». (*Le Monde*)

• Entrée dans la nuit des chars israéliens à **Bayt Jala**, dans le secteur de **Bethléem** (l'armée accuse les Palestiniens de tirer depuis la ville vers Gilo). Les parachutistes, couverts par des hélicoptères, entrent à Bethléem où ont lieu des échanges de tirs. Chars à **Gaza**. A Rafah, les bulldozers détruisent plusieurs maisons.

MARDI 28 AOUT

• L'analyste **Nahoum Barnéa** considère dans *Yediot Aharonot* que la mort d'Abou Ali Mustafa ne lui tirera pas une larme mais qu'« *Ariel Sharon, plus que tout autre, doit savoir qu'il est entré dans un jeu très dangereux* ». Il considère que s'il existe une stratégie, elle suppose de passer par l'assassinat aux échelons supérieurs de l'OLP.

MERCREDI 29 AOUT

• A la radio israélienne, **Shlomo Ben Ami** évoque la vaine « *obsession pour une solution militaire* » d'Ariel Sharon et craint la « *libanisation* ».

JEUDI 30 AOUT

• Israël tire des missiles à **Ramallah** contre le bureau du numéro 2 du FDLP, **Qaïs Abou Leila**, sans parvenir à l'assassiner. Trois Palestiniens sont tués en Cisjordanie et dans la bande de Gaza : un membre des forces de sécurité tué par des tirs de chars à Gaza ; un civil à Hébron ; un autre tué par des soldats près de Toulkarm. L'armée se retire du secteur de Bayt Jala, ce dont se félicite Washington. (*Le Monde*, AFP)

• Débat politique en Israël sur la « séparation ». Pour des raisons démographiques à moyen terme, une partie des travaillistes y sont favorables. Ariel Sharon, lui, ne veut pas figer les **frontières**. D'ores et déjà, la ville de Toulkarm, dans le nord de la Cisjordanie, est entourée depuis 1996 d'un mur de béton qui la sépare de la nouvelle ville de Bat Hefer. S'y ajoute depuis juillet 2001 une clôture électrifiée et un chemin de ronde.

VENDREDI 31 AOUT

• Ouverture à **Durban** (Afrique du Sud), de la troisième conférence mondiale de l'Onu contre le racisme, les discriminations raciales, la xénophobie et l'intolérance. Deux dossiers, notamment, font débat dès avant l'ouverture : la question des réparations pour les siècles de traite esclavagiste et leurs séquelles, ce que n'acceptent pas les pays occidentaux, et la critique de la politique et des pratiques israéliennes, que les Etats-Unis ne veulent pas envisager. Ils menacent de boycotter la conférence. Ils envoient une délégation sans Colin Powell. Les délégués de 150 pays s'y retrouvent ; près de quinze chefs d'Etats, dont Yasser Arafat. Il dénonce la politique israélienne coloniale, d'agression, « d'éviction ». Cette politique est qualifiée de raciste, ce qui provoque les foudres des représentants israéliens.

Manifestation de 12 000 personnes pour soutenir les demandes de réparations, contre la politique israélienne, pour la reconnaissance des droits des Tsiganes, des Indiens d'Amérique ou des Kurdes... Parallèlement à la rencontre officielle se tient un forum des ONG. (AFP, *Le Monde, Libération, Al-Qods, Al-Hayat al-Jadida, Haaretz, Maariv, Yediot Aharonot*)

SAMEDI 1er SEPTEMBRE

• Levée de boucliers en Israël contre le projet de résolution de la **conférence de Durban**, clairement critique des pratiques israéliennes. M. Melchior (travailliste) dénonce une diabolisation.

DIMANCHE 2 SEPTEMBRE

• **Javier Solana**, haut représentant pour la Politique extérieure et la sécurité commune (PESC) des Quinze entame une tournée au Proche-Orient pour contribuer à « *consolider le cessez-le-feu* » et organiser la rencontre entre **Shimon Pérès** et **Yasser Arafat**, à laquelle avait notamment appelé le ministre allemand des Affaires étrangères, **Joschka Fischer** lors de sa précédente visite en août. L'Europe, qui n'a pas de position consensuelle quant à l'envoi d'une force de protection et qui n'avance pas de projet précis pour une solution politique, entend jouer les bons offices pour renouer le dialogue. Elle bénéficie de l'approbation de Washington et de Moscou. (AFP, *Le Monde*)

LUNDI 3 SEPTEMBRE

Rencontre entre **Saeb Erekat, Ahmed Qorei** et **Shimon Pérès**, en présence de **Miguel Angel Moratinos**. « *Nous avons dit à Shimon Pérès que le plus court chemin pour une rencontre Arafat-Pérès fructueuse, c'est l'application du rapport Mitchell et l'envoi d'observateurs internationaux dans les territoires palestiniens* », commente Saeb Erekat qui réclame la fin du bouclage, la réouverture de la Maison d'Orient et la poursuite des efforts européens. « *Nous voulons des résultats* », dit-il. (*Le Monde*, AFP)

• Etats-Unis et Israël quittent la Conférence de **Durban**. Yossi Sarid (Meretz), se félicite de cette décision. Shimon Pérès qualifie la conférence de « *farce* », de « *tentative pour salir Israël* », le *Jerusalem-Post* revient sur « *un vaste monde arabe opposé au petit David* ». L'éditorialiste de *Haaretz* considère que Kofi Annan est responsable de l'échec de Durban. Le *Yediot Aharonot* titre « Nuit de Cristal à Durban ». Le chroniqueur Sever Pletzker y écrit qu'à Durban, les juifs ont été présentés comme dans « *les Protocoles des sages de Sion* », en ennemi public numéro 1 de « *l'humanité* », allant jusqu'à dire « *la route (idéologique et non pratique) de Durban à Bergen-Belsen est plus courte que beaucoup ne croient* ». Le ministre des Affaires étrangères sud-africain et Mary Robinson, Haut Commissaire des Nations unies pour les droits humains et secrétaire générale de la conférence, considèrent que la conférence doit se poursuivre. Le ministre belge des Affaires étrangères, au nom de l'Union européenne, rédige un autre texte.

MARDI 4 SEPTEMBRE

• En Israël, élection du président du **Parti travailliste**, opposant **Avraham Burg**, ancien président de l'Agence juive et président de la Knesset, favorable à la reprise des négociations avec les Palestiniens, à **Benyamin Ben Eliezer**, ministre de la Défense (« faucon ») d'Ariel Sharon. Le 5, le résultat ne sera toujours pas connu. Les quelques voix d'écart

pour Avraham Burg lui sont contestées. (*Le Monde*)

• Une **attaque-suicide** à **Jérusalem**, revendiquée par le **Hamas**, fait treize blessés israéliens. Le Hamas évoque la « vengeance » de l'assassinat d'Abou Ali Mustafa. (*Le Monde*, AFP)

• Visite du Premier ministre israélien au **Kremlin**. **Vladimir Poutine** et **Ariel Sharon** défendent l'idée d'une lutte convergente de la Russie et d'Israël contre le « terrorisme islamique », l'un en Tchétchénie, l'autre dans les territoires palestiniens. Mais selon *Itar-Tass*, le ministre des Affaires étrangères a appelé Ariel Sharon à reprendre le dialogue avec les Palestiniens. Une délégation commerciale accompagnait le voyage du Premier ministre.

Le ministre iranien de la Défense, **Ali Chamkani**, qui devait séjourner à Moscou au même moment qu'Ariel Sharon, a reporté *sine die* sa visite. Mais plusieurs accords de coopération technico-militaire (ou sur la construction d'une nouvelle centrale nucléaire en Iran) seraient en négociation. (*Le Monde*, AFP, *Itar-Tass*)

MERCREDI 5 SEPTEMBRE

• Israël prend une série de mesures pour isoler **Jérusalem**. Ariel Sharon aurait donné des instructions pour arrêter les Palestiniens travaillant avec les institutions de l'Autorité nationale palestinienne. Des cartes d'identité de personnalités palestiniennes seraient confisquées. Les bulldozers ont creusé des tranchées autour de plusieurs quartiers et camps de la banlieue de la Ville sainte. **Hanan Ashrawi** évoque l'escalade de la campagne de nettoyage ethnique et appelle à une réaction arabe, islamique et chrétienne. (Al-Qods)

• Le ministre israélien des Infrastructures, **Avigdor Liberman**, envisage un projet d'« *échanges de populations* », transférant les Palestiniens d'Israël en territoire palestinien et rapatriant les colons des colonies les plus isolées en Israël.

• Selon le **Hamas**, un nombre de plus en plus important de jeunes souhaitent participer à des attentats-suicides. Cela équivaudrait à trois attentats par jour. (*Al-Ayyam*)

• A **Durban**, La déclaration finale du forum des **ONG**, qui assimile sionisme et racisme, ne parvient pas à faire l'unanimité. Mary Robinson, en condamne les termes. (AFP)

JEUDI 6 SEPTEMBRE

• Un plan préparé par l'armée à la demande du gouvernement israélien prévoit de créer une « *zone militaire tampon* » en **Cisjordanie** le long de la « ligne verte ». L'armée, qui a dû renoncer à présenter à la presse ce projet en l'absence du Premier ministre, alors à Moscou, s'oppose au projet (en grande partie travailliste) de « séparation unilatérale » sans présence militaire israélienne grignotant le territoire palestinien. Ariel Sharon n'a pas donné son accord, craignant notamment de voir la « frontière » se matérialiser.

• **Bombardement** israélien contre Halhoul (région d'Hébron) : quatre blessés. Couvre-feux dans plusieurs villages de la région de Jérusalem.

• Un soldat israélien tuée et une femme soldat sérieusement blessée dans une attaque armée au nord de **Toulkarm**, après l'assassinat de deux militants, l'un du FPLP, l'autre du Fath. (*Al-Ayyam*)

• Les Palestiniens font connaître leurs trois conditions à une rencontre entre **Shimon Pérès** et **Yasser Arafat** : que Shimon Pérès dispose d'un réel mandat, que la rencontre soit correctement préparée et qu'elle inclue les questions politiques. (*Al-Qods*)

• Selon le Département central des statistiques israélien, les citoyens palestiniens de Galilée sont les plus pauvres d'Israël. 1,1 million de personnes vivent en Galilée, soit 17 % de la population ; 52 % sont des Palestiniens. (*Al-Hayat al-Jadida*)

• Selon un sondage réalisé auprès d'internautes sur le site Internet du *Yediot Aharonot* auquel ont répondu 16

358 Israéliens, 45 % se disent racistes, 27 % un peu racistes et 28 % ne sont pas d'accord pour qu'on considère les Israéliens comme racistes.

• Selon *Al-Hayat al-Jadida*, les Etats-Unis auraient fourni cinquante-deux F16 à Israël et financeraient la construction de onze bases pour l'armée israélienne.

• Dans une tribune publiée dans *Le Monde*, **Théo Klein**, président d'honneur du **CRIF**, écrit : « *Je suis arrivé à la conclusion qu'il fallait dire haut et fort que la politique de réplique d'Israël a atteint son point d'extrême absurdité.* » Il évoque « *une bagarre tragique où, malheureusement, toutes nos valeurs morales sont en train de sombrer* ». Il demande à Ariel Sharon « *de faire le geste politique qui mette fin à l'engrenage sans perspective de la violence* » et de franchir le pas : « *reconnaître aux Palestiniens la liberté de proclamer leur Etat* ».

SAMEDI 8 SEPTEMBRE

• Des hélicoptères israéliens bombardent les locaux du Fath à al-Bireh, au cœur des quartiers résidentiels. Un enfant de 13 ans tué à Rafah. **Yasser Abed Rabbo** considère qu'Ariel Sharon ne veut pas de jour de calme mais au contraire souhaite perpétuer le cycle de la violence et la guerre contre le peuple palestinien. (*Al-Ayyam*)

• Sans traiter toutes les questions à l'ordre du jour, la conférence de Durban se clôt avec une demi-journée de retard. Elle aura mis en évidence les pratiques israéliennes et reconnu l'esclavage comme crime contre l'humanité.

DIMANCHE 9 SEPTEMBRE

• Rencontre trilatérale entre **Saeb Erekat** et les **ministres jordanien et égyptien des Affaires étrangères**, pour débattre de la position arabe concernant l'agression israélienne, la mise en œuvre des recommandations Mitchell, des résolutions 242 et 338 du Conseil de sécurité de l'ONU, et du projet israélien de « séparation » qui vise, souligne Saeb Erekat, à transfor-

mer les territoires palestiniens en prisons. (Voice of Palestine)

• **Yasser Arafat** s'adresse au secrétaire général des Nations unies, **Kofi Annan**, à **George W. Bush**, à l'**Union européenne** et aux **présidents russe et chinois** pour les alerter quant au projet israélien d'ériger des zones d'apartheid autour de Jérusalem et dans la plupart des régions de Cisjordanie, comme dans la vallée du Jourdain, incluant des zones A, B et C, sans liberté de mouvement de l'une à l'autre. Il s'agit d'un plan alternatif aux accords et à une solution politique israélo-palestinienne. (*Al-Hayat al-Jadida*)

• La présidence de l'**Union européenne**, qui « *déplore vivement la poursuite de l'escalade de la violence* » alors que sont déployés ses efforts pour « *la reprise d'un dialogue direct entre les parties* », appelle celles-ci à « *prendre des mesures effectives* » pour y mettre fin, à « *exercer la plus grande retenue* » et à favoriser « *la relance du processus politique* ». (AFP)

• Les brigades Ezzedine al-Qassam du **Hamas** revendiquent plusieurs opérations armées. L'une à Nehariyya (cinq Israéliens tués) a été exécutée par un militant de l'intérieur de la « ligne verte », ce qui constitue une première. Le **Jihad islamique** revendique l'attaque d'une autocar dans la vallée du Jourdain, tuant deux personnes. (*Al-Hayat al-Jadida*)

LUNDI 10 SEPTEMBRE

• Bombardement de **Tireh** et de **Jinîn**, mais l'entrée des troupes dans la ville se heurte à une intense résistance. Trois soldats tués dans la région de **Toulkarm**. Agressions de soldats et de colons contre des postes de sécurité et des fermiers palestiniens près d'**Hébron**. Tirs contre des maisons dans la région de **Bethléem** depuis la colonie d'Abou Ghneim. (*Al-Hayat al-Jadida*, Voice of Palestine)

• **Sari Nusseibeh**, président de l'université Al-Qods, transmet à Yasser Arafat et à plusieurs institutions un

plan global d'action pour Jérusalem, mettant l'accent sur la nécessité d'une direction collective et d'une commission de cinquante à soixante-dix Jérusalémites pour s'occuper des affaires et des services de la ville (éducation, santé, activités politiques et diplomatiques). Il rappelle que la **Maison d'Orient** ne représente pas qu'un bâtiment mais un projet et une responsabilité de cette nature. (*Al-Qods*)

• Sit in de protestation des ONG palestiniennes devant le consulat général des Etats-Unis à Jérusalem contre le soutien américain à l'agression israélienne. La veille, la population de Ramallah avait manifesté contre les bombardements israéliens ayant causé la destruction de locaux du Fath et fait de nombreux blessés palestiniens.

• Le Conseil ministériel de la **Ligue arabe** renouvelle son appel à l'envoi d'**observateurs internationaux** « *ou tout autre mécanisme garantissant la protection des civils contre les assassinats et les arrestations* ».

MARDI 11 SEPTEMBRE

• Reportage du Bruno Philip dans *Le Monde* sur « *la porte de Saladin* » à **Rafah**, frontière entre l'Egypte et la bande de Gaza où nombre de jeunes Palestiniens tombent morts en traversant la rue – victimes des tirs du poste israélien qui la domine, selon les Palestiniens ; « *sans responsabilité de l'armée israélienne* », selon celle-ci.

• Deux gardes-frontières israéliens tués et un autre légèrement blessé par des tirs palestiniens conte leur base militaire dans le nord d'Israël, à la frontière de la Cisjordanie. L'armée israélienne entre dans la ville autonome de **Jinîn** avec plusieurs dizaines de tanks. De nombreuses maisons sont détruites. Dix Palestiniens sont tués dans les heures qui suivent les attentats contre le World Trade Center et le Pentagone aux Etats-Unis.

• *Le Monde de l'Economie* publie une enquête sur les conséquences du conflit israélo-palestinien sur les économies régionales. En Palestine, no-

tamment en raison des bouclages, le **chômage** atteindrait, selon l'Organisation internationale du commerce (OIT), à Gaza 48,8 % au premier trimestre (80 % en septembre), et en Cisjordanie 32,5 %. 10,7 % n'ont plus de sources de revenu. 49,2 % ont perdu la moitié de leurs ressources. Le revenu moyen mensuel est passé à 310 euros (avril). Selon le coordinateur spécial de l'ONU pour le processus de paix au Proche-Orient, **Terje Roed-Larsen**, l'économie palestinienne perd de 7 à 10 millions de dollars par jour. Le tourisme et l'agriculture sont les plus touchés. Le commerce palestino-jordanien a chuté de 25,5 % au premier semestre. Quant à l'**armée israélienne**, elle aurait demandé un complément de 720 millions de dollars, en plus des 9 milliards du budget initial.

• **Roger Cukierman**, président du **CRIF**, répond dans une tribune du *Monde* à **Théo Klein**. Il écrit notamment : « *C'est* [Arafat] *qui a fait élire Sharon en refusant les immenses concessions proposées par Barak à Camp David et à Taba. Arafat a refusé la paix à Barak comme il la refuse à Sharon. C'est Arafat qui a transformé sciemment la conférence de Durban en un gigantesque tribunal planétaire antijuif. Il ne cesse d'essayer de faire glisser le conflit territorial du Proche-Orient vers une guerre de religion, au risque d'enflammer la terre entière.* »

ATTENTATS DU 11 SEPTEMBRE

• **Effondrement des tours du World Trade Center** dans les attentats terroristes qui frappent des milliers de civils aux Etats-Unis.

• **Yasser Arafat** « *condamne totalement* » et immédiatement les attentats « *inimaginables* » qu'il dénonce comme des « *crimes contre l'humanité* ». Profondément « *choqué* », il adresse les condoléances du peuple palestinien aux familles des victimes et inaugure une campagne de dons du sang. Les écoles et les universités sont invitées à respecter des minutes de silence. Yasser Arafat appelle les Etats arabes à participer à une alliance internationale contre le terrorisme.

• De nombreux artistes, organisations artistiques, intellectuels, officiels, députés et journalistes palestiniens signent un mémorandum condamnant les attaques terroristes sur New York et Washington. Les observateurs, notamment les journalistes étrangers, considèrent que les enfants dans les rues de Naplouse se réjouissant des attentats, images montrées en boucle sur certaines chaînes de télévision, n'étaient en fait qu'une poignée. « *Nous qui avons tant souffert, nous Palestiniens, comment pourrions-nous nous réjouir du malheur des autres?* », souligne **Moustafa Barghouti**, du PPP. Le 12, **Hanan Ashrawi** condamne l'acte terroriste et exprime sa tristesse et ses condoléances au nom d'un « *peuple sous occupation* » et victime « *d'attaques, de sièges, de bombardements et de tirs* », « *luttant pour les droits humains, la liberté, la démocratie et le droit* ». Les forces nationales et islamiques adressent des messages similaires. A l'occasion d'une conférence de presse, plusieurs intellectuels palestiniens font aussi état de leurs craintes quant à une offensive d'Israël et à l'impunité dont il pourrait bénéficier. Les projets de Rehavam Zeevi (transfert des Palestiniens) ou d'Avigdor Lieberman (cantonisation où 40 % du territoire palestinien où seraient expulsés les Palestiniens d'Israël) sont envisagés. Abdul Aziz Rantisi, du **Hamas**, entend faire la distinction entre les personnes qui étaient au World Trade Center et ceux qui viennent « *expulser les Palestiniens de leur patrie* ». Niant toute relation de son mouvement avec Ben Laden, il souligne que le Hamas n'a pas pour cible les Etats-Unis ni tout autre pays, mais l'ennemi sioniste.

« *Arafat est notre Ben Laden* », clame **Ariel Sharon**. « *Arabes, Palestiniens, le terrorisme fondamentaliste qui s'étend de l'Afghanistan au Liban : voilà le centre de la terreur dans le monde.* » « *Il faut détruire les régimes terroristes, à commencer par l'Autorité palestinienne* », dit-il.

Benyamin Nétanyahou souhaite en finir avec l'Autorité nationale palestinienne. **Benyamin Ben Eliezer**, dans *Yediot Aharonot*, écrit : « *Le moment où Arafat perd sa légitimité dans le monde, il est fini* ». **Ehoud Barak** en appelle à « *une guerre mondiale contre le terrorisme* » et évoque pêle-mêle « *Ben Laden, le Hezbollah, le Hamas, le Jihad islamique et même certains autour d'Arafat* », ainsi que plusieurs Etats. Il dit attendre une « *nouvelle direction palestinienne* » et envisage « *deux volets inséparables* » : le premier, « *sans autre condition que l'arrêt des violences* », « *une reprise des négociations sur la base des principes définis à Camp David* » ; le second, « *entamer dans les quatre prochaines années* », en vue de la « *séparation* », un processus de « *désengagement* » : « *il faut nous concentrer sur le sort des 80 % de colons qui vivent dans 20 % des territoires et dire sans crainte que nous allons ramener les autres par étapes à l'intérieur d'Israël* ». **Yossi Beilin** (ancien ministre travailliste d'Ehoud Barak) condamne la politique d'Ariel Sharon qui « *invite au terrorisme* », et **Yossi Sarid** (leader du Meretz) rejette tout amalgame entre Ben Laden et Yasser Arafat. **Naomi Chazan** (Meretz), dans une tribune du *Jerusalem Post* le 14, insiste : « *Mettre fin au conflit israélo-palestinien doit devenir un pilier essentiel de la campagne globale et à venir contre le terrorisme. Le fait qu'Israël se consacre à cette lutte ne sera crédible que s'il entreprend, dans un effort concerté, de renouer avec une initiative diplomatique viable fondée sur la recherche de la paix dans la justice.* »

• **Dans les éditoriaux israéliens**, deux tendances : l'idée d'un « *monde divisé entre ceux qui soutiennent le terrorisme et ceux qui s'y opposent* » (*Yediot Aharonot*) et celle d'une identification entre les causes américaine et israélienne, Israël étant présenté comme pionnier dans la lutte antiterroriste (**Shabtaï Shavit**, ancien responsable du Mossad). Dans *Maariv*, Amnon Denkner proclame : « *A première vue, les Israéliens sont les principaux bénéficiaires des événements du 11 septembre.* » *Maariv* voit « *une rare opportunité de retourner l'opinion publique internationale pour Israël.* » **Amos Oz**, dans une tribune au *Monde* le 15, invite à ne pas « *attraper la haine* ». « *Deux vastes océans n'ont pu protéger l'Amérique du terrorisme. La Cisjordanie et Gaza, occupés par Israël,*

ne forment certainement pas un bouclier pour Israël. Au contraire. Cesser cette occupation au plus tôt sera bénéfique aux occupés et tout autant aux occupants. »

Aux Etats-Unis, **George W. Bush** réfute les amalgames et **Colin Powell** voit dans les attentats « *une raison de plus de faire la paix au Proche-Orient* ». **Judith Kupper** (Centre d'études stratégiques et internationales) analyse, le 17 : « *Lorsque les Américains sont en crise, il est impossible pour Israël de résister* ».

(*Al-Hayat al-Jadida*, *Al-Qods*, JMCC, Voice of Palestine, *Maariv*, *Haaretz*, *Yediot Aharonot*, *Jerusalem Post*, AFP, *Le Monde*, *Libération*)

MERCREDI 12 SEPTEMBRE

• Début de l'occupation de Jéricho et de Qalqilya, accompagnée de bombardements. Plusieurs morts durant l'incursion israélienne à Jinîn.

JEUDI 13 SEPTEMBRE

• **Escalade** de l'agression israélienne dans les territoires palestiniens. Plusieurs civils palestiniens tués par des tirs de soldats. Plusieurs blessés kidnappés dans des ambulances et emmenés dans des lieux inconnus. Siège de Jinîn et de Jéricho. Le Cabinet de sécurité lève toute restriction aux incursions de l'armée en zones A.

• Le **ministre espagnol des Affaires étrangères** déclare que les opérations militaires israéliennes en cours en Cisjordanie sont extrêmement dangereuses. Il exprime l'espoir de ne pas voir Israël utiliser la situation aux Etats-Unis et s'engager dans une direction opposée au processus de paix. Refusant de lier les groupes terroristes et le monde islamique, rejetant l'idée de conflit de civilisations, il considère que la paix au Proche-Orient suppose à côté d'Israël un Etat palestinien. (*Al-Hayat al-Jadida*)

• Dans un article pour *Asharq al-Awsat*, l'ancien Premier ministre russe Evgueni Primakov suggère un mécanisme de mise en œuvre du rapport Mitchell. « *Il est impossible pour le pro-*

cessus de négociations de continuer sans aide extérieure ». Il prône une déclaration de cessez-le-feu des deux parties. « *Israël commencera à retirer ses forces* » sur la ligne d'avant l'Intifada en même temps que cette déclaration. Dans les vingt-quatre heures, les deux parties « *prendront les engagements suivants : Israël, sur sa disponibilité à mettre un terme à l'extension des colonies et à sa politique de liquidation des leaders palestiniens ; les Palestiniens, sur leur disponibilité à prendre des mesures fermes pour arrêter toute action contre des civils pacifiques.* »

• L'ambassadeur de France à Tel-Aviv, **Jacques Huntziger**, assure que la France a toujours condamné « *les actes terroristes en Israël* ». Pour lui, le conflit israélo-palestinien ne peut « *être confondu avec ce qui s'est passé aux Etats-Unis* ». Certains hommes politiques israéliens l'accusent d'antisémitisme et il est convoqué par le ministère israélien des Affaires étrangères. (*Le Monde*)

VENDREDI 14 SEPTEMBRE

• Poursuite de l'agression israélienne à Jinîn, Gaza, Jéricho et Hébron, chars et hélicoptères à l'appui. Plusieurs raids dans des villages proches de Ramallah et de Jérusalem. Quinze Palestiniens tués.

• Rassemblement de solidarité à **Jérusalem-Est** avec les victimes américaines du terrorisme, à l'appel des ONG, des Eglises, des mosquées et écoles palestiniennes.

SAMEDI 15 SEPTEMBRE

• Le **nouveau patriarche orthodoxe grec** de Jérusalem et de la Terre sainte est officiellement reconnu par le président **Yasser Arafat**. La police israélienne empêche de nombreux Palestiniens de se rendre à la cérémonie religieuse à Jérusalem.

• Ariel Sharon empêche Shimon Pérès de rencontrer Yasser Arafat comme il était prévu, notamment grâce aux médiations européennes.

• *Le Monde* publie des extraits du livre de **Shlomo Ben Ami**, ministre des Affaires étrangères d'Ehoud Barak, négociateur à Camp David. Il dresse un portrait de Yasser Arafat, « *incapable de prendre des décisions,* [...] *de faire la paix. Car il ne peut se dire* [...]: *nous sommes arrivés à un point des négociations où les Israéliens ne peuvent pas nous donner davantage; il faut donc que l'accord se fasse maintenant* ». Disant de lui qu'« *il raconte des histoires, c'est un clown,* [...] *un partenaire impossible* », il ajoute : « *il est impossible au mythe Arafat de se réconcilier avec le réel* ». Ne souhaitant pas aller au-delà des propositions israéliennes de Camp David, il dit attendre l'après-Arafat, « *la génération qui suit* ».

• Attaques sur **Gaza, Rafah** et le camp de réfugiés de **Nusseirat** par hélicoptères. Un ambulancier tué par une roquette à Bayt Sahour. Incursion de l'armée à Ramallah. Les forces nationales et islamiques alertent sur le fait qu'Israël se sert de la tragédie des Etats-Unis pour mener à bien son agression. (*Al-Hayat al-Jadida*)

DIMANCHE 16 SEPTEMBRE

• A l'occasion de la session extraordinaire de la Knesset consacrée à la tragédie du 11 septembre, **Ariel Sharon** impose « *un calme total de 48 heures* » avant toute rencontre de **Shimon Pérès** avec **Yasser Arafat**. Shimon Pérès aurait menacé de démissionner en cas de refus catégorique d'Ariel Sharon, craignant qu'il envisage la reconquête des territoires palestiniens et le démantèlement de l'Autorité nationale palestinienne. (*Le Monde, Yediot Aharonot*)

• Deux Palestiniens tués : l'un, 25 ans, est tué par balles; l'autre, une femme de 70 ans, succombe à une crise cardiaque après le bombardement de sa maison. Les secours n'ont pu arriver à temps du fait du bombardement. Violents bombardements à Ramallah. 3000 Palestiniens sont empêchés par Israël de franchir la frontière égyptienne à Rafah. Un résistant palestinien ouvre le feu sur l'armée à Ramallah, un soldat est tué. (*Al-Hayat al-Jadida, Voice of Palestine*)

• Yasser Arafat dénonce les **violations israéliennes du cessez-le-feu** par les bombardements à Gaza ou l'invasion de Jinîn, et rappelle que la partie palestinienne est prête au dialogue politique à tout moment.

• **L'armée israélienne** annonce qu'une **zone militaire tampon** sera créée le long de la « ligne verte » le 24 septembre et que l'entrée dans la région sera interdite aux Palestiniens. **Saeb Erekat** considère qu'il s'agit du pas le plus dangereux franchi par Israël, qui se prépare à lancer une attaque à grande échelle sur les régions de l'Autorité nationale palestinienne. (*Al-Hayat al-Jadida*)

• Un hommage est rendu, à proximité de la Maison d'Orient, aux victimes palestiniennes et libanaises des massacres de **Sabra et Chatila**, dix-neuf ans plus tôt.

LUNDI 17 SEPTEMBRE

• Bombardement de plusieurs régions de Gaza et de Cisjordanie. Trois morts et de très nombreux blessés. Destruction des installations du **port de Gaza** et suppression des drapeaux français, allemand et européen qui y flottaient. (*Al-Hayat al-Jadida*, Voice of Palestine)

• L'armée israélienne ferme le check-point de Sourda sur la route entre Ramallah et Birzeit. (Voice of Palestine)

• Dans une lettre de congratulations à l'occasion du Nouvel An juif, **Yasser Arafat** assure : « *Je saisis cette occasion pour affirmer au peuple israélien que nous sommes attachés à l'option de la paix, de la négociation et de solutions politiques pour résoudre toutes les questions en suspens entre nous et le gouvernement israélien. J'ai émis de fermes instructions pour que soit respecté un total cessez-le-feu. Nous espérons que le gouvernement israélien répondra à cet appel et prendra une décision analogue pour un cessez-le-feu et pour arrêter son escalade de mesures militaires contre notre peuple* [...]. *J'affirme que nous sommes prêts à rencontrer le ministre des Affaires étrangères, Shimon Pérès, pour mettre en œuvre les dispositions des rapports Tenet et Mitchell.* ».(*Al-Qods*)

• Echange de lettres américaine et palestinienne : **Yasser Arafat** appelle George W. Bush à un rôle plus actif des Etats-Unis dans les efforts de paix. Colin Powell se félicite de l'attitude de la direction et du peuple palestiniens vis-à-vis de la tragédie américaine.

MARDI 18 SEPTEMBRE

• Yasser Arafat ordonne le cessez-le-feu et rencontre à Gaza les consuls et têtes des représentations auprès de l'Autorité nationale palestinienne. Il condamne l'escalade de la violence, réitère l'engagement palestinien pour la paix, la reconnaissance palestinienne de l'Etat israélien, appelle à une paix fondée sur la mise en œuvre des résolutions internationales, un « *accord juste, global, durable, signé par les Etats de Palestine et d'Israël* », et, souhaitant un monde « *où la sécurité, la paix et la justice prévalent* », il souligne la pleine disposition palestinienne à « *prendre part à l'alliance internationale pour mettre fin au terrorisme contre des civils désarmés innocents* », espérant que cette lutte passera par les Nations unies. A Bruxelles, l'**Union européenne** loue les positions de Yasser Arafat et presse les parties de reprendre les négociations. **Louis Michel**, ministre belge des Affaires étrangères (la Belgique préside l'Union européenne), déclare que l'Union européenne « *soutiendra de tout son poids* » les perspectives de paix. Le porte-parole du ministère français des Affaires étrangères salue la décision palestinienne. **Gerhard Schroeder** considère qu'il s'agit d'« *un pas encourageant dans une situation difficile* ». **Jack Straw** espère la reprise du processus de paix. **George W. Bush**, qui reçoit Jacques Chirac, se dit lui aussi satisfait et **Colin Powell** considère que l'engagement de l'Autorité nationale palestinienne en faveur d'un cessez-le-feu et la suspension par Israël des opérations militaires sont porteuses de « *promesses* » et constituent des « *développements encoura-geants* ». (*Al-Hayat al-Jadida*, AFP, *Le Monde*)

• Ariel Sharon annonce aussi un cessez-le-feu. Bombardement des quartiers résidentiels d'Hébron, al-Bireh et Khan Younis. (*Al-Hayat al-Jadida*)

• *Maariv* publie une édition spéciale : « L'effondrement d'Oslo ». **Shimon Pérès** ne croit pas qu'Oslo est mort. « *Les problèmes ne peuvent se résoudre sans les rêves qui ont précédé. Tous ne peuvent se réaliser. Le droit au retour doit rester dans le domaine du rêve.* »

• Le secrétaire général de la Ligue Arabe, **Amr Moussa**, annonce que plusieurs Etats arabes refusent de participer à l'alliance des Etats-Unis contre le terrorisme si celle-ci inclut Israël, les mesures israéliennes constituant l'une des raisons de la tension dans la région. (*Al-Hayat al-Jadida*, Voice of Palestine)

• Dans une déclaration commune, les ministres des Affaires étrangères français et néerlandais condamnent les destructions par Israël d'un consortium économique à Gaza, ne respectant pas les accords de Charm el-Cheikh de 1999, et allant à l'encontre des perspectives de développement économique palestinien.

MERCREDI 19 SEPTEMBRE

• Tournée de Yasser Arafat en Jordanie et en Egypte où il rencontre le roi **Abdallah II** et le président **Hosni Moubarak**. (*Al-Qods*)

• Dans *Haaretz*, **Danny Rubinstein** souligne : « *Combien de temps Arafat et son peuple pourraient maintenir le calme relatif et le cessez-le-feu sur le terrain si les Palestiniens ne reçoivent rien en échange?* »

JEUDI 20 SEPTEMBRE

• Un Palestinien tué dans sa voiture entre Dar al-Balah et la colonie de Kfar Darom. Une femme colon tuée

sur une route près de la colonie de Tequoua, dans la région de Bethléem. Couvre-feu sur la région de Qalqilya.

SAMEDI 22 SEPTEMBRE

• Incursion israélienne à Deir al-Balah. Plusieurs blessés graves à Rafah. Mort d'un Palestinien victime de gaz lacrymogènes près du village de Jet. Nombreux arbres déracinés dans la région de Bayt Jala. (Voice of Palestine)

DIMANCHE 23 SEPTEMBRE

• Nouvelle annulation par **Ariel Sharon** de la rencontre prévue entre **Yasser Arafat** et **Shimon Pérès**. Elle devait aboutir à une **résolution commune**, dont le projet avait été élaboré lors de la rencontre entre Shimon Pérès, **Ahmed Qorei** et **Saeb Erekat**. Elle prévoyait six points : un cessez-le-feu et la mise en œuvre des recommandations Tenet et du rapport Mitchell, le redéploiement militaire israélien sur les positions d'avant l'Intifada, la relance d'un comité de coordination commun de sécurité avec un représentant de la CIA à sa tête, la fin de l'incitation à la violence, la levée des bouclages et l'ouverture des routes du territoire palestinien, l'assurance de permis de travail en Israël pour les Palestiniens. (Al-Qods)

• Un verdict de la Cour israélienne de Jérusalem demande l'arrestation en Cisjordanie de **Marwan Barghouti**, à la requête du ministre israélien de la Justice qui demande officiellement que l'Autorité nationale palestinienne le lui livre. Marwan Barghouti considère qu'il s'agit de légitimer à l'avance son futur assassinat. Il ajoute que de telles « pratiques israéliennes ne [l'] empêcheront pas de poursuivre [sa] lutte et de résister à l'occupation ». (Al-Qods)

• Sept Palestiniens blessés à Jérusalem par un groupe de colons. Couvre-feu dans le village de Baqa al-Sharqiyeh, dans la zone de Toulkarm qu'Israël veut transformer en zone militaire.

LUNDI 24 SEPTEMBRE

• Entrée en vigueur de l'ordre militaire israélien considérant l'est de **Toulkarm**, sur la « ligne verte », comme zone militaire fermée. Il s'agit des terres parmi les plus fertiles de Cisjordanie. Escalade de l'agression israélienne en dépit des propos d'Ariel Sharon sur le calme de la situation, en particulier dans les régions d'al-Bireh et dans la vallée du Jourdain. (Voice of Palestine)

• A **Nazareth**, avec le soutien de la Fondation Heinrich Böll, conférence sur « *le rôle de la société civile pour l'avenir des citoyens arabes d'Israël* », avec des représentants d'associations des droits humains, des députés de la Knesset, des partenaires internationaux. A l'ordre du jour, notamment, l'établissement d'un agenda commun des ONG palestiniennes en Israël.

• Rencontre à Paris entre **Hosni Moubarak** et **Jacques Chirac**, qui appellent à la reprise du dialogue. **Hubert Védrine** condamne la destruction par Israël du port de Gaza, considéré comme vital. Le ministre norvégien des Affaires étrangères insiste sur la nécessité de mesures de confiance telles que stipulées par le **rapport Mitchell** afin que le cessez-le-feu se poursuive *Al-Hayat al-Jadida*)

MARDI 25 SEPTEMBRE

• **Ariel Sharon** annule son rendez-vous avec le ministre britannique des Affaires étrangères, **Jack Straw**, puis revient sur sa décision. Jack Straw avait déclaré, lors de sa visite à Téhéran, que « *la colère que de nombreux peuples éprouvent à cause des événements en Palestine depuis des années* » contribue au terrorisme. (AFP, *Le Monde*)

• Lors de son séjour au Proche-Orient, **Hubert Védrine** rencontre à **Jérusalem** une délégation palestinienne composée notamment de Hanan Ashrawi, Emile Jarjawi, Sari Nusseibeh, Ghassan Khatib et Qader al-Husseini, pour discuter du conflit israélo-palestinien, en particulier de Jérusalem. Hubert Védrine a rappelé la position européenne qui rejette fermement l'occupation illégale de la Maison d'Orient et autres institutions palestiniennes à Jérusalem-Est. (JMCC)

• La visite de **Yasser Arafat en Syrie** est annulée.

• Les **Etats-Unis**, qui souhaitent une reprise du dialogue israélo-palestinien, demandent à Israël de cesser « *les destructions de maisons palestiniennes* [...] *et les incursions en territoire palestinien* ». (Reuters)

• « *Bush ne vend pas Israël ; il se contente de louer Israël pour la période de sa croisade ou jusqu'à ce que le Congrès des Etats-Unis le force à annuler l'accord de location* », écrit *Haaretz* dans son éditorial.

• L'organisation pacifiste israélienne **Ta'ayoush** vient camper avec les Palestiniens de la région de **Yatta**, pour les soutenir dans leur combat contre la confiscation de leurs terres. Depuis des mois, ils résistent aux exactions des colons et de l'armée (arrachages d'arbres, fermeture de la région décrétée « *zone militaire* »...). (*Le Monde*, Ta'ayoush, Centre d'information alternatif)

MERCREDI 26 SEPTEMBRE

• Rencontre entre **Yasser Arafat** et **Shimon Pérès** à Gaza, accueillie avec satisfaction par Washington qui la souhaitait. Elle se déroule dans le contexte de la nécessaire mise en œuvre des recommandations Tenet et du rapport Mitchell. *Al-Hayat al-Jadida*, ils se seraient mis d'accord sur un **plan en trois phases**. La première consiste en une semaine de « *calme* » après une condamnation commune des « *actes de terrorisme* », pendant laquelle Israël lèverait les bouclages et se retirerait des zones A et B, laissant libre la circulation des personnes et des marchandises, y compris par le pont Allenby et entre la Cisjordanie et Gaza. Durant la deuxième phase, Israël commencerait un redéploiement graduel qui dépendrait du degré de calme et de sécurité. Cela inclut la levée des sièges,

l'évacuation des postes et des maisons, le retrait des véhicules militaires. L'aéroport de Dahniye serait rouvert et une zone de pêche de vingt kilomètres de long serait ouverte. Des permis de travail en Israël seraient restitués. La partie palestinienne devrait arrêter des militants dont Israël aurait transmis une liste et les interroger, et fermer les dépôts de mortiers. Dans une troisième phase, permanente, des efforts communs devraient permettre une atmosphère de dialogue et de calme. Israël restituerait les fonds de l'Autorité nationale palestinienne, ouvrirait des passages entre la bande de Gaza et la Cisjordanie et permettrait les projets à long terme, tandis que la partie palestinienne oeuvrerait contre les « structures du terrorisme » et rassemblerait les armes illégales.

Pour **Saeb Erekat**, la rencontre n'est pas une fin en soi. Il est urgent de reprendre les négociations sur le statut final et de mettre en oeuvre les résolutions 242 et 338. Alors que **Shimon Pérès** affirme qu'Israël aurait transmis une liste de 108 personnes dont il demande l'arrestation, Saeb Erekat nie l'existence d'une telle liste. (Voice of Palestine, *Al-Qods*)

• Le Haut Comité du **Fath** publie un communiqué dans lequel il condamne l'escalade des agressions menées par Israël en profitant du contexte international, et les menaces sur **Marwan Barghouti**, autant d'éléments qui ne peuvent que renforcer la détermination à la résistance. (JMCC)

• *Haaretz* mentionne la crainte d'officiels israéliens de voir les **Etats-Unis** imposer une solution rapide à Israël et à la Palestine, pour donner des gages aux Etats arabes durant la guerre en Afghanistan.

JEUDI 27 SEPTEMBRE

• Incursion israélienne à **Rafah**. Deux Palestiniens tués, 27 blessés, huit maisons détruites. L'agression se poursuit le lendemain. L'Autorité nationale palestinienne accuse les forces israéliennes de vouloir saboter les résultats de la rencontre entre Yasser Arafat et Shimon Pérès.

VENDREDI 28 SEPTEMBRE

• Les **autorités israéliennes** annoncent qu'elles font lever en partie les restrictions de mouvement de la population palestinienne à l'intérieur de la Cisjordanie et de la bande de Gaza, suite à l'accord de cessez-le-feu entre l'Autorité nationale palestinienne et le gouvernement israélien.

• Nombreuses initiatives et marches à l'occasion du **premier anniversaire de l'Intifada**. Le Conseil législatif appelle à sa poursuite jusqu'à la fin de l'occupation. Grève générale à Jérusalem. Le secrétaire du Fath à Gaza déclare que le peuple palestinien condamne le terrorisme dont il est lui-même victime. (*Al-Qods*)

SAMEDI 29 SEPTEMBRE

• Plus de dix morts et environ 200 blessés en deux jours par des tirs des troupes israéliennes. Un car est pris pour cible par des soldats dans le nord de la Cisjordanie. Un passager tué. (*Al-Hayat al-Jadida*)

• Selon un sondage d'opinion réalisé par le Centre des sondages palestiniens entre le 15 et le 20 septembre, 72 % des Palestiniens soutiennent la poursuite de l'Intifada. 28,1 % disent que leur soutien à l'Autorité nationale palestinienne augmente, 18 % disant l'inverse. 33,1 % considèrent que l'Autorité est incapable d'affronter les menaces israéliennes, 26,7 % pensant le contraire. 33,8 % estiment que le statut de **Yasser Arafat** s'est renforcé, 23,5 % pensent l'inverse et 27 % pensent qu'il est inchangé. 33,6 % soutiennent la poursuite d'un processus de paix avec Israël, 52 % y sont opposés. (*Al-Qods*)

• Dans un communiqué, l'« Initiative palestinienne pour la promotion d'un dialogue global et la démocratie » (**Miftah**) rappelle que depuis le 28 septembre 2000, les forces israéliennes ont tué 696 Palestiniens (dont 174 enfants de moins de 18 ans), blessé 28 916 autres (dont 2832 qui souffrent de handicaps permanents), assassiné 65 militants et personnalités et détruit 5003 maisons. Le message de l'Intifada est clair, précise le texte : « *Une paix juste et globale dans la région ne peut aboutir que par le retrait inconditionnel d'Israël des territoires occupés depuis 1967, le démantèlement des colonies illégales, la libération des prisonniers politiques palestiniens et le retour des réfugiés, conformément aux résolutions 242, 338 et 194.* »

• Selon *Le Monde*, Israël s'inquiète de la **vague d'émigration** de ses citoyens mais aussi de ses entreprises.

DIMANCHE 30 SEPTEMBRE

• Rencontre entre **Saeb Erekat, Ahmad Qorei et Shimon Pérès**. Saeb Erekat déclare : « *La rencontre a été très difficile. La partie palestinienne était censée commencer la mise en œuvre de ce qui avait été convenu entre Yasser Arafat et Shimon Pérès* [...]. *Pourtant, depuis mercredi dernier, il y a une liste de 19 Palestiniens martyrs, 283 blessés, 34 maisons détruites, outre le vandalisme sur plus de 350 dunums de terres cultivées. Israël n'est pas parvenu à arrêter un seul colon. Au contraire, les colons sont protégés par les soldats. En même temps, le bouclage était accru dans les territoires palestiniens et plusieurs villes en Cisjordanie et dans la bande de Gaza ont été soumises aux bombardements, comme à Rafah, Khan Younis, Hébron* [...]. *Nous avons dit à Shimon Pérès que nous avons besoin de mesures sur le terrain. Pour sa part, il nous a accusés de ne pas être engagés dans le cessez-le-feu.* » (Voice of Palestine)

• Lors de **manifestations** qui marquent le premier **anniversaire de l'Intifada**, plusieurs Palestiniens sont tués, des dizaines sont blessés. L'armée tire sur des travailleurs dans un village près de Jinîn. Incursion israélienne à Khan Younis. (Reuters, *Al-Hayat al-Jadida*, *Al-Qods*)

• L'éditorialiste Hafez Barghouti commente dans *Al-Hayat al-Jadida* une résolution de la présidence belge de l'**Union européenne**, qui appelle à ce que les enfants ne participent pas aux marches pacifiques. En trois se-

maines, dit-il, les forces d'Ariel Sharon ont tué plus de 50 Palestiniens et blessé plus de 800 autres. « *Au lieu de condamner la violation israélienne du cessez-le-feu* », elle appelle à ce que les enfants ne participent pas aux marches pacifiques, et « *qui sait, peut-être demain vont-ils nous demander de nous retirer de nos villes pour éviter les bombardements, de déplacer nos arbres pour qu'ils ne soient pas arrachés, de déplacer nos voitures pour qu'elles n'égratignent pas les voitures des colons ou de quitter notre pays pour ne pas être un obstacle sur la voie d'accords* ».

LUNDI 1er OCTOBRE

• Les forces nationales et islamiques à Ramallah et à al-Bireh organisent une **marche** vers le check-point militaire de Sourda à l'occasion du premier anniversaire de l'Intifada pour protester contre le siège. **Grève** de deux heures en Cisjordanie et dans la bande de Gaza en solidarité avec le peuple palestinien de l'autre côté de la « ligne verte » à l'occasion du premier anniversaire du martyre de treize citoyens tués par la police israélienne durant les manifestations de solidarité avec l'Intifada. En Israël, les villes palestiniennes sont décrétées villes mortes, en signe de deuil. Lors de la manifestation à Oum al-Fahm, trente personnes sont arrêtées, onze policiers sont blessés (JMCC, *Al-Ayyam*)

• Une voiture piégée explose à Jérusalem sans faire de victime. L'attentat est revendiqué par le **Hamas**. (AFP)

• Fin de la visite de **Yasser Arafat** en Egypte, Jordanie et Tunisie. Il met l'accent sur l'escalade de l'agression israélienne contre les villes, villages et camps, rendant certaines régions inaccessibles aux aliments et aux médicaments (*Al-Hayat al-Jadida*)

• Dans un entretien au *Yediot Aharonot*, **Shimon Pérès** accuse la hiérarchie militaire de saboter tous les cessez-le-feu et d'organiser des campagnes de délégitimisation de l'Autorité nationale palestinienne et du ministère israélien des Affaires étran-

gères. Il accuse le chef d'état-major adjoint de vouloir éliminer physiquement Yasser Arafat. Suite aux critiques de la droite et de l'extrême droite contre Shimon Pérès, en particulier après sa rencontre avec Yasser Arafat, Dan Margali écrit dans *Maariv* : « *La droite doit savoir une vérité qu'elle n'aime pas : Pérès est virtuellement le seul tube d'oxygène pour les ballons restants de la légitimité internationale d'Israël.* » Il ajoute : « *Comme prévu, alors que les mois passent, l'attrait de l'unité nationale au sein du gouvernement a pris fin. Mais dans son essence, la nécessité de son existence n'a pas changé d'un iota.* »

• La **Banque mondiale** et la **Banque islamique de développement** signent un accord pour une somme de 57 millions de dollars pour financer un **programme d'urgence** en Cisjordanie et dans la bande de Gaza. 50 millions devraient être employés à des programmes de santé, d'éducation et d'infrastructures. (JMCC)

MARDI 2 OCTOBRE

• Dans le contexte de préparation de la riposte américaine aux attaques du 11 septembre et alors que la politique américaine au Proche-Orient est critiquée dans les pays arabes, **George W. Bush** fait une avancée inédite : il soutient l'établissement d'un **Etat palestinien**, à condition que le droit d'Israël à l'existence soit respecté. Pour lui, cette idée a toujours fait partie de la vision américaine. C'est cependant la première fois qu'une administration républicaine l'affirme clairement. « *Les Palestiniens doivent vivre en paix et en sécurité dans leur propre Etat* », affirme le porte-parole de la Maison Blanche. Il ne faut cependant pas brûler les étapes, dit George W. Bush. Il convient d'abord d'appliquer le rapport Mitchell. Selon le *New York Times* et le *Washington Post*, **Colin Powell** devait annoncer cette initiative américaine le mois précédent à l'Assemblée générale des Nations unies, mais l'a reportée du fait des attentats du 11 septembre. (*Al-Qods*, AFP)

• **Yasser Arafat** et l'Autorité nationale palestinienne se réjouissent de cette déclaration. A **Paris**, le porte-parole du ministère des Affaires étrangères la juge positivement. L'Union européenne avait déclaré à Berlin en 1999 qu'elle reconnaîtrait l'Etat palestinien souverain et viable « *en temps voulu* » et qu'il serait la meilleure garantie de sécurité pour Israël. La France appelle les deux parties à cesser les provocations. Le **Foreign Office** accueille favorablement aussi cette déclaration. (AFP, *Al-Hayat al-Jadida*)

• **Marche pacifique** de Ramallah vers l'université de Birzeit contre le blocage des routes et de la circulation des citoyens, en particulier des étudiants. L'université lance un appel dénonçant le non-respect par Israël de la liberté de mouvement annoncée en même temps que le cessez-le-feu israélo-palestinien. Les check-points empêchent la circulation de 5000 étudiants, 700 professionnels et 65 000 villageois. Birzeit appelle la communauté internationale à intervenir pour la levée du blocus et pour la protection des Palestiniens conformément à la 4e Convention de Genève et autres résolutions internationales. (JMCC)

• **Deux soldats israéliens tués** et quinze soldats et colons blessés par trois jeunes Palestiniens (tués aussi) lors d'une opération armée dans l'une des colonies de la bande de Gaza, Elei Sinaï. Les brigades Ezzedine al-Qassam du **Hamas** revendiquent l'opération. La direction palestinienne condamne cette attaque comme une violation du cessez-le-feu. Selon un porte-parole, Yasser Arafat a donné de fermes instructions aux services de sécurité pour prendre des mesures légales contre les responsables.

« *Je vois l'escalade de l'Intifada dans la période actuelle comme servant la cause palestinienne. Nous ne devons pas avoir un sentiment négatif à l'égard des actes contre l'occupation israélienne, en particulier après ce qui s'est passé aux Etats-Unis. Cette colonie n'est pas peuplée de civils. Ce sont des colons armés. On les a vus tuer des Palestiniens dans la région de Gaza et ailleurs [...]. Quelle est la loi qui interdit de résister à l'occupation ?* », commente le porte-parole

du **Hamas**, Mahmoud al-Zahar. (Voice of Palestine)

• Le déploiement des forces israéliennes dans la bande de Gaza est renforcé. (*Al-Qods*)

MERCREDI 3 OCTOBRE

• La presse palestinienne accueille positivement la déclaration de **George W. Bush** sur l'Etat palestinien. « *Ce pas est particulièrement bienvenu du fait que l'administration Bush avait auparavant choisi de prendre ses distances avec le processus de paix, ignorant les événements sur le terrain qui ont conduit à l'effondrement du processus* », lit-on dans *Al-Qods*, qui s'interroge sur l'Etat dont il s'agit.

La presse arabe montre également sa satisfaction. L'éditorial d'*Asharq al-Awsat* commente : « *Après huit mois d'une politique de* wait and see *concernant le conflit israélo-palestinien [...], l'administration du président Bush semble être prête à une approche plus active dans le processus de paix au Proche-Orient.* » Rajeh al-Khoury dans le quotidien libanais *An-Nahar* évoque un « *Balfour américain* ».

Dans la presse israélienne, plusieurs commentateurs accusent les Etats-Unis d'abandonner Israël. Dans *Maariv*, Chemi Shalev écrit : « *Ce n'est pas assez que les Américains abandonnent Israël à son sort. Maintenant, ils lui lient les mains et l'empêchent d'entrer en action. Sharon devra encore manœuvrer entre Pérès et l'administration américaine qui demande la retenue [...] notre terreur peut attendre.* » Ils accusent aussi l'Autorité nationale palestinienne de ne pas respecter le cessez-le-feu. Zeev Schiff, dans *Haaretz*, écrit : « *Le test pour l'Autorité palestinienne n'est pas la distinction artificielle faite par Israël entre elle et les forces d'opposition, mais davantage quelles mesures elle prend contre ceux qui violent le cessez-le-feu.* »

• **Ahmad Abdul Rahman**, chef de cabinet de l'Autorité nationale palestinienne, propose un document officiel concernant l'établissement de l'Etat palestinien avec Jérusalem pour capitale. Cela permettrait au peuple de sentir le réel changement des Etats-

Unis sur le terrain, même si, dit-il, ils ne se réfèrent pas aux dossiers centraux. (*Al-Hayat al-Jadida*, JMCC)

• Rencontre à Ramallah entre **Yasser Arafat** et le représentant européen pour le processus de paix, **Miguel Angel Moratinos**. « *L'accent est mis sur le rôle de l'Europe pour renforcer le cessez-le-feu et retourner au processus de paix* », commente **Saeb Erekat**. « *Cela pousse l'Europe et les Etats-Unis à parler avec le Premier ministre israélien un autre langage [...]. Le gouvernement d'Ariel Sharon ne veut pas de cessez-le-feu. Il veut détruire l'Autorité nationale palestinienne pour dire au monde qu'il n'existe pas de partenaire de paix. Sharon essaie maintenant d'inclure les factions palestiniennes sur la liste des terroristes. L'Europe et les Américains devraient intervenir avant qu'il soit trop tard* ». (Voice of Palestine)

• Election à Ramallah d'**Ahmad Sadat** au poste de secrétaire général du **FPLP** pour succéder à **Abou Ali Mustafa**. A 48 ans, Ahmad Sadat a obtenu les deux tiers des 165 votes. Né à al-Bireh, ancien professeur de mathématiques, il est considéré comme un tenant d'une orientation radicale. Il a été arrêté sept fois par les forces d'occupation et il figure sur la liste des « *personnes recherchées* » par Israël. (*Al-Hayat al-Jadida*)

• A la suite de l'attaque revendiquée par le Hamas, la rencontre israélo-palestinienne prévue est reportée *sine die*. L'armée israélienne annule les mesures d'allégement du siège des villes palestiniennes et annonce qu'elle n'exclut pas les incursions en zones autonomes palestiniennes. Six Palestiniens (deux paysans et quatre membres des forces de sécurité) tués et des dizaines d'autres blessés lors de l'invasion par les forces israéliennes de régions sous autorité palestinienne dans la bande de Gaza et du bombardement de quartiers résidentiels par les tanks à Bayt Lahia. Bombardement de plusieurs quartiers d'Hébron. Un bâtiment de Jenata, dans la région de Bethléem, est transformé en camp militaire. (*Le Monde*, *Al-Qods*)

• Premier **affrontement armé** depuis juillet entre les forces israéliennes et le **Hezbollah** libanais. Celui-ci tire au mortier sur les fermes de Cheba (zone contestée qu'Israël n'a pas restituée au Liban lors de son retrait de mai 2000, considérant qu'il s'agit d'une zone qui appartenait à la Syrie). Tirs israéliens sur un village du sud du Liban. (AFP)

JEUDI 4 OCTOBRE

• Lors d'une conférence de presse à Tel-Aviv, **Ariel Sharon** demande aux **Etats-Unis** de ne pas sacrifier Israël pour donner des gages aux pays arabes dans sa campagne afghane. Il compare Israël à la Tchécoslovaquie de 1938. *« J'appelle les démocraties occidentales et en premier lieu le leader du monde libre, les Etats-Unis : ne répétez pas la terrible faute de 1938 lorsque les démocraties européennes éclairées ont décidé de sacrifier la Tchécoslovaquie pour une solution temporaire commode. Ne tentez pas d'apaiser les Arabes à nos dépens. C'est inacceptable pour nous. Israël ne sera pas la Tchécoslovaquie. »* Réaction ferme de Washington : Ari Fleisher, porte-parole de la Maison Blanche, déclare les propos de Sharon *« inacceptables selon le Président »*. Ariel Sharon fait machine arrière et loue *« l'amitié »* entre les Etats-Unis et Israël. Le 5, Sever Plotzker écrit dans *Yediot Aharonot* : *« Bush n'est pas Chamberlain. Dans une perspective israélienne, Bush est comme Churchill. Nous devons arrêter de nous effrayer nous-mêmes et comprendre : la guerre américaine contre le royaume de la terreur islamique est la seconde guerre de survie d'Israël, que nous le voulions ou non, qu'ils nous envoient ou non une invitation pour nous joindre à la campagne [...]. Israël est une partie essentielle, centrale et intégrale de la coalition antiterroriste. C'est l'une des raisons de sa formation. »* (AFP, *Yediot Aharonot*)

• Au moment où **La Paix Maintenant** annonce que dix nouvelles colonies ont été érigées dans les territoires palestiniens depuis juillet, le cabinet israélien de sécurité donne le feu vert pour reprendre la politique d'assassinats, condamnés par la communauté internationale (*Al-Hayat al-Jadida*)

• Tirs d'obus à Hébron, Bethléem, Gaza, Khan Younis. Cinq morts, de nombreux blessés. Attaques de **colons** contre des Palestiniens de Jérusalem. (*Al-Hayat al-Jadida*, Voice of Palestine)

• Trois Israéliens tués et quatorze autres blessés par un Palestinien en uniforme de soldat israélien. Il ouvre le feu à la station de bus d'Afoula. Il est tué par la police. (*Al-Hayat al-Jadida*)

• Le **Comité exécutif de l'OLP** appelle toutes les forces et factions de la lutte palestinienne à se conformer pleinement à la position de consensus national et de ne pas porter tort à l'intérêt national et à l'unité. Il demande au gouvernement israélien de cesser son agression et de respecter le cessez-le-feu, la levée du siège et le retour des troupes d'occupation sur les positions d'avant le 28 septembre 2000. Parallèlement, le **Comité national du Fath** a affirmé qu'il n'existe qu'une seule décision nationale palestinienne. (*Al-Hayat al-Jadida*)

• Les trois principaux responsables palestiniens du district de Bethléem sont remplacés. Hasan al-Kashaf, dans un éditorial de *Al-Hayat al-Jadida*, se dit satisfait de cette décision de **Yasser Arafat**, au nom de la justice et du respect des droits des citoyens. Il appelle à d'autres décisions de cette nature. (*Al-Qods*, *Al-Hayat al-Jadida*).

VENDREDI 5 OCTOBRE

• *Al-Qods* revient sur l'escalade des derniers jours : *« Six martyrs, des dizaines de blessés, d'énormes destructions de bâtiments publics et privés et de terres agricoles, c'est le résultat de la dernière escalade israélienne »*, portant à trente le nombre de morts palestiniens en dix jours, et à plus de 300 celui des blessés. Le journal rappelle qu'avant l'attaque à Elei Sinaï, sur une période de trois jours, l'armée israélienne a tué 22 Palestiniens, la plupart des civils parmi lesquels un grand nombre d'enfants.

• Dans un entretien à Voice of Palestine, **Ahmed Qorei**, président du Conseil législatif palestinien, commente la déclaration de George W. Bush : *« Le président américain a fait cette déclaration après celle d'Ariel Sharon qualifiant Yasser Arafat de Ben Laden et les Palestiniens de terroristes. C'est une réponse selon laquelle les Palestiniens se battent pour la liberté et ne sont pas terroristes. La déclaration américaine arrive à un moment de restructuration du monde par les Etats-Unis [...]. La proposition américaine n'est pas encore finalisée. La situation actuelle a forcé l'administration américaine à parler de l'Etat palestinien, à l'ordre du jour des Etats-Unis et du monde entier. C'est seulement un signal américain qui nous presse à développer notre position [...]. Sans aucun doute, il y a des contacts avec les Etats-Unis, les Etats européens, la Chine et les Nations unies, des discussion à propos de Jérusalem, des réfugiés, de l'Etat et des frontières. »*

SAMEDI 6 OCTOBRE

• Poursuite du bombardement d'Hébron. Deux morts et de nombreux blessés. Shimon Pérès le justifie par des tirs palestiniens sur des fidèles juifs se rendant à la mosquée d'Ibrahim pour les fêtes de Sukkot, le 3. (*Al-Hayat al-Jadida*)

• Le secrétaire du Fath en Cisjordanie, **Marwan Barghouti**, affirme que **l'Intifada** continuera en dépit du cessez-le-feu. *« Il y a eu plus de 30 martyrs depuis la déclaration de cessez-le-feu, les Palestiniens ont le droit de se défendre. »* Dans un entretien à un magazine allemand, il souligne que les attentats-suicides en Israël n'ont rien à voir avec l'Intifada. (*Al-Hayat al-Jadida*)

DIMANCHE 7 OCTOBRE

• Début des bombardements américains, avec participation britannique, en Afghanistan contre les Talibans. **Yasser Abed Rabbo** annonce un prochain débat au sein de l'Organisation de la conférence islamique au Qatar. Ariel Sharon souhaite *« bonne chance »* aux forces qui *« luttent contre le terrorisme »*. (Voice of Palestine, AFP)

• L'Autorité nationale palestinienne arrête plusieurs membres du **Hamas** et du **Jihad islamique** à Toulkarm et Naplouse. Le Hamas condamne les arrestations, considérant qu'elles sont le fruit des pressions américaines et vont à l'encontre de l'unité nationale. (*Al-Hayat al-Jadida, Al-Qods*)

LUNDI 8 OCTOBRE

• Après sa rencontre au Caire avec **Hosni Moubarak** et **Amr Moussa**, **Yasser Arafat** rencontre le **prince de Barheïn**. Il en appelle à des efforts internationaux pour arrêter le terrorisme israélien. Il ajoute que quiconque violera les décisions de l'Autorité nationale palestinienne et violera le cessez-le-feu sera arrêté. (*Al-Hayat al-Jadida*)

• Quatre morts et plusieurs blessés graves par des tirs des forces israéliennes dans la bande de Gaza.

• Deux morts dans des échauffourées entre étudiants et forces de police palestinienne à Gaza, faisant de nombreux blessés, dont 142 policiers. Les étudiants manifestaient devant l'université islamique contre les bombardements américains en Afghanistan. **L'Autorité nationale palestinienne** a décidé une enquête officielle, appelant les forces nationales et islamiques à « *rester fermes* » face aux « *éléments suspects qui cherchent à briser l'unité nationale* ». Le Haut Comité des forces nationales et islamiques réuni en urgence appelle à la responsabilité ; il condamne l'usage des armes à feu pendant les manifestations. (*Al-Hayat al-Jadida*)

MARDI 9 OCTOBRE

• Les **Etats-Unis** et la **France** se félicitent des efforts de l'**Autorité nationale palestinienne** pour le respect du cessez-le-feu et pressent Israël de faire preuve de retenue dans les actes de provocation. « *Nous sommes encouragés par les récentes mesures prises par l'Autorité palestinienne au niveau de la sécurité pour honorer ses engagements pour le cessez-le-feu et nous croyons qu'il est important de poursuivre ces me-*

sures », déclare le porte-parole du Département d'Etat, **Richard Boucher**. L'émissaire des Nations unies pour le Proche-Orient, **Terje Roed-Larsen**, se félicite que l'Autorité nationale palestinienne fasse « *le maximum d'efforts dans des conditions difficiles* ». (*Al-Hayat al-Jadida*, AFP)

• Dans *Maariv*, le ministre israélien de la Défense, **Benyamin Ben Eliezer**, interrogé par Alex Fischmann, affirme : « *Nous n'avons pas de réclamation. Les Etats-Unis ont un problème. Nous devons les aider.* ». Le journaliste insiste sur le fait que les sept mois de gouvernement d'union nationale que dirige **Ariel Sharon** sont les pires en termes de sécurité. Benyamin Ben Eliezer répond en répétant que « *le rôle historique de Yasser Arafat est terminé* » et que ses proches se plaignent beaucoup de lui. Enfin, alors que les Etats-Unis cherchent une alliance large, il accuse l'Iran de posséder des missiles susceptibles d'atteindre Israël. « *Selon les informations en ma possession, 2005 sera l'année où l'Iran possédera sa première bombe nucléaire.* »

• Selon un sondage (Centre palestinien de sondages), 72,4 % des Palestiniens demandent aux pays arabes d'arrêter tout lien économique avec Israël, 27,6 % y étant opposés. 61,8 % pensent que le boycott arabe a des effets positifs, mais 62 % estiment qu'un tel boycott n'existe pas sérieusement. (*Al-Qods*)

• Une femme palestinienne de Yatta (région d'Hébron) donne naissance à son bébé au check-point érigé par les forces d'occupation à l'entrée de la ville. L'ambulance où elle se trouvait s'est vu interdire le passage. Les opérations militaires à Hébron et à Gaza se poursuivent et l'on compte plusieurs morts. (*Al-Hayat al-Jadida*)

MERCREDI 10 OCTOBRE

• Réunion à **Doha** de l'**Organisation de la Conférence islamique**. Les ministres des Affaires étrangères condamnent les attentats du 11 septembre et expriment leur rejet de tout mouvement militaire américain contre un pays arabe ou islamique mais se disent prêts à contribuer à l'effort inter-

national contre le terrorisme. Le prince du Qatar exprime les réserves du monde musulman concernant les bombardements américains en Afghanistan. Les participants soulignent la nécessité de distinguer terrorisme et droit des peuples, dont les peuples libanais et palestinien, à résister à l'occupation et à l'agression israéliennes. Ils dénoncent le terrorisme d'Etat israélien et appellent à une protection internationale du peuple palestinien. Le deux poids-deux mesures éradique le sens de la guerre contre le terrorisme, dit l'OCI. Toute action internationale pour la paix et la sécurité et pour libérer le monde du terrorisme doit apporter sécurité et justice au peuple palestinien et établir un Etat palestinien. La Conférence a accueilli avec satisfaction les déclarations de Londres, soutenant un Etat palestinien et appelant Washington à prendre rapidement une initiative pour le mettre en œuvre, ce qui permettrait de pérenniser la sécurité régionale. De son côté, **Colin Powell** exprime sa satisfaction pour le soutien des pays islamiques aux opérations américaines en Afghanistan. (*Al-Ayyam, Al-Qods*)

• Rencontre à Jérusalem, à l'hôpital Augusta-Victoria, entre une délégation de personnalités palestiniennes, dirigée par Sari Nusseibeh, et des consuls étrangers. Les diplomates étrangers rappellent qu'ils considèrent Jérusalem-Est comme appartenant aux territoires palestiniens et rejettent les mesures israéliennes dans la ville, notamment la fermeture de la Maison d'Orient et autres institutions. Ils soulignent la nécessité d'une reprise du processus de paix pour la mise en œuvre des résolutions 242 et 338 de l'ONU. (*Al-Ayyam*)

• Entretien, à Voice of Palestine, d'**Awni Sbeit**, porte-parole des Palestiniens expulsés de 1948 de leurs villages d'Iqrith et Bur'am, à l'intérieur de la « ligne verte ». Le Conseil des ministres israélien vient de décider de ne pas permettre leur retour. Awni Sbeit raconte l'éviction, rappelle qu'en 1951 la Haute Cour israélienne l'a jugée illégale et prôné un retour immédiat des habitants dans leurs villages, Ben Gourion publiant alors un ordre militaire les transformant en zones militaires fermées. En 1953, les terres sont décrétées propriétés d'Etat. Une solution est proposée aux Palestiniens de ne restituer que 600 des 24 591 dunums. Refus des Palestiniens. La nouvelle décision n'étonne donc personne.

JEUDI 11 OCTOBRE

• Un mois après les attentats terroristes aux Etats-Unis, **George W. Bush,** dans une conférence de presse, se félicite de l'aide d'Etats arabes contre le terrorisme. Il réitère le souhait d'un Etat palestinien, « *à condition que cet Etat reconnaisse le droit d'Israël à exister* ». Il déclare que les frontières seraient négociées entre les deux parties, évoque pour la première fois l'hypothèse d'une rencontre avec Yasser Arafat.

• **Deux positions de dirigeants européens : Tony Blair** affirme que la solution de la cause palestinienne n'est pas importante uniquement pour la région mais contribuera aussi à la stabilité dans le monde. Le Royaume-Uni, dit-il, soutient de longue date l'établissement d'un Etat palestinien et souhaite voir garantie la sécurité israélienne. Pour **Gerhard Schroeder,** « *si nous ne résolvons pas ce conflit, nous permettrons aux terroristes et à ceux qui les assistent d'exploiter les sentiments et émotions des populations prises dans le conflit, afin de parvenir à leurs buts criminels* », dit le chancelier allemand devant le Parlement. (AFP, *Al-Hayat al-Jadida*)

• Selon le quotidien *Al-Hayat al-Jadida* qui cite « *une source israélienne proche de l'administration américaine* », les principaux points du discours que **Colin Powell** s'apprêtait, avant le 11 septembre, à faire devant l'**Assemblée générale des Nations unies** étaient : a) un appel pour un accord permanent sur la base de deux Etats pour deux peuples ; b) Jérusalem comme capitale d'Israël et de la Palestine (sans plus de détails, en particulier sur la mosquée al-Aqsa) ; c) la reconnaissance de l'identité nationale des deux Etats, Israël comme un Etat juif, la Palestine comme l'Etat du peuple palestinien ; d) la reconnaissance des principes des résolutions 242 et 338

de l'ONU, de la Conférence de Madrid et des accords d'Oslo comme principes de base pour un accord ; e) un engagement américain pour la sécurité d'Israël ; f) un appel à arrêter le terrorisme et la violence, et une approche des deux parties pour mettre en œuvre le rapport Mitchell. (*Al-Hayat al-Jadida*)

• Publication d'un sondage réalisé par le Centre des études de développement de l'université de Birzeit concernant les relations arabo-américaines. Après les attentats du 11 septembre, 90 % des sondés pensent que le parti pris des Etats-Unis pour Israël est l'une des sources des sentiments hostiles à leur égard. 68 % disent ne pas avoir de sentiment de haine contre les Etats-Unis. 65 % estiment que les attentats à New York et Washington ont violé les enseignements de l'islam, 48 % estiment que ces attentats portent tort aux intérêts des Arabes et des musulmans. Concernant la **guerre en Afghanistan,** 92 % estiment que les attaques ciblées conduiront à une escalade de la violence. 76 % s'opposent à une participation arabe et palestinienne à l'alliance internationale contre le terrorisme conduite par les Etats-Unis, et seuls 7 % considèrent que les Etats-Unis ont eu raison d'attaquer l'Afghanistan. 90 % estiment que le gouvernement d'Ariel Sharon n'est pas sérieux quant à l'idée d'un accord de paix susceptible de mettre un terme au conflit. 57 % s'opposent à la décision de cessez-le-feu. Un après le déclenchement de l'Intifada, 46 % se disent optimistes sur les résultats que permettra l'Intifada pour la cause palestinienne, 36 % expriment leur pessimisme. 72 % considèrent que les différentes rencontres avec Shimon Pérès n'amèneront pas la paix. (*Al-Hayat al-Jadida*)

• Lors de sa rencontre avec le Premier ministre grec, Yasser Arafat appelle à la coordination des positions internationales dans la lutte contre le terrorisme. Son hôte considère qu'Israël devrait mettre fin à son refus de dialogue avec les Palestiniens. (Voice of Palestine)

• Raids israéliens contre les villages de Bruqin et Kufr al-Dik (région de

Salfit). Incursions armées à Qarara. Attaque de **colons** contre une voiture palestinienne dans la région de Naplouse : deux blessés dont un grave. (Voice of Palestine)

VENDREDI 12 OCTOBRE

• *Yediot Aharonot* détaille un **plan américain** pour le Proche-Orient. Celui-ci inclut les rapports **Mitchell** et **Tenet** mais aussi l'idée d'un accord final fondé sur l'existence d'un Etat palestinien avec Jérusalem-Est pour capitale. Le 13, le *New York Times* indiquera que l'initiative reste cependant en deçà des propositions de Camp David.

• **Yasser Arafat** demande aux leaders du monde arabe et musulman d'intervenir pour qu'Israël cesse son agression, et de contribuer à un mécanisme international pour la mise en œuvre des résolutions internationales. (*Al-Hayat al-Jadida*)

• Les forces nationales et islamiques expriment leur solidarité avec « *les innocents victimes de l'agression aux Etats-Unis* » mais « *condamnent le fait qu'[ils] exploitent la tragédie humaine pour tenter d'imposer leur hégémonie sur le monde sous la bannière de la lutte contre le terrorisme* ». (*Al-Hayat al-Jadida*)

• Incursion israélienne à Qarara et tirs d'obus sur les quartiers résidentiels d'Hébron. Assassinat à Qalqilya d'un militant du Hamas, Abdel Rahman Saïd Hamad, en prière sur le toit de sa maison, à 100 mètres de la « ligne verte ». Il a reçu plusieurs balles dans la tête. La région de Qalqilya est fermée depuis deux mois. Ariel Sharon déclare qu'Abdel Rahman Saïd ne sera ni le premier ni le dernier. « *Nous exercerons notre droit à l'autodéfense de la même manière que les Etats-Unis en Afghanistan* », ajoute-t-il. (*Al-Qods, Al-Hayat al-Jadida*, Voice of Palestine)

DIMANCHE 14 OCTOBRE

• Une semaine après le début de l'engagement militaire américain en Afghanistan, **Saeb Erekat** délégitimise l'utilisation de la cause palestinienne par Oussama Ben Laden. (*Le Monde*)

• Suite aux déclarations de **George W. Bush** sur l'Etat palestinien, Yasser Abed Rabbo revient sur **la question des frontières** entre les deux Etats, soulignant qu'elles sont définies par les résolutions internationales qui constituent les termes de référence du processus de paix. *Al-Hayat al-Jadida*)

• Rencontre entre **Ahmed Qorei**, **Saeb Erekat** et **Shimon Pérès** sur la mise en œuvre des recommandations Mitchell et Tenet, suivie d'une rencontre avec les responsables palestiniens et israéliens de la sécurité. A l'ordre du jour : l'évacuation par Israël de deux quartiers occupés de la zone A d'Hébron en échange d'une interdiction des tirs de ces quartiers vers les colonies, ainsi que l'ouverture du passage à Rafah et l'ouverture des villes de Ramallah et Jéricho. Ahmed Qorei considère que ce serait une introduction à la mise en œuvre du rapport Mitchell, qui inclut des perspectives politiques. (*Al-Hayat al-Jadida*)

• **L'armée israélienne** critique – c'est une première – la décision du cabinet de se retirer de quartiers d'Hébron, Abou Sneineh. (*Mideast Mirror*)

• Maintien des check points sur les routes au nord de Jérusalem. Violences de **colons** de Shavot Rahail contre des paysans : tirs, voitures brûlées. Manifestations à Taqua (Cisjordanie) pour protester contre la poursuite du siège imposé à la ville, avec la participation de pacifistes israéliens et de volontaires internationaux. (Voice of Palestine, JMCC)

LUNDI 15 OCTOBRE

• L'armée israélienne se retire des quartiers d'Abou Sneineh et Harat al-Sheikh à Hébron. Un communiqué officiel de l'armée avait critiqué la décision gouvernementale de se retirer de ces zones. **Shaül Mofaz**, chef d'état-major, transmet ses excuses. « *Je n'avais pas l'intention de dire que je m'oppose aux décisions prises à l'échelon politique, je faisais seulement une re-*

commandation professionnelle. » Il prend donc sur lui la responsabilité du communiqué qui avait valu une sévère remontrance du ministre de la Défense, Benyamin Ben Eliezer. (*Jérusalem Post*)

• En Israël, deux ministres d'extrême droite, celui du tourisme, **Rehavam Zeevi** (Union nationale), et celui des Infrastructures, **Avigdor Liberman** (Israel Beitenou), présentent leur démission. Selon la loi, ils disposent de 48 heures pour la reprendre. Mais selon Avigdor Liberman, « *cela n'arrivera que si Shimon Pérès donne la sienne et si l'armée retourne à Abou Sneineh* ». Le retrait de l'armée israélienne des deux quartiers d'Hébron occupés depuis le 5 octobre constitue le motif officiel de cette démission. Les deux ministres ont exprimé leur constante opposition aux initiatives de Shimon Pérès. « *Les gens qui ont voté pour Ariel Sharon ont exprimé leur opposition aux accords d'Oslo et à la situation en termes de sécurité, et n'ont pas eu de réponse* », dit Liberman lors d'une conférence de presse. Zeevi déclare qu'ils soutiennent Sharon mais ne peuvent accepter son projet de faire de l'unité nationale un but stratégique. Ariel Sharon, dans un discours à la Knesset, dit aux démissionnaires : « *Vous m'attristez. Mais vous donnez beaucoup de satisfaction à Yasser Arafat.* » David Levy, ancien ministre des Affaires étrangères, annonce que son parti, Gesher, ne rejoindra pas un gouvernement dont il dit qu'il « *a perdu son chemin* ». (AFP, *Mideast Mirror*)

• **Benyamin Nétanyahou**, qui prépare son come-back, est accueilli avec enthousiasme au comité central du Likoud. « *Benyamin Nétanyahou, aux yeux des membres du Likoud, symbolise le futur. Sharon représente le présent et est encore perçu par de nombreux électeurs comme un leader temporaire qui règne jusqu'à l'arrivée du roi Nétanyahou* », écrit l'analyste Shalom Yerushalmi dans *Maariv*.

• Le **Département d'Etat américain** affirme son opposition à la politique israélienne d'**assassinats** et refuse toute comparaison avec sa campagne

militaire en Afghanistan. Selon le Département d'Etat, l'assassinat des suspects palestiniens est une provocation et un obstacle aux pourparlers de paix. (*Al-Qods*)

• Visite de **Yasser Arafat** au **Royaume-Uni** où il rencontre **Tony Blair**. Yasser Arafat appelle à la reprise immédiate des négociations avec Israël pour une solution permanente, globale, juste, à tous les dossiers : Jérusalem, les colonies, les frontières, les réfugiés, la sécurité et l'eau, sur la base des résolutions internationales. Il renouvelle son appel à un Etat palestinien avec Jérusalem-Est pour capitale, à côté d'Israël. Il ajoute qu'il n'y a aucun point commun entre la juste cause palestinienne et les moyens oppressifs tels que les attaques le 11 septembre aux Etats-Unis. Tony Blair appelle à l'établissement d'un Etat palestinien viable, mettant fin aux souffrances des Palestiniens, et souligne qu'un tel Etat doit procéder d'un accord négocié garantissant la paix et la sécurité d'Israël. Il souhaite la reprise du processus de paix et demande aux Palestiniens « *100 % d'efforts* » pour « *mettre fin aux violences* ». (*Al-Qods al-Arabi, Al-Hayat al-Jadida*)

MARDI 16 OCTOBRE

• De retour d'une tournée au Royaume-Uni, en Irlande et aux Pays-Bas, **Yasser Arafat** s'exprime à Gaza. Il réaffirme que l'Autorité nationale palestinienne rejette toute forme de **terrorisme** y compris le terrorisme d'Etat d'Israël. Il loue dans le même temps les positions des Etats-Unis et de l'Europe concernant l'Etat palestinien. Il souligne qu'Israël ne respecte pas la levée du siège et le bouclage des territoires palestiniens et qu'il existe un clair litige entre les directions politique et militaire israéliennes. (*Al-Ayyam*, Voice of Palestine)

• Mort d'**Iyad Lafi al-Akhras**, militant du **Hamas** de Rafah, dans une explosion à son domicile. Le Hamas accuse Israël. Lors d'une visite en République tchèque, **Shimon Pérès** affirme qu'Israël arrêtera de cibler des Palestiniens si l'Autorité nationale palestinienne arrête plus de cent Palestiniens « recherchés ». Un jeune palestinien de 23 ans, **Ahmad Ibrahim Ubeyyat**, est assassiné à coups de couteau par deux extrémistes israéliens, sur son lieu de travail dans un hôtel de Jérusalem. (*Al-Qods*)

• Selon une étude de Shafiq Masalhah, psychothérapeute et enseignant à l'université hébraïque et à l'université de Tel-Aviv, réalisée auprès de 300 enfants de 10 et 11 ans dans les régions de Bethléem et de Ramallah, 78 % des enfants en Palestine souffrent d'un sentiment insécurité et de manque de confiance. (*Al-Qods*)

• Ouverture à Londres du procès en appel de deux jeunes Palestiniens, **Samar Alami** et **Jawad Botmeh**, accusés d'être les auteurs de deux attentats en 1994 contre une organisation caritative juive et contre l'ambassade d'Israël, et condamnés en 1996 à vingt ans de prison. Ils ont toujours clamé leur innocence. Leur avocate, Gareth Pierce (qui était celle des « Six de Birmingham » et des « Quatre de Guilford » de l'IRA, injustement accusés d'être les auteurs d'attentats puis acquittés et libérés après plusieurs années de prison) met en évidence les incohérences du procès, dont le manque de certaines pièces.

MERCREDI 17 OCTOBRE

• L'ancien Premier ministre **Benyamin Nétanyahou** affirme dans *Maariv*: « *Nous avons besoin d'une politique nouvelle. Le régime d'Arafat doit cesser d'exister dans sa forme actuelle.* »

• Quelques heures avant l'effectivité de sa démission, **Rehavam Zeevi** est tué dans un hôtel de Jérusalem, dans un attentat revendiqué par le FPLP. Celui-ci annonce « *venger* » l'assassinat par Israël de son secrétaire général, **Abou Ali Mustafa**, le 27 août. Ancien général, Rehavam Zeevi s'est distingué dans les partis d'extrême droite : fondateur du parti Moledet à la tête duquel il devient député, puis de l'Union nationale lors des élections de 1999, il prônait le **transfert** « *volontaire* » des Palestiniens hors des territoires palestiniens. Soutien des colons,

il était favorable à une répression brutale de la résistance palestinienne. Le FPLP avait plusieurs fois annoncé qu'il vengerait l'assassinat d'Abou Ali Mustafa et dénoncé le cessez-le-feu *Al-Hayat al-Jadida, Yediot Aharonot*)

• **Ariel Sharon** attribue immédiatement la responsabilité de l'opération à l'Autorité nationale palestinienne et à Yasser Arafat. Il décide d'interrompre tout contact avec l'Autorité palestinienne et de prendre des mesures strictes sur le terrain : siège des villes et des villages, en particulier de Ramallah et d'al-Bireh, fermeture du passage de Rafah. Il décide d'empêcher Yasser Arafat d'utiliser l'aéroport de Gaza. Selon la radio israélienne, à l'issue d'une réunion du cabinet de sécurité, Ariel Sharon lance un ultimatum à Yasser Arafat pour qu'il livre à Israël Ahmad Sadat, secrétaire général du FPLP, et les responsables et auteurs de l'assassinat. « *Nous n'accepterons aucun ultimatum* », déclare Yasser Abed Rabbo.

• En Israël, état d'alerte pour la protection des ministres et nouveaux débats sur les défaillances du Shin Beth, après cet attentat qui succède à l'attaque de deux colonies de la bande de Gaza, l'une en août revendiquée par le FPLP, l'autre en septembre revendiquée par le Hamas.

• L'Autorité nationale palestinienne condamne les assassinats. Elle met en garde contre les dangers que fait courir la poursuite de cette politique à tous les niveaux. En dépit des positions extrémistes de Rehavam Zeevi, elle condamne cette opération et exprime ses condoléances. Elle affirme sa position d'un total cessez-le-feu et prendra toutes les mesures en conformité avec cette déclaration et avec la loi. (*Al-Hayat al-Jadida*)

• Dans un entretien à Voice of Palestine, **Yasser Abed Rabbo** affirme : « *Notre position est très claire et celle de Sharon est claire depuis le début. Il a planifié et préparé l'invasion des zones sous contrôle de l'Autorité nationale palestinienne. En fait, il considère qu'il s'agit d'une opportunité. Les Palestiniens ne vont pas abandonner leur résis-*

tance à l'occupation. Tous les actes de terreur commis par Israël ne pourront pas briser la volonté du peuple palestinien de résister à l'occupation et aux colonies et sa lutte vers l'indépendance [...]. *En ce qui concerne l'assassinat de Zeevi, Sharon est responsable de l'incitation à la violence des Palestiniens. Après avoir annoncé le cessez-le-feu, il a déclaré que la politique d'assassinats se poursuivrait. Ce qu'il a mis en pratique. Il n'a jamais cessé ces actes de tueries, même un instant.* » Concernant la destruction de l'aéroport de Gaza, il commente : « *C'est l'une des stupidités par lesquelles ils essaient de faire pression* ». Il considère qu'empêcher la relance du processus de paix est l'un des objectifs d'Ariel Sharon. « *Il a été effrayé lorsqu'il a appris qu'il existe un effort de l'Europe et des Etats-Unis pour adopter des mesures politiques. Il ne mesure pas que les Palestiniens sont déterminés à* [...] *en finir avec l'occupation.* »

• **Terje Roed-Larsen**, représentant des Nations unies, annonce que Yasser Arafat a ordonné l'arrestation immédiate des auteurs de l'assassinat de Rehavam Zeevi. (*Al-Hayat al-Jadida*)

• **Incursions israéliennes** à Ramallah et al-Bireh. Israël réoccupe plusieurs zones du district de Jinîn et tente d'envahir la ville. Attaques sur le village de Hiwaah dans le district de Naplouse. (Voice of Palestine)

• Onze détenues à la prison de Ramleh, dont trois ont moins de 15 ans, se plaignent de leurs conditions de détention et des longues périodes d'interdiction de visites des familles. Leur avocate, de l'association Law, confirme que les onze femmes ont été soumises à la **torture** et aux mauvais traitements, comme les privations de sommeil ou la détention dans des positions inconfortables, ce qui viole à la fois les Conventions de Genève et la décision de la Haute Cour israélienne, ainsi que la Convention sur les droits de l'enfant. (JMCC, Law)

JEUDI 18 OCTOBRE

• Revenant sur l'assassinat de Rehavam Zeevi, le commentateur politique Guy Bichor écrit dans *Yediot Aharonot* : « *Les Palestiniens ont réussi à forcer Israël à revoir l'efficacité, et en particulier les dangers contenus dans la politique d'assassinats des leaders palestiniens. Pour la première fois depuis le début de l'Intifada, les Palestiniens n'ont pas commis un attentat aveugle contre des Juifs parce qu'ils sont Juifs, mais ont lancé une opération contre une personnalité israélienne.* » Dans *Maariv*, **Yossi Sarid**, responsable du Meretz, commente : « *Que pouvons-nous faire d'autre concernant la terreur que nous n'ayons pas fait ? Les gouvernements israéliens savent comment entrer en guerre, jamais comment en sortir. L'espoir, c'est que nous ne soyons pas aux prises cette fois avec une autre saleté, en ayant à payer un prix insupportable.* »

• Ariel Sharon entame une offensive à grande échelle. Incursion de tanks à Ramallah et Jinîn. On compte six Palestiniens tués, dont une fillette de dix ans, et de nombreux blessés dans les attaques contre ces villes où trois militants du Fath sont assassinés. L'**Autorité nationale palestinienne** demande à la communauté internationale d'intervenir contre cette agression. Le **Fath** déclare qu'Ariel Sharon a ouvert les portes de l'enfer et que les officiels, les colons, les soldats et les sites militaires seront une cible pour les combattants du mouvement. (*Al-Hayat al-Jadida*)

• Les brigades Abou Ali Mustafa, branche militaire du FPLP, sont déclarées groupe illégal par l'Autorité palestinienne. Selon le FPLP, trois membres du Front ont été arrêtés par l'Autorité palestinienne à Gaza. (*Al-Hayat al-Jadida*)

• Les Etats-Unis réclament d'Israël de la retenue dans ses initiatives. (*Al-Hayat al-Jadida*)

VENDREDI 19 OCTOBRE

• **Bouclage** de Ramallah, Naplouse et Jinîn. L'armée israélienne entame une incursion dans Bethléem. Incursions également à Qalqilya et Toulkarm. Trois Palestiniens tués. **Washington** considère que ces incursions sont « *inutiles* », qu'elles « *compliquent la situation* » et « *doivent cesser* ». (Voice of Palestine, AFP, Le Monde)

SAMEDI 20 OCTOBRE

• **Tsivi Levny**, ministre israélien de la Coopération régionale, révèle que le gouvernement a décidé lors d'une récente réunion de laisser les mains libres à l'armée pour intervenir contre les Palestiniens en Cisjordanie et dans la bande de Gaza. Elle ajoute que les incursions dans les zones autonomes font partie de la décision gouvernementale et que les nouvelles instructions à l'armée comprennent arrestations, démolitions de maisons, imposition de couvre-feux et autres mesures, dont des coupures d'eau et d'électricité. **Shimon Pérès** nie tout plan israélien visant à l'effondrement de l'Autorité nationale palestinienne. Il considère que les accords d'Oslo sont devenus invalides et vides lorsque le gouvernement a changé en 1996. Il ajoute qu'Israël n'a pas d'autre partenaire pour des pourparlers de paix que l'Autorité palestinienne et qu'il est prêt à rencontrer Yasser Arafat n'importe quand, sans avoir besoin de l'autorisation d'Ariel Sharon. (*Al-Qods*)

• Huit morts, dont deux femmes et trois membres des forces de sécurité, et plus de 50 blessés dans une confrontation avec l'armée israélienne qui réoccupe de nouvelles régions à Toulkarm et Qalqilya. L'armée israélienne utilise des hélicoptères et bombarde des zones résidentielles et des postes de sécurité dans de nombreuses villes. A Bethléem, quatre morts, dont un adolescent de 15 ans, et trente blessés durant l'invasion de la région. Au cours de la nuit, déploiement de tanks devant l'hôpital français et celui de Bayt Jala, puis autour du camp d'Azza, tirant sur les quartiers résidentiels. Couvre-feu sur des quartiers d'al-Bireh et Ramallah. Contacts entre **Yasser Arafat** et **Hosni Moubarak**, le roi **Abdallah II** et le **prince du Qatar**. Le conseiller de Yasser Arafat, **Nabil Abou Rdeineh**, déclare que l'Autorité nationale palestinienne demande une session urgente du Conseil de sécurité des Nations unies. Il affirme qu'Israël répond aux demandes américaines par une agression plus grande et la réoccupation de terres palestiniennes, pour saboter les efforts des Etats-Unis dans la région. (Voice of Palestine, *Al-Qods*)

• Dans un communiqué, le réseau des ONG palestiniennes déclare : « *Pour le troisième jour consécutif, les forces d'occupation continuent d'occuper nombre de villes et villages palestiniens sur lesquels elles ont pris le contrôle et déclaré le couvre-feu. Cela s'ajoute à la série de violations pratiquées par les autorités d'occupation contre la population palestinienne. Prétendant répondre à l'assassinat du ministre d'extrême droite Rehavam Zeevi, les autorités d'occupation continuent d'appliquer une politique de réoccupation de la terre et de punition collective contre les Palestiniens. Dans ce contexte, le réseau des ONG rappelle aujourd'hui à la communauté internationale qu'Israël a procédé à 61 assassinats contre des Palestiniens, le dernier en date étant celui de trois Palestiniens dans la région de Bethléem, le 18 août. Dans ce contexte, le réseau des ONG exprime sa profonde inquiétude au vu de la détérioration incontrôlée de la situation dans la région ; renouvelle ses appels à une intervention de la communauté internationale pour mettre un terme à l'agression israélienne contre les civils palestiniens ; réaffirme le besoin immédiat d'une force de protection de la population palestinienne ; appelle à un retrait immédiat des forces d'occupation de tous les territoires palestiniens occupés en 1967 et à l'établissement d'un Etat palestinien indépendant avec Jérusalem pour capitale.* » (PNGO, JMCC)

• L'émissaire américain **William Burns** évoque un état d'instabilité dans le monde arabe et islamique. Il déclare que les Etats-Unis soutiennent les parties modérées contre l'extrémisme pour permettre la légitime aspiration à une région stable et qu'ils vont exercer des efforts économiques et diplomatiques pour trouver un accord pacifique sur la base de l'établissement d'un Etat palestinien à côté d'Israël dont la sécurité doit être garantie « *dans le contexte d'un accord* ». (*Al-Qods*)

LUNDI 22 OCTOBRE

• **Assassinat** d'un leader des brigades Ezzedine al-Qassam du **Hamas**, à Naplouse. **Escalade** dans la violence à Bethléem où l'hôpital d'enfants est sous le feu des obus israéliens, et à Toulkarm : deux morts. Dans le sud de Jérusalem, mort d'un Palestinien qui avait blessé quatre Israéliens dans une action revendiquée par les brigades al-Qods du **Jihad islamique**. L'armée israélienne déploie des commandos spéciaux afin d'arrêter ou d'assassiner des militants. Sont particulièrement visés les auteurs de l'assassinat de Rehavam Zeevi. (*Al-Qods*)

• Alors qu'on compte depuis le début de la nouvelle offensive 24 morts palestiniens, les **Etats-Unis** appellent **Israël** à retirer immédiatement ses troupes des régions sous autorité palestinienne et critique l'armée pour la mort de civils palestiniens innocents. L'Etat hébreu oppose une fin de non-recevoir. Les Etats-Unis appellent aussi l'Autorité nationale palestinienne à faire tous les efforts pour stopper la violence et le terrorisme et traduire les terroristes devant la justice. (*Al-Ayyam*)

• Pour l'ancien ministre **Shlomo Ben Ami**, « *le coût terrible en vies humaines, ces derniers mois, est la preuve glaçante qu'il n'y a pas de solution militaire à un soulèvement populaire* ». (*Yediot Aharonot*)

• Javier Solana entame une tournée au Proche-Orient : Israël, territoires palestiniens, Egypte, Jordanie, Arabie Saoudite. (AFP)

MARDI 23 OCTOBRE

• La Maison Blanche annonce que **George W. Bush** a promis à **Shimon Pérès** de maintenir une ferme pression sur l'Autorité nationale palestinienne pour faire cesser les actes de violence. (*Al-Qods*)

• Dans une tribune au *Monde*, **Hubert Védrine** insiste sur la nécessité d'un Etat palestinien. « *Le monde attend* [...] *des Israéliens l'arrêt total des opérations militaires antipalesti-*

niennes, le gel véritable des colonies [...], *la levée des mesures d'asphyxie financière des territoires, l'acceptation de l'ouverture de négociations politiques ; des Palestiniens, un engagement total de la police contre les organisations et réseaux terroristes, la mobilisation de toutes les autorités palestiniennes pour combattre réellement les incitations à la haine anti-israélienne* [...] *; des deux, un accord pour des négociations politiques, sans préalable, l'acceptation du mécanisme impartial d'observation. Cela permettrait de mettre en oeuvre les conclusions de la commission Mitchell et plus encore d'aller* [...] *à des négociations politiques.* »

• Pour **Terje Roed-Larsen**, envoyé spécial des Nations unies pour la paix au Proche-Orient, la situation constitue le plus dangereux moment de la décennie. La communauté internationale demande aux deux parties de prendre des mesures décisives. Il en appelle aux dirigeants et considère qu'en dépit de la crise profonde, la majorité des Israéliens soutiennent l'établissement d'un Etat palestinien et l'évacuation des colonies ; la majorité des Palestiniens, quant à eux, approuvent le processus de paix et la réconciliation dans le contexte d'un accord de paix. Il ajoute que les résolutions 242 et 338 du Conseil de sécurité des Nations unies sont nécessaires pour aboutir à une sécurité réelle. (*Al-Hayat al-Jadida*)

• Dans un entretien diffusé par Voice of Palestine, **Saeb Erekat** estime qu'il est clair pour l'Europe comme pour les Etats-Unis que Sharon cherche à **poursuivre la guerre** entamée en 1982 contre l'OLP à Beyrouth. Interrogé sur les arrestations qui ont eu lieu et sur d'éventuelles pressions internationales pour arrêter des membres du **FPLP** et fermer ses bureaux, il dit : « *Chacun réalise que c'est une affaire interne palestinienne* ».

• Les Patriarches et chefs d'Eglises à Jérusalem lancent une marche de Jérusalem à Bethléem en solidarité avec les Palestiniens sous le feu israélien. Ils appellent à la fin immédiate de l'occupation des zones autonomes, à l'arrêt de toute forme de violence et au ces-

sez-le-feu, demandant à la communauté internationale de protéger la population civile palestinienne et aux Nations unies de presser Israël d'appliquer les résolutions internationales. (JMCC, Voice of Palestine)

• L'offensive israélienne se poursuit. Sept Palestiniens tués en Cisjordanie, dont trois par les forces spéciales infiltrées dans un quartier de Toulkarm. Plusieurs maisons démolies à Jérusalem et à Rafah. Plusieurs institutions civiles et religieuses endommagées par des tirs de tanks à Bethléem. Le camp d'Aïda et la ville de Jinîn sont également sous le feu des canons. Des colons ouvrent le feu à Hébron contre des travailleurs palestiniens de Yatta : six blessés. (*Al-Hayat al-Jadida*, Voice of Palestine)

MERCREDI 24 OCTOBRE

• Durant l'attaque israélienne contre le village de Bayt Rima, dans le district de Ramallah, dix Palestiniens sont tués, des dizaines sont blessés et de nombreux sont arrêtés. Les troupes israéliennes ont imposé un couvre-feu sur le village pour mener leur opération et ont détruit véhicules et bâtiments. Les troupes, appuyées par des hélicoptères, ont attaqué les membres des forces nationales palestiniennes. Deux Palestiniens sont tués à Bethléem et Abou Dis, et de nombreux autres blessés durant les tirs d'obus sur des quartiers résidentiels de plusieurs villes. De nombreuses maisons sont démolies et des terres cultivées sont ravagées dans plusieurs régions de Cisjordanie et dans la bande de Gaza. La direction palestinienne a décidé de déclarer cette journée jour de deuil national dans toutes les régions. (*Al-Qods*)

JEUDI 25 OCTOBRE

• **Escalade**. Quatre morts à Bethléem par des tirs sur des maisons individuelles. Un mort à Toulkarm. Nombreux blessés. Les troupes d'occupation envahissent le village d'Awarta et entrent dans Deir al-Balah. Attaque sur Abou Sneineh (Hébron). Tirs sur des maisons dans les districts de Jinîn, Bethléem, Qalqilya, Toulkarm. Funérailles à Ramallah de cinq martyrs du massacre de Bayt Rima. Retrait partiel des troupes israéliennes de Bayt Rima, ce que la Maison Blanche considère positivement. Dans la nuit du 25 au 26, réunion du cabinet de sécurité israélien et annonce d'un retrait graduel et conditionnel. (*Al-Hayat al-Jadida, Yediot Aharonot*)

• Dans une position commune, les envoyés des Etats-Unis, de l'Union européenne, de la Russie et des Nations unies, qui ont rencontré Yasser Arafat à Gaza, ont appelé à un cessez-le-feu et à un retrait des troupes israéliennes des zones réoccupées. Ils exigent d'Israël de lever le bouclage et le siège et de mettre un terme à la politique d'assassinats ciblés. Ils demandent à l'Autorité nationale palestinienne de respecter le cessez-le-feu. Ils invoquent la nécessité de mettre en œuvre les recommandations Mitchell et Tenet. Paris rappelle que le siège est une violation du droit humanitaire international. (*Al-Ayyam*)

• Les députés israéliens **Shlomo Ben Ami** et **Haïm Ramon** annoncent un plan de **séparation unilatérale**. (Voice of Palestine)

• Conférence de presse à l'American Colony de Jérusalem : plusieurs personnalités palestiniennes, israéliennes et internationales se penchent sur les violations des droits humains à Bayt Rima. (JMCC)

SAMEDI 27 OCTOBRE

• **Incursion israélienne** à Toulkarm, suivie d'une confrontation, incursion à Naplouse, tirs d'obus sur Jinîn, Rafah, les camps d'Aïda, Azza et Askar. Israël annonce retarder le retrait de Bethléem et Bayt Jala, et affirme que la violence du côté palestinien n'a pas pris fin. Décision condamnée par Yasser Arafat. (*Al-Hayat al-Jadida*)

DIMANCHE 28 OCTOBRE

• Quatre Israéliens tués et plus de 40 blessés lors d'**attaques armées** à Hadera, dans le nord d'Israël. Le Jihad islamique en a revendiqué la responsabilité, pour venger les massacres de

Bayt Rima et Bethléem. La direction palestinienne a condamné l'attentat et affirme être prête à aider des observateurs internationaux. A Baqa al-Gharbiyye, un Israélien tué à une station de bus. Abdul Aziz Rantisi, dirigeant du Hamas, annonce que le mouvement est capable de fabriquer des roquettes Qassam 1, pouvant atteindre les villes israéliennes. (*Al-Hayat al-Jadida*)

• L'armée israélienne se retire de Bethléem et de Bayt Jala ; durant son incursion, les soldats israéliens ont tué 22 Palestiniens, dont quatre femmes, blessé 150 autres. Près de cent maisons et des dizaines de magasins sont touchés. Les tirs israéliens ont ciblé les institutions religieuses et d'éducation. Les Palestiniens estiment les pertes à 17 millions de dollars. L'armée israélienne resserre l'étau à Naplouse et bombarde des quartiers résidentiels en Cisjordanie et dans la bande de Gaza. (Voice of Palestine, *Al-Qods*)

LUNDI 29 OCTOBRE

• Rencontre trilatérale sécuritaire israélo-palestinienne en présence des représentants américains. Elle s'achève sans résultat. Israël refuse de donner des dates pour le retrait de ses troupes. (*Al-Ayyam*)

• Les ministres des Affaires étrangères de l'**Union européenne** lancent un appel urgent aux Israéliens et aux Palestiniens pour reprendre les négociations sans conditions avant qu'il ne soit trop tard, car la situation au Proche-Orient se détériore continuellement, appelant les deux parties à suivre le plan Mitchell. L'Union européenne demande à Israël de conclure le retrait de ses troupes des régions autonomes, et aux Palestiniens d'exercer le maximum d'efforts pour arrêter les responsables des actes de violence contre Israël. Elle se dit prête à travailler en étroite collaboration avec les Etats-Unis pour aboutir à un accord final. (*Al-Ayyam*)

• Dans les colonnes éditoriales de *Maariv*, Yael Paz-Milamed écrit : « *La prochaine fois que l'armée recommande de recapturer quelques villes en zone A,*

ce sera plus facile pour elle. Le tabou a été brisé et avec lui la ligne rouge qui guidait l'unité du gouvernement jusqu'à maintenant. »

MARDI 30 OCTOBRE

• **Yasser Arafat**, lors d'une courte visite à Rome, rencontre le Président, le Premier ministre et le ministre des Affaires étrangères italiens ainsi que le pape Jean-Paul II. Il doit se rendre en Norvège et en Espagne pour obtenir que l'Europe fasse pression sur Israël. (*Al-Hayat al-Jadida*)

• Plus de 500 soldats, gardes-frontières et membres des forces spéciales israéliens, accompagnés de quatre bulldozers, ont démoli six maisons palestiniennes à Jérusalem-Est. (JMCC)

• Selon Ben Caspit et Eli Kamir dans *Maariv*, **Shimon Pérès** met la dernière touche à un **nouveau plan diplomatique** pour un accord avec les Palestiniens. La clé en est l'établissement d'un Etat palestinien et le retrait de la bande de Gaza d'abord, avec le retrait des colonies de ce territoire comme un geste de bonne volonté. Chacun administrerait les lieux saints de sa religion. La question de Jérusalem serait ajournée à une date à déterminer. Israël et la Palestine auraient une équipe conjointe de sécurité. Une commission internationale, avec la participation des Nations unies, de l'Union européenne, des Etats-Unis et de la Russie traiterait la question des réfugiés et des compensations. Les Etats israélien et palestinien établiraient une convention économique et des projets dans les domaines de l'eau, de la désalinisation, de l'environnement, du tourisme. Israël chercherait à signer un traité de défense avec les Etats-Unis.

• Polémique sur le sort de trois soldats israéliens détenus par le Hezbollah. Israël accuse le Hezbollah de négocier leur sort alors qu'ils seraient morts. (*Yediot Aharonot*)

صدر العدد 49 من

مجلة الدراسات الفلسطينية

الاشتراك السنوي (بما فيه أجور البريد الجوي)		ترسل الطلبات إلى مؤسسة الدراسات الفلسطينية
دول عربية	**دول أخرى**	شارع أنيس النصولي ـ متفرع من فردان
أفراد ٢٥ دولاراً	أفراد ٤٠ دولاراً	ص. ب. ٧١٦٤ ـ ١١، الرمز البريدي: ٢٢٣٠ ١١٠٧
مؤسسات ٤٠ دولاراً	مؤسسات ٦٠ دولاراً	بيروت ـ لبنان

هاتف/فاكس ٨٦٨٣٨٧ ـ ٨١٤١٩٣
e-mail: ipsbrt@cyberia.net.lb

Local Newsstand Price: *20 NIS*

Local Subscription Rates
Individual - 1 year: *50 NIS*
Institution - 1 year: *70 NIS*

International Subscription Rates
Individual - 1 year: *USD 25*
Institution - 1 year: *USD 40*
Students - 1 year: *USD 20*
(enclose student ID)
Internet edition: *USD 20*
Single issue: *USD 5*

For local subscriptions to JQF,
send a check or money order to:
The Institute of Jerusalem Studies
P.O. Box 54769
Jerusalem 91457
Tel.: 972 2 582 6366
Fax: 972 2 582 8901
E-mail: jqf@jqf-jerusalem.org

For international or US subscriptions
send a check, credit card order,
or money order to:
The Institute for Palestine Studies
3501 M Street, N.W.
Washington, DC 20007

Or subscribe by credit card at the IPS
web-site:
http://www.ipsjps.org

The publication is also available
at the IJS web-site:
http://www.jqf-jerusalem.org.

JERUSALEM
quarterly
file

Institute of
Jerusalem Studies

122 · Volume XXXI, Number 2, Winter 2002

Journal of Palestine Studies

A Quarterly on Palestinian Affairs and the Arab-Israeli Conflict

Subscriptions:
Individuals, $39; Students/Retirees, $22; Institutions, $95
Add $20 for airmail postage outside North America

Order on-line at www.ucpress.edu/journals/jps/
Email: jorders@ucpress.ucop.edu   Fax: 510-642-9917

U.C. Press, 2000 Center Street, Suite 303, Berkeley, CA 94704
Published by the University of California Press for the Institute for Palestine Studies

Directeur de la publication : Farouk Mardam-Bey
Publiée par l'Institut des études palestiniennes, Washington D.C., USA
Imprimé en France par Normandie Roto Impression s. a., 61250 Lonrai
N° d'imprimeur : 020736. Dépôt légal : avril 2002.